동북아 국제정치이론

불완전 주권국가들의 국제정치

이 도서의 국립중앙도서관 출판예정도서목록(CIP)은 서지정보유통지원시스템 홈페이지(http://seoji.nl.go.kr)와
국가자료종합목록 구축시스템(http://kolis-net.nl.go.kr)에서 이용하실 수 있습니다.
CIP제어번호: CIP2020014397(양장), CIP2020014400(무선)

서울대학교 국제문제연구소 총서 32

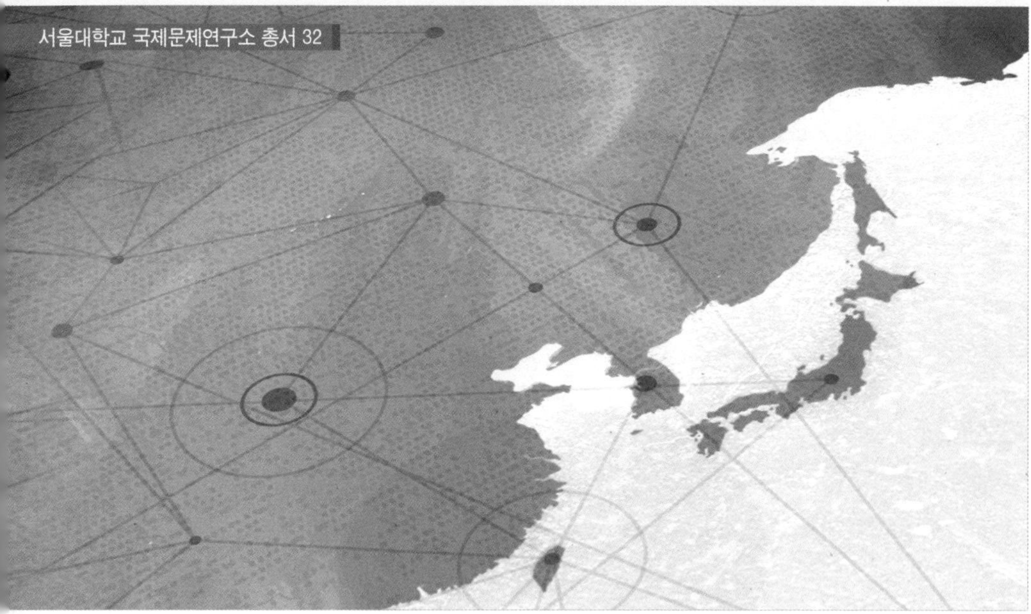

EORIZING NORTHEAST ASIAN INTERNATIONAL RELATIONS

: Politics among Incomplete Sovereign States

동북아 국제정치이론

불완전 주권국가들의 국제정치

| 전재성 지음 |

한울
아카데미

차례

표 차례

책머리에

동북아시아를 둘러보면 두 개의 한국과 두 개의 중국 그리고 태평양전쟁 패전 이후 군대를 갖지 못한 일본이 있다. 1953년 한국전쟁이 멈춘 이래 동북아에 전쟁은 없었다. 그러나 평화가 왔다고 보기도 어렵다. 남·북한은 한국전쟁을 종료하지 못했고, 중국과 대만은 통일되지 못한 채 각축을 벌이고 있다. 일본은 개헌을 통해 보통국가가 되려고 노력하고 있다. 영토분쟁도 지속되고 있고 무엇보다 평화로운 미래를 확신하지 못 하는 각국은 군사력과 경제력을 키워 힘의 국제정치에 대비하고 있다. 왜 하나의 한국과 하나의 중국, 보통국가 일본이 서로를 존중하면서 평화로운 지역질서를 만들지 못하고 있는가.

중국 중심의 '천하질서'하에 있던 동북아는 19세기 중반부터 서구 제국주의의 침탈을 받았다. 1945년 이후 동북아 국가들은 근대적 주권국가를 이루었지만 누구 하나 스스로 만족스러운 국가의 모습을 갖추지 못했다. 게다가 미국과 구소련이 냉전을 시작해 동북아는 대립과 갈등의 소용돌이에 빨려들어 갔다. 냉전이 종식되고 21세기를 맞이한 지금도 동북아 국가들은 전통적으로 보존해 온 국가 관념과 민족 단위를 회복해 어엿한 근대국가를 만들기 위해 안팎으로 투쟁하고 있다. 겉으로는 결격사유가 없는 국가들이지만, 실은 온전한 주권국가의 꿈을 가진 불완전 주권국가들이다.

2020년대로 들어선 지금, 동북아 국제정치는 새로운 소용돌이에 휘말려 들어가고 있다. 미국은 기존의 패권국 역할을 팽개치고, 미국 이익 우선주의를 내세우고 있다. 국제적 공공재를 너그럽게 제공하던 세계 유일 지도국의 모습이 아니다. 러시아는 과거 강대국의 위상을 되찾고자 부활을 외치고 있다. 미국과 러시아 모두 다시 위대한 국가가 되려는 꿈을 내세우고 있다. 중국은 중화민족의 위대한 부흥을 외친다. 일본은 세계무대에 "일본이 돌아왔다"라고 선언하고 있다. 대만은 자유와 번영의 꿈을 이야기하고 북한은 부강조국건설을 내세우고 있다. 동북아의 불완전 주권국가들은 각자의 꿈이 서로에게 악몽이 되지 않으리라는 확신이 없다. 주권완성의 게임과 국제정치게임을 치열하게 벌이면서 불안 속에 서로를 주시하고 있다.

이 책은 동북아 국제정치의 독특성을 이해하기 위해 기존의 국제정치이론을 보완하는 동북아 국제정치이론을 수립해 보고자 한다. 기존 국제정치이론의 공헌과 한계를 짚어보고, 동북아, 더 나아가 다른 비서구 지역에도 유용할 수 있는 명제들을 도출해 내고자 한다. 이제까지의 국제정치이론은 아무래도 서구의 역사와 강대국 국제관계를 중심으로 발전해 왔다. 비서구 국가들의 상황을 충분히 고려해 이론화를 시도한 것이 아니기 때문에 동북아의 경험을 바탕으로 새롭게 이론화할 필요가 있다.[●] 동북아 국제정치를 설명할 이론이 없어 서로 간에 발생하는 갈등과 대립을 온전히 이해하지 못하고 미래의 비전을 상실한다면 그보다 안타까운 일이 있겠는가.

이 책은 주권국가체제에 대한 역사사회학적 고찰을 바탕으로 이론화의 기초가 될 수 있는 개념과 가설 그리고 이러한 명제들이 적용될 수 있는 주

● 이와 관련해 동아시아에서 무정부상태라는 근대 국제정치의 조직원리가 근대 이전, 근대 이행, 탈근대 이행의 조직원리와 복합되어 공존한다는 점을 논하기도 했고(전재성, 2011), 유럽에서 주권이라는 개념이 진화하고 주권국가체제가 발전되어 온 과정을 밝히는 한편, 주권국가체제가 근본적으로 제국적 논리를 내장하고 있다는 점을 추적하기도 했다(전재성, 2019c).

요 사안들을 살펴본다. 불완전 주권국가·주권게임·국제정치게임 등이 그 기초가 되는 개념이며, ① 냉전기, ② 탈냉전 미국 단극패권기, ③ 미국 패권조정 및 미·중 전략경쟁기가 동북아를 둘러싼 국제정치구조의 시기 구분이다. 각 시기별로 동북아 국가들의 주권게임이 어떻게 진행되었는지 살피고, 국제정치게임과 결합되는 양상을 추적한다. 동북아가 격변에 처해가는 미국 패권조정 및 미·중 전략경쟁기에 새롭게 격화될 갈등의 원인과 향후 전개 과정도 살펴본다.

이 책은 이론화의 기초가 되는 개념과 가설들을 제시함과 동시에, 역내 국가들 간의 양자관계 사례 중 이론적으로 한국에 주는 의미가 큰 사례들을 선별해 경험적 연구를 시도한다. 역내국가들을 두 개의 한국, 두 개의 중국, 일본, 이렇게 5개 나라로 볼 때, 역내국가들 간의 양자관계는 모두 10개의 사례가 나온다. 역외국가인 미국과 러시아를 포함하면 모두 21개의 양자관계로, 매우 다양한 조합이 나온다. 이와 같은 다양한 관계 중에서 4개의 사례를 선택해 다루는데, 2개의 사례는 역내국가들 간의 관계, 2개의 사례는 역내국가인 한국·중국과 역외국가인 미국 간 관계이다. 이렇게 함으로써 기존의 국제정치이론으로 설명이 쉽지 않은 현상들의 배경에 주권게임이 자리 잡고 있다는 사실을 부각할 수 있으므로, 현실적 관점에서 한국에 중요한 사례들을 선정한 것이다. 한국을 중심에 놓고, 다른 사례도 부분적으로 맥락에 따라 언급할 것이다.

2장에서는 개념과 가설, 이론을, 3장에서는 동북아 역내국가들이 불완전 주권국가로 귀결된 역사적 배경을 살펴본다. 4장과 5장에서는 한국을 중심에 놓고 역내국가인 북한과 일본 간의 양자관계 즉 남·북 관계와 한·일 관계를 다루고, 6장에서는 역외국가인 미국과의 동맹관계를 다룰 것이다. 7장에서는 향후 동북아는 물론이고 지구적 차원에서 국제정치를 좌우할 미·중 관계를 고찰할 것이다.

CHAPTER

1

개념, 가설, 이론

1 | 동북아시아 국제정치이론화의 범위

동북아는 남·북한, 중국과 대만, 일본으로 구성된다. 몽골도 동북아 국가라고 할 수 있지만, 한·중·일 3국 간 관계에 비추어 관계의 폭과 심도에서 차이가 나므로 본격적으로 다루지 않는다. 일본과 중국은 스스로를 동북아 국가로 한정하지 않고 동북아를 넘어 동아시아 전체, 혹은 아시아와 그 이상 지역의 당사자이자 강대국으로 생각한다. 따라서 동북아 국제정치가 스스로를 동북아 국가로 규정하는 국가들 간의 국제정치라고만 정의하기는 어렵다. 그보다는 동북아라는 정치 공간을 두고 동북아에 일부 혹은 전체가 걸쳐 있는 국가들이 상호작용 할 때 펼쳐지는 국제정치라고 봐야 한다. 동북아 국가로 스스로의 정체성을 규정하는 데 크게 거부감이 없는 국가는 사실 남·북한뿐이다. 대만 역시 남중국해 문제의 당사자인 점에서 볼 수 있듯이 동북아 국가로 한정할 수 없다. 한국도 아시아·태평양 국가, 동아시아 국가 등 다양한 정책 언어를 사용하면서, 점차 남중국해 문제를 비롯한 동남아시아 등 아시아 전반의 문제에 관심을 기울이며 지구적 중견국의 역할을 자임하기도 한다.

그럼에도 불구하고 동북아 국제정치는 다른 지역과는 구별되는 특징이 있다. 예를 들어 인접 지역인 동남아의 국제정치는 중국, 대만, 일본이 스스로 동남아 국가로서 또 다른 특성을 가지고 다른 동남아 국가들과 상호작용 하여 이루어진다. 따라서 동북아 국제정치를 이론화한다는 것은 동북아라는 공간에서 각 국가가 지닌 복수의 정체성 중 동북아 국가로서의 정체성을 가지고 상호작용 하는 현상을 이론화하는 것이다.

남·북한, 중국, 대만, 일본을 동북아 지역의 역내국가라고 칭하고, 미국과 러시아를 역외국가로 규정한다. 미국, 러시아 역시 동북아 국제정치의 중요한 당사자이지만, 역내국가와는 구별된다. 역내국가들은 근대로 편입되기 이전부터 중국 중심 천하질서라는 동일한 조직원리하에서 천 년 이상 상호작용을 하면서 정체성을 보존해 왔고, 근대 이행의 변화를 함께 겪었다는 배경이 있다. 1840년 아편전쟁을 시작으로 역내국가들은 주권국가체제로 변화하는 근대 이행의 격변을 겪으며 새로운 정체성을 형성했다는 점에서 미국, 러시아와 역사적으로 구별된다. 미국, 러시아는 19세기 중반 이래 서서히 동북아 지역에 이해관계를 가지고 적극적으로 개입했고, 동북아 국가로서 정체성을 스스로 키워왔다. 냉전기에는 동북아 국제정치를 좌우하는 결정적인 두 초강대국이었다. 냉전 종식 이후에 미국은 지구적 패권국으로서 강대국이 몰려 있는 동북아에 적극 개입했고, 러시아 역시 이 지역에 힘을 투사해 왔다. 두 국가 모두 역외국가이지만 동북아 국제정치의 주요 행위자인 것이다.

2 | 불완전 주권국가로서 한·중·일

동북아의 경우 주권국가체제는 외생적인 조직원리의 이입으로, 그 이행 과정이 순탄하지 못했다. 서구 제국주의 침탈 속에서 주권국가의 객관적 조건을 갖추면서 만국공법 체제라는 새로운 조직원리를 받아들이는 과정이었는데, 한·중·일의 행로는 모두 달랐다. 제국주의가 전 세계에 걸쳐 주권국가체제의 규범으로 작동하던 시대는 현재와 크게 달랐고, 동북아 국가들의 선택지는 제국이 되거나 식민지가 되는 양자택일로 좁혀져 갔다. 일본이 새로운 시대에 새로운 제국의 길을 걸었다면, 중국은 몰락한 과거 제국으로서 좌절의 길을 걸었다. 한국은 전통 시대에서 모범적인 증공국으로 존재하다가 일본제국의 식민 통치 대상이 되어 약소국의 길을 걸었다.

근대 이행의 과정은 한·중·일 역내국가들 간 전쟁이나 힘의 대결 혹은 협상에 의한 것이 아니라 서구 제국들의 개입 속에서 이들의 이권다툼 가운데 이루어졌다. 한·중·일 3국이 주권국가로 이행하는 과정은 많은 어려움으로 점철되었는데, 서구 제국들과의 불평등조약 체결, 대외적 자율성의 한계, 내부적으로 효율적 정부수립의 어려움, 근대 제국으로 탈바꿈한 일본의 침탈, 영토 경계를 새로이 설정하는 과정에서 발생한 영토분쟁 등 많은 문제들이 일어났다. 20세기에 들어오면서 일본은 근대적 제국의 위상을 확보해 한국을 식민지로 삼았고, 중국을 침탈했다. 중국은 1911년 신해혁명으로 공화정부를 수립했지만, 전국을 아우르는 효율적인 정부를 수립하지 못하고 혼란 속에 반식민지화되었다. 서구 제국들 역시 동북아에 대한 제국적 침탈을 지속했다.

제2차 세계대전이 종결되면서 지구적 차원에서 제국주의가 점차 청산되고, 비유럽 국가들은 주권국가가 되었다. 한·중·일 3국도 주권국가로 재탄생했는데, 이 과정은 새롭게 시작된 미·소 냉전체제의 절대적 영향을 받았다. 1945년 한국의 분단 과정과 이후의 한국전쟁, 1949년까지 지속된 중국의 국공내전, 일본의 패전과 미국의 이른바 대일 역코스(reverse course) 정책 등 모든 과정이 역외국가인 미국과 소련의 개입 속에 이루어졌다. 제국들 간의 전쟁은 끝났지만, 역내국가들이 외세의 개입 없이 주권국가를 이룩하려는 투쟁과 전쟁은 중단되고 동결되었다.

역외국가들이나 국제사회의 시각으로 보면, 그렇게 탄생한 두 개의 한국, 두 개의 중국, 일본이 국제법적 주권을 소유한 국가로 정립되고 국제사회의 인정도 받았지만, 주관적으로는 원하는 모습의 주권국가를 수립하지 못한 불만족스러운 상태였다. 냉전적 진영논리로 갈등이 지속되는 가운데

표 1-1 한·중·일의 불완전한 주권 내용

	법적 주권	영토	국민
남·북한	분단	분단, 일본과 해양영토 분쟁	분단
중국	분단	분단, 남중국해 및 동중국해 해양영토 분쟁	분단, 다민족 갈등
일본	헌법적 제약으로 인한 보통국가화 미성취	해양영토 분쟁 및 오키나와 문제	없음

이 국가들에 대한 진영을 넘어서는 보편적 승인도 불가능했다. 한국은 분단되어 국토와 국민이 양분되었다. 남·북한 내부에서 효율적인 정부가 수립되었지만, 한반도 전체를 영토로 생각하는 남·북한 모두에게 이 정부는 반쪽짜리 정부에 불과했다. 중국 역시 분단되어 영토와 국민이 양분되었고, 정부의 권능 역시 심각한 타격을 받았다.

일본은 성공적인 제국으로 발전하다가 미국에 패전하여 미군정하에서 '평화헌법'을 채택했고, 1951년 9월 샌프란시스코회의에서 미국의 주도하에 다른 아시아 국가들의 승인을 받았다. 미국은 냉전 수행의 새로운 필요 속에 일본에 대한 역코스 정책을 취했고, 일본의 제국주의 청산은 미국의 필요에 의해 불완전한 형태로 이루어졌다. 동아시아 주권체제를 다자주의적으로 정립할 수 있었던 샌프란시스코회의는 동북아에서 베스트팔렌조약과 같은 위상을 지닌다. 그러나 샌프란시스코체제는 러시아, 중국, 한국 등 주요 국가의 불참 속에 미국 주도의 냉전 수행체제라는 성격을 강하게 띠었다. 이 과정에서 일본은 패전국의 굴레를 벗었지만 소련·중국과 평화조약을 맺지 못했고, 한국은 당사자 지위를 인정받지 못해 승전국이 되지 못했을 뿐 아니라 일본 식민지지배의 불법성도 확인받지 못해 향후 한·일 관계에서 문제의 씨앗을 안게 되었다(Calder, 2004; Dower, 2014; 신욱희, 2018; 김명섭,

2015; 남기정, 2008; 유의상, 2015; 현무암, 2014; 정태만, 2017).

결국 한국과 중국은 분단국가가 됨으로써, 오랜 역사 속에서 형성된 이상적 영토와 현실 영토 간의 불균형, 오랜 기간 형성된 국민 개념의 울타리와 현실 국민 간의 불균형, 여기서 비롯된 이상적 영토와 국민을 대표하는 정부의 불완전성이라는 중첩된 결함을 안게 되었다.* 일본은 패전하면서 오키나와에 대한 주권적 권한을 잃고, 미국에 많은 기지를 제공하면서 이상적 영토와 현실 영토 간의 불균형을 겪게 되었다(Dower, 2014: 5). 또한 태평양전쟁 패전으로 인한 헌법상의 군사력 제한이라는 기능적 결손, 아시아 국가들과 정상적 관계를 수립할 계기 상실 등 한계를 안게 되었다.

이와 같은 주권의 결손이 국가라는 단위 차원에서는 불완전한 주권국가로 귀결되었다. 주권국가를 논할 때, 이를 국제법적 주권과 경험적 주권으로 나누어 생각해 볼 수 있다(Jackson, 1990). 국제사회에서 승인받은 국제법적 주권국가라 하더라도 효율적이고 대외 독립적인 정부가 설립되지 못하거나 다른 강대국들과의 협상 혹은 강압에 의해 주권의 일부를 양도한다면 경험적 주권이 훼손될 수밖에 없다. 이러한 경우 주권국가들 간의 위계 상태가 나타난다. 경험적 주권이 제약된다는 점에서 거의 모든 주권국가는 불완전 주권국가이다. 심지어 세계 최강대국인 미국도 세계화의 시대에서 정부의 주권적 권능을 국내의 모든 사안에 대해 전면적으로는 발휘할 수 없는 경우가 있다. 이른바 상호 의존 주권의 한계이다.**

* 국가와 민족 간의 불균형(state to nation imbalance) 개념에 대해서는 비서구 지역 중동의 국제정치를 분석한 이론으로 Miller(2007) 참조. 밀러는 현실주의와 자유주의 국제정치이론이 포착하지 못하는 국가와 민족 간의 불균형 변수가 비서구 지역을 더욱 전쟁 지향적으로 만든다는 점을 지적하고 있다(Miller, 2007: 5). 한·중·일 삼각관계 속에서 주권의 문제를 다루면서 이론화를 시도한 연구로 신욱희(2017)도 참조.

** 불완전 주권국가 개념은 완전한 주권국가들 간의 권력 차이에 의해 주권성의 일부 양도로 주권성이 제한되는 경우와는 구별된다. 완전 주권국가들 간의 위계성에 대한 설명으로 Krasner(1999), Lake(2011)

그러나 동북아 국가들이 단위 차원에서 경험하는 주권의 결손은 국제법적 주권 상태에 대한 주관적 불만족 상태이다. 국제법적 주권국가로 정립된 이후 실질적 주권의 권능이 제약된다는 의미가 아니라, 주관적으로 생각하는 온전한 국제법적 주권의 범위를 실현하지 못하고 있는 데서 발생하는 결손이다. 영토의 분단, 국민의 분리, 정부 권능의 근본적 한계, 헌법적 제약 등이 그러한 국제법적 제약이다. 따라서 동북아 3국은 국제법적 주권을 온전히 만들기 위해 주권완성에 노력을 기울이게 된 것인데, 이것이 3국이 수행하는 주권게임의 가장 기본적인 목적이다.

물론 이러한 노력은 모든 주권국가들이 수행하는 전형적인 근대적 국제정치게임과 밀접히 관계된다. 불완전한 주권국가들도 근대 국제정치의 행위자로 존재하고 있기 때문에 생존과 안보를 가장 중요한 목적으로 삼는다. 기존의 국제정치이론에서 보면 주권의 완성이라는 목적은 생존보다 덜 중요한 목적으로 나누어 생각할 수도 있다. 일례로 미어샤이머는 주권국가 체제에서 국가들의 가장 중요한 목적은 안보와 생존이라고 본다. 미어샤이머는 분단국가의 통일도 중요한 목표일 수 있다고 언급하는데 이는 안보와 같은 핵심적인 목표라기보다는 국가의 국력을 증진시키는 부차적 목표라고 본다(Mearsheimer, 2011: 46).

그러나 분단국가에게는 분단 자체가 생존 제약의 조건으로, 분단을 극복해야 분단의 다른 주체에게 통합되는 비극을 막을 수 있다. 통일은 국력의 증진이기도 하지만 흡수통일 되지 않아야 한다는 생존의 문제이다. 그런 의미에서 통일은 국력 증진과 같은 국제정치게임의 문제가 아니라 주권국가 형성과 관련된 주권게임의 문제이다. 주권게임은 경험적 주권을 극대화하고 다른 국가들과의 국제정치 관계에서 권력과 이익을 극대화하는 국

등을 들 수 있다. 전재성(2014)에서 논의된 구별을 참조.

제정치게임을 통해 성과를 거둘 수 있지만, 주권게임과 국제정치게임은 개념적으로 구별해야 한다.

기존의 국제정치이론들은 주로 서구 학계에서 만들어지기 시작해 완전한 주권국가, 즉 이념형의 형태로 추상화되고 자기 완결적이며 기능적으로 동일한 주권국가들을 전제로 이론화를 시도해 왔다. 일례로 케네스 월츠(Kenneth Waltz)는 주권 개념이 완전한 능력을 의미하는 것은 아니라는 점을 인정한다. 능력 면에서 어떤 국가도 완전할 수 없기 때문에 주권적이라는 말과 대외의존적이라는 말이 상호 모순은 아니라는 것이다. 그러나 주권국가는 능력의 편차에도 불구하고 자체 완결적인 기능을 똑같이 수행하고 있기 때문에 기능적으로 동등한 유사 단위라는 점을 강조한다. 능력이 부족해 다른 국가에 의존할 수는 있지만, 기능상 다른 국가에 특정 기능을 위탁하는 위계적 분업은 불가능하다는 것이다(Waltz, 1979: 96~97).

이러한 전제는 주권국가가 법적 주권을 소유하며 기능적으로 자기 완결적이라는 두 가지를 내용으로 하는데, 더 나아가 주권이 본질적으로 결손이 있을 수 있다는 점을 고려하지 않았다. 월츠는 국가의 기본 목적을 안보와 생존으로 본다. 불완전 주권국가 역시 국제정치구조의 영향하에 있으므로 안보와 생존을 가장 중요한 목적으로 상정한다. 그러나 불완전 주권국가는 주권의 결손을 가진 상태 자체가 생존을 위협하는 상황이므로 안보전략의 내용과 형태가 달라질 수밖에 없다. 월츠는 주권국가의 안보 기능이 자체 완결적이라는 면에서 모든 국가가 유사하다고 보지만, 온전한 주권국가와 불완전한 주권국가의 안보 기능은 구조적으로 다른 조건하에 있다는 점을 생각해야 한다.

기존의 국제정치이론에서 주권게임은 이론화에서 제외되고 국제정치게임만 분석의 대상이 된다. 그러나 불완전 주권국가의 존재와 주권게임의 수행이 국제정치의 작동 방식 자체를 변화시킨다면 기존 이론은 한계에 봉착한다. 서구의 국제정치이론들은 높은 설명력을 갖춘 유용한 명제들을 제시했지만, 전 지구적 차원에서 국제정치 전체의 역사, 특히 비서구 지역질서를 분석할 때 한계를 가진다. 주권국가들은 다양한 역사적 한계 속에 국제법적 결손을 가지기도 하고, 위계적·계층적 구조를 가진다(Chun, 2009).

국제법적 주권 현황에 대한 주관적 불만족은 동북아 3국이 양상을 달리한다. 한국과 중국은 분단형 결손이고, 일본은 헌법적 권능 제약형 결손이다. 한국과 중국은 근대 이행기에 온전한 주권국가를 수립하지 못하고 분단되었기 때문에 결손이 발생한 것이고, 일본은 오히려 매우 성공적이어서 동북아 강대국 정치의 일원이 된 후, 태평양전쟁을 일으켜 패전국이 되었기 때문에 결손이 생겼다. 이후로도 미국의 강한 영향력하에 있고, 국내적으로 평화헌법에 대한 지지가 여전히 다수를 차지하고 있으며, 독자적으로 아시아 국가들과 공존 상태를 이룩하지 못해서 결손이 발생했다. 일본이 국민의 진정한 지지를 얻는 개헌을 통해 보통국가화하고, 미국과 보다 동등한 관계를 수립하고, 미국이 동맹관계를 통해 일본의 강대국화 과정을 통제하는 동맹 제약의 전략을 수행하지 않아도 되는 상황이 도래하고, 다른 아시아 국가들이 일본의 보통국가화에 진정으로 동의한다면 일본은 온전한 주권국가가 될 것이다.

결국 통일된 한국과 통일된 중국, 보통국가화된 일본이 서로의 승인과 축복 속에 탄생해야 주관적 불만족이 극복된 근대 이행의 완결이 이루어진다. 그때까지 주권게임은 지속될 것이다. 주권의 완성을 추구하는 과정은 구체적인 정책 사안에서 영토문제, 국민의 범위와 귀속 문제, 국력 증진의 문제, 국제사회의 승인 획득 문제 등 주권게임과 국제정치게임에서 다양한 형태로 나타난다. 그러나 주권게임과 관련된 이익과 목적은 다른 국제정치게임의 이익과 목적들에 비해 단순히 중요성이 더한 정도가 아니다. 국제정치게임의 근간을 이루는 단위의 성격과 자격에 관한 것이므로 차원을 달리하는 목적인 것이다. 상대적으로 더 중요한 이익이 아니라 이익의 주체인 국가의 자격과 성격에 관한 구성적이고 형성적인 목적과 이익이라고 하겠다(전재성, 2017b; 전재성, 2018).

3 | 유럽 주권체제의 진화 과정 속 비유럽 국가들의 주권

역사적으로 근대 유럽의 주권체제는 중세의 제국 체제를 배경으로 탄생했으며, 근대국가는 오랜 기간 주권국가이면서 제국을 지향하는 행위자였다. 제국과 국가의 구분은 배타적인 것이 아니며 근대국가이면서 제국의 성격을 띤 행위자가 오랜 기간 존속했다. 중세의 신성로마제국이 교황과 더불어 유럽은 물론 전 세계를 지배한다는 이념을 가지고 존속하다가 16세기 초 종교개혁과 유럽 내 개별 군주의 독립선언으로 분열되었다. 스페인 제국은 중세적 성격을 가진 마지막 제국으로, 찰스 5세는 1519년 신성로마제국의 황제를 겸해 유럽을 새롭게 통일하려고 했다.

당시 유럽에서는 영토국가 이외의 다양한 단위가 17세기 중반까지 경쟁하고 있었고, 오랜 기간에 걸쳐 주권국가로 정착했다. 근대 초부터 제국 단위들이 존재하는 가운데 30년 전쟁(1618~1648년)을 거치고 베스트팔렌조약을 맺음으로써 영토국가가 보편적 단위로 등장했다. 30년 전쟁 전후로 오래 계속된 여러 전쟁이, 개별 주권국가의 한계를 결정하고 결국 체제적 차원에서 주권국가체제를 만든 가장 중요한 원인 중 하나였다. 찰스 틸리(Charles Tilly)의 논의처럼 "전쟁이 국가를 만들고 국가는 다시 전쟁을 수행하는" 일련의 과정을 통해 주권국가체제가 형성되었다.

제국으로 존재했던 스페인, 프랑스 등 강대국은 지속적인 전쟁을 통해 세력균형을 이루고 주권적 권한의 한계를 상호인정 하게 되었다. 주권국가체제의 가장 큰 특징 중 하나는 제국의 출현과 타국의 주권적 권리 침해를 공동으로 방지하겠다는 규범적 합의이다. 스페인과 프랑스, 네덜란드, 영국 그리고 이후에는 러시아와 프러시아 등이 유럽을 놓고 쟁패를 거듭하다가, 결국 1815년 나폴레옹 전쟁 이후 전후 처리 과정에서 다자주의적인 강대국 공동지배체제에 합의하게 된다. 그때까지 유럽의 강대국들은 서로 전쟁을 계속하며 유럽 주권국가체제를 추구했지만, 제국을 추구하는 일탈은 간헐적으로 지속되었고 나폴레옹의 프랑스가 그 정점에 있었다.

결국 유럽의 근대국가체제 형성 과정에서 주권게임의 핵심은 첫째, 과거 제국의 힘과 정체성을 최대한 온존하면서 영토·국민·효율적인 정부·대외적 독립성을 갖춘 주권국가의 정체성을 만드는 것이며, 둘째, 이러한 정체성을 보존하기 위해 다른 국가들이 제국적 침략성을 갖지 못 하도록 하는 상호 주권 존중, 내정불간섭, 영토보전 등의 다양한 주권 규범을 갖춘 국제체제를 만들어내는 것이다. 전자가 단위의 문제라면 후자는 조직원리의 문제이다.

한편 약소국들은 강대국들 간 전쟁 속에서 강대국들의 이해관계를 수용하고 조정하는 선에서 주권적 지위를 확보함으로써 영토와 국민의 경계를 획정했다. 근대주권국가체제로 이행하는 과정에서 전쟁이라는 힘의 대결을 통해, 약소국들은 주권국가의 객관적 조건을 형성했고 주관적으로는 자국의 주권적 한계를 자인하게 된 것이다. 유럽 내 제국들 간의 합의가 이룩된 후에도 유럽 국가들은 비유럽 세계에 대한 팽창과 제국주의적 정복을 계속해 제국적 정체성을 유지했다. 유럽 내에서 주권국가체제를 이룩한 것과는 차별성을 보였고, 비유럽 지역 단위들의 주권을 인정하지 않았다.

근대 초까지 제국으로 존속했던 유럽 국가들이 타국의 주권을 인정하고 서로를 정당한 적으로 보며 공존을 추구하게 된 것은 첫째, 제국들 간의 팽팽한 세력균형에 따라 정복이 사실상 불가능해진 점, 둘째, 자유주의 정치철학이 확산되면서 다른 국가를 정복해 통치한다는 것이 이념적으로나 현실적으로 어려워진 점, 셋째, 유럽의 주변부 및 비유럽에 대한 확장과 식민지 팽창으로 유럽 내 강대국들 간의 직접 충돌이 유예되고 완충된 점 등에 힘입은 것이다. 18세기를 거치면서 유럽 국가들은 하나의 제국이 유럽을 통일한다는 것이 불가능하다는 것을 깨닫게 된다. 유럽 내에 퍼지기 시작한 자유주의 정치철학의 영향으로 한 국가가 무력으로 다른 국가를 정복하더라도 온전한 대의정치를 이룩하지 못하면 제국이 유지되기 어려운 정복 환경을 맞게 되었다. 유럽 주변과 비유럽 지역의 주권은 강대국 간 세력균형에 의해 조정되는 협상과 타협의 대상이 되었다. 폴란드가 분할된 것이나 빈 회의에서 벨기에가 네덜란드에 합병된 것, 스위스가 영세중립국이 된 것, 크림전쟁 이후 비유럽 국가로는 처음으로 오토만제국이 주권국가로 승인된 것 등은 주권의 지위가 강대국 국제정치의 협상 항목이었음을 말해주고 있다. 폴란드 분할에서 보듯이 유럽 주변 약소국의 주권을 훼손함으로써 강대국들 간의 세력균형을 유지할 수 있었고, 19세기 중반부터 본격화된 식민지 팽창으로 유럽 대륙 내 직접 투쟁을 비유럽 세계로 이전할 수 있었다. 이러한 역사 속에서, 유럽 국가들이 주관적으로 자신의 주권국가의 지위와 범위를 확정하는 인식 과정이 동시에 진행되었다.

비유럽 세계의 주권 지위에 대해서는 아메리카 신대륙 발견 이후부터 자연법 적용을 놓고 치열한 논쟁이 지속되었다. 결국 아메리카·중동·아프리카·아시아 등의 단위에 대해 주권을 인정하지 않게 되면서 제국주의 침략이 19세기에 본격적으로 시작되었다. 이 과정에서 강대국의 이익에 맞춰 비유럽 정치 단위들의 주권적 지위가 다양하게 규정되었다. 주권과 비주권의 양분법으로 비유럽 단위들의 지위를 설정하는 것이 아니라 강대국의 이익에 맞춰 다층적이고 다양한 주권 지위가 설정되었다. 이러한 기법은 사실 고대 로마나 중세 유럽에서도 보이는 것으로, 제국이라 하면 중심이 주변의 모든 결정을 독점하는 것이 아니라 주변의 독자성을 상당 부분 인정하면서 핵심 사안에서만 중심의 주권을 고집하는 것이었다. 이러한 제국은 사실상 다층적 주권체제 혹은 공유된 주권체제였다고 할 수 있다. 비단 유럽에서뿐 아니라 아시아의 제국들, 예를 들어 중국 제국도 주변인 한반도 왕조에 상당한 내정 주권을 보장해 주면서 핵심 사안에서는 복속을 강요했다.

제국 대 식민지 관계를 축으로 한 근대 이행의 국제정치 조직원리는 20세기 식민지들의 해방 과정에서 변형된다. 3세계 국가들은 해방 당시 주권국가체제를 받아들일 수밖에 없는 외적 조건에 놓여 있었고, 스스로도 서구 국가들을 모방해 주권국가가 되려는 의지를 가진 상태였다. 그러나 서구 강대국들의 국제정치 경쟁이 치열한 가운데 3세계 국가들이 자기들끼리 자생적 국가 형성 전쟁을 벌일 수는 없는 상황이었고, 서구의 개입 속에 대부분 3세계 국가들의 주권국가 형성 과정이 동결되었다.

문제는 식민지였던 비유럽 국가들이 전통적으로 보존해 왔던 영토의 개념, 국민의 범위, 정부의 형태를 결정하는 데 큰 어려움을 겪게 되었다는 점이다. 결국 이상적 국가와 현실 국가 간에 큰 불균형이 생겨났고, 이를 해결할 투쟁과 전쟁의 과정은 멈추었다. 주목해야 할 것은 유럽 제국들이 식민지를 해방시키는 과정에서 해방 이후의 국면에 대비하기 위해 관리 가능한 갈등 구조를 남겨놓았다는 점, 1917년 윌슨의 제1차 세계대전 개입과 소련의 볼셰비키혁명이 동시에 발생한 이후 미·소가 제2차 세계대전 전후 처리 과정에서 비유럽의 구도에 영향권을 설정하는 등 강대국의 다양한 개입이 있었다는 점이다.

동북아의 국면에서는 한국과 중국 내 민족주의 세력의 성장 배경, 이들에 대한 미·소의 지원, 민족주의 세력 간 협력과 갈등 구도 등도 주목해야 한다(전재성, 2019c). 〈표 1-2〉에서 볼 수 있듯이 역사적으로 강대국들은 현재까지 약소국에 대한 전략을 주권 차원에서 다양하게 구사해 왔고, 그 과정

표 1-2 **주권의 요소를 둘러싼 강대국들의 전략**

	약소국에 대한 전략	강대국 간 관계 전략
제국 시대	주권의 배제, 불승인	제국 간 상호 정복
제국주의 시대	주권의 부분 승인, 식민지화	제국 간 주권 존중, 식민지 경쟁
전간기	3세계의 국제법적 주권 승인, 실질적 주권 또는 불완전 주권 정착 과정에 형성적 개입, 강대국과 특수 관계(예: 동맹) 형성	강대국 간 선별적 승인, 승인 경쟁, 영향권 경쟁
냉전기	3세계 주권완성 게임 개입, 불완전 주권국가 간 경쟁 활용, 주권완성 전략에 대한 부분적 지원	불완전 활용 전략 간 대비, 자국에 유리한 완성 전략 지원
탈냉전기	3세계 주권완성 전략 지원 및 강대국과 특수 관계 설정 혹은 조직원리 이행, 새로운 주권 원칙(예: 범세계 시민주의를 통한 권력 확보, 제국 전략) 추구	3세계 주권완성 전략경쟁 지원, 새로운 조직원리 제시 경쟁

에서 강대국들 간의 상호 이익을 도모하며 경쟁해 왔다.

이러한 요인들은 1945년 이후 동북아 지역에서 한·중·일 주권의 성격을 결정한 중요 변수들이다. 이 책의 범위를 넘어서지만, 근대주권국가체제 형성 과정의 왜곡과 그 결과로서 주권게임이 존재하게 된 사실은 비단 동북아에 한정되지 않고 중동·아프리카 등 다른 비서구 지역에도 각각 특수한 형태와 정도로 존재한다고 본다.● 동북아의 경우, 19세기 중반부터 진행된 서구 열강의 제국주의 침탈, 일본의 근대적 제국 지위 성취와 태평양전쟁 패전, 한국의 식민지화, 중국의 반식민지화 등 일련의 과정은 20세기 중반 이후 한·중·일 주권의 성격을 결정하는 한편, 한·중·일 간 조직원리의 성격을 규정했다.

현대 국제정치학 이론이 상정하는 바처럼, 역사적 공백으로서 국제정

● 중동국가들의 주권에 대해서는 Gause(1992), Peterson(2011) 참조.

치적 자연 상태 혹은 무정부상태가 주어지고 여기에 주권을 가진 동북아 행위자들이 던져진 것이 아니다. 이미 유럽에서 근대주권국가체제가 만들어지고 지구적으로 확산되면서, 이에 대한 유기적·통합적 부분으로서 불완전 주권의 단위들이 형성되어 나온 것이다. 유럽의 제국들, 일본의 제국주의, 뒤이은 미·소 초강대국의 세력 각축이 한국과 중국 주권의 성격과 내용을 결정했을 뿐 아니라 패전국인 일본 주권의 성격도 규정했다. 따라서 불완전 주권을 갖는데 그친 한·중·일 국가들에, 새롭게 등장한 냉전기 미·소 두 초강대국, 그리고 그 이후 탈냉전기 미국이 어떻게 동북아 역내국가들의 주권성에 관여했는지를 밝힐 필요가 있다.

4 | 무정부상태 이전의 동북아 국제정치체제

근대 국제정치에서 무정부상태가 주권국가들 간의 관계를 정의하는 조직원리라는 것은 이론적 기본 전제이다. 무정부상태는 주권국가들 간의 집합이라는 분석적 개념이기도 하지만, 이들 간 국가주권의 인정에 관한 최소한의 합의에 기반한 규범적 개념이기도 하다. 그러나 동북아의 경우 역내국가들이 주권성 자체의 정립 과정을 온전히 마감했다고 보기 어렵기 때문에, 무정부상태 조직원리가 정착되었다고 보기도 어렵다(전재성, 2011). 체제 차원에서 동북아 국가들은 서로의 국제법적 주권을 잠정적으로만 승인하고 있다. 북한에 대한 일본의 불승인이 대표적이고 한국에 대한 중국의 승인도 1992년에야 가능했다. 일본이 보통국가화되면 일본의 국제법적 주권 자체에 대해서는 재론의 여지가 없지만, 보통국가 일본이 확장적이고 침략적인 외교 전략을 추진할지 모른다는 불안이 존재하며 법적 승인과는 별도로 아시아 이웃 국가들의 외교적·심정적 승인의 부담이 남아 있다. 대만의 지위는 하나의 중국 정책에 따라 오랜 기간 불변이었지만, 트럼프 정부 등장 이후 대만 지위에 대한 부분적 문제 제기에서 볼 수 있듯이 변동의 소지가 완전히 사라졌다고 보기는 어렵다.

동북아 국가들의 주권게임은 한편으로는 서로의 주권을 인정하는 무정부상태를 만드는 것이자, 다른 한편으로는 자신이 주관적으로 생각해 온 주권의 기본요소들을 실현하는 상태를 이루려는 경쟁으로 나타난다. 영토 분쟁이 격렬하게 전개될 수도 있고, 남·북한과 두 개의 중국은 자기중심의 통일을 위해 경쟁과 충돌을 야기할 수도 있다. 일본은 군사적 보통국가화를 추진해 보통국가로서의 위상을 회복하려 한다. 이 과정에서 여타 국가들은 완전한 주권국가가 되어가는 타국이 제국으로 변하지 않도록 계속 견제와 균형을 취할 필요를 느낀다. 서로를 온전한 주권국가로서 안정적으로 인정해 본 역사가 아직 없기 때문이다. 유럽의 국가들이 근대주권국가체제를 성립하는 과정에서 전쟁을 치러 문제를 해결했듯이 동북아 국가들 역시 군사력에 의존하는 혼란상을 야기할 수도 있다. 그 같은 과정 끝에 주권국가 성립 과정이 완결되고 무정부상태 조직원리가 정착된 것이 유럽이 밟아 온 역사적 순서이다.

세력균형의 당사자 혹은 지역 안정자로서 미국과 러시아, 국제사회의 개입이 없다면 불완전한 역내국가들이 언제 다시 제국으로 돌변할지 모른다는 두려움, 그리하여 무정부상태가 정착되는 것이 아니라 하향식 정부상태, 혹은 제국적 지배가 재현될지 모른다는 두려움이 동북아 국가들에 잠재되어 있다. 주권게임 이후 등장할 더 온전한 주권적 단위가 필연적으로 현상 유지 세력이거나 현상변경 세력이라고 예단할 필요는 없다. 다만 주권게임을 성공적으로 수행하면서 국제정치게임의 현상 유지 세력으로 남을 수 있으리라는 확신이 없는 상태에서, 주권게임이 확장적이고 공세적인 국제정치게임으로 귀결될 수 있음을 두려워하는 것이다.

이러한 두려움이 객관적인 국제법적 보장이 아니라 역내국가들에 체화된 주권과 무정부상태 정체성에 의해 해소될 때, 동북아가 진정으로 근대 주권국가체제를 이루었다고 할 수 있을 것이다. 동북아의 역내국가들은 1945년 이후 오랜 기간에 걸쳐 국제규범에 따라 국가주권을 존중하는 모습을 보여왔다. 한국은 물론이고 중국도 1954년부터 이른바 평화공존 5원칙을 내세워 주권과 영토의 완전한 상호 존중, 상호 불가침, 내정불간섭, 호혜평등, 평화공존의 준수를 강조해 왔다. 일본 역시 국제연합(이하 UN)헌장의 핵심인 주권의 원칙에 대한 존중을 내세워 왔다.

그러나 무정부상태가 안착하지 못할 수 있다는 두려움, 다른 국가가 제국적 정체성과 외교정책을 추구할 수 있다는 우려가 온전히 해결되지 못할 때, 스스로 제국이 될 공격적 의지가 없더라도 상당히 팽창적인 외교정책을 추구할 수 있다. 주권게임에서 다른 국가가 제국이 되기 전에 먼저 방어적 동기로 팽창정책을 취하는 것이다. 공격적 현실주의의 이론적 전제와도 통하는 부분이다. 예를 들어 불완전한 무정부상태에서 중국이 주권게임을 수행하면서 통일과 효율적 정부수립에 필요한 외교정책을 수행하고, 이 과정이 세력 확장, 더 나아가 이웃 국가에 대한 공세적인 정책으로 인식될 수 있다. 이 경우, 일본 역시 조급하게 보통국가로 전환하려는 목적을 추구하는 동시에 팽창적인 외교정책으로 맞대응할 수도 있다. 이 과정에서 군사력을 기초로 한 경쟁과 대결이 불가피한 부분으로 자리 잡을 것이다. 불완전한 무정부상태 속에서 안보딜레마가 심화되는 것으로, 비단 군비확장이나 안보 불안의 문제가 아니라 단위의 성격 자체가 주권국가를 넘어서 제국화되는 딜레마라 할 수 있다.

일단 무정부상태 조직원리가 정착되면 이를 운용하는 과정에서 상호간의 이해와 합의 속에 질서가 출현하고 무정부상태적 사회(anarchical society)가 만들어진다는 것이 영국 국제사회학파의 이론적 가정이다. 세력균형,

국제법, 외교, 전쟁, 강대국 정치 등 다양한 사회적 요소가 출현해 무정부상태라 하더라도 사회적 질서의 측면이 발생한다는 것이다(Bull, 1977). 동북아 3국은 무정부상태가 온전히 자리 잡지 않은 상황에서 사회적 요소를 부분적으로 가진다고 하더라도 온전한 무정부상태적 사회를 만들어가기가 어렵다. 주권게임이 지속되는 기간은 무정부상태를 만들어 최소한의 규범적 기반을 만들어가는 과정이며, 현재 동북아 역내국가들 간의 조직원리는 무정부상태 이전(pre-anarchy)이라고 해야 할 것이다. 온전한 주권국가를 만들기 위한 주권게임의 노력은 주권적 요소들을 치열하게 추구하는 동시에 서로를 주권국가로 인정해 무정부상태적 사회를 조성하고 변화와 안정을 동시에 이뤄야 하는 매우 어렵고도 모순된 노력이다.

5 | 역내국가들 간의 주권게임

이 책은 통상 동북아 국제정치에서 일어나는 경쟁과 충돌, 대립이 기존의 국제정치에 대한 시각만으로는 이해하기 어려운 퍼즐을 가지고 있다고 본다. 국제정치의 근저에 주권의 문제가 개입해 있고, 이는 근대의 전형적 국제정치 관계를 변형·왜곡시키는 근본 기제이다.

앞서 살펴본 대로 동북아의 주권게임은 역내국가들이 온전한 근대 이행을 완결하지 못하고 불완전 주권국가로 존속하는 가운데, 자신의 주권을 완성하고 다른 국가의 제국적 팽창을 막는 체제를 완성하려는 목표하에 역내국가들 상호 간 그리고 역외국가들과 진행하고 있는 게임을 의미한다. 근대 국제정치는 유럽에서 발원한 주권국가체제였고 비유럽 국가들은 유럽 제국주의의 대상이 되어 주권을 얻지 못하고 식민지의 지위로 떨어진 바 있다. 식민지였던 비서구 국가들은 1945년 제2차 세계대전이 끝날 때까지 독립과 주권국가 지위 획득을 위해 노력하는데, 이를 주권게임의 원형이라고 할 수 있다. 문제는 1945년 이후 식민지였거나 온전한 주권국가를 이루지 못했던 집단들이 주권국가의 지위와 실력을 추구하게 되는데, 이 과정에서 만족스러운 주권국가의 이상을 달성하지 못한 경우가 발생했다는 것이다. 동북아의 남·북한, 중국, 대만, 일본은 주권국가로 완전히 이행하는 데 실패했다고 본다.

주권이라는 개념은 흔히 일반적인 의미의 독립·자주·자율을 의미하는 것으로 해석되기도 하지만, 국제정치에서 주권국가·주권국가체제라 할 때 주권의 개념은 근대 초 유럽의 지역질서를 배경으로 삼는 특수한 정치적 개념이며, 사상적으로도 유럽의 정치사상과 밀접하게 연관된 특수한 개념이다. 이러한 배경하에서 주권국가가 된다는 것은 영토, 국민, 효율적인 정부와 대외적 자주성, 국제사회의 승인을 필수적 구성 요소로 한다. 동북아 역내국가 중 대만을 제외하고는 이러한 조건을 모두 갖추고 있다. 남·북한은 1991년 9월 UN에 동시 가입해 국제사회가 두 개의 주권국가로 인정한 상태이다. 대만은 중국이 하나의 중국 원칙을 실현해 나가면서 국제사회에서 주권국가의 지위를 상당히 상실했다(전재성, 2017b).

그러나 엄격한 의미에서 두 개의 한국, 두 개의 중국, 과거 제국의 역사를 간직한 일본은 서로 간에 승인의 과정을 완결하지 못하고 있다. 두 개의 한국은 UN에서 두 주권국가의 지위로 개별 가입했지만 남·북한 간 특수관계를 유지하여 장차 통일의 가능성을 열어놓고 있고, 국제사회도 통일의 정당성을 인정하는 것으로 볼 수 있다. 중국과 일본은 두 개의 한국 승인을 완결하지 못했다. 중국은 남·북한 모두를 승인하고 수교했지만, 일본은 북한과 UN을 통해 다자적 승인을 한 상태에서 양자 간 수교를 하지 못했다. 두 개의 중국은 중국 본토의 전략으로 대만이 국가 지위를 상실했지만, 실제로 대만은 미국의 전략에 의해 중국을 견제하는 중요한 세력으로 남아 있다. 일례로 트럼프 대통령은 하나의 중국 정책에 대한 근본적인 회의를 나타내는 언설로 중국의 배타적 주권에 대해 의문을 표시하기도 했고, 대만의 민진당은 독립선언을 하나의 정책 대안으로 삼고 있는 등 중국의 주권문제도 여전히 갈등 사안으로 존재한다.

태평양전쟁 이후 일본은 미국의 냉전 수행 전략 아래 패전국 지위를 벗고 정상국가가 되었고, 다른 아시아 국가들과 수교하는 계기를 마련했다. 이후 일본은 한국·중국과 수교하여 정상적 외교관계를 유지하고 있지만, 과거사 인식을 둘러싼 갈등으로 보통국가화에 대한 한국과 중국의 견제가 지속되고 있다. 샌프란시스코체제하에서 정상국가가 되었지만, 이는 미·일동맹을 기초로 한 변화이다. 일본은 패전 후 강화조약을 맺고 이에 따른 전후 보상 협상을 했지만, 한국에 대한 식민지지배의 불법성과 국가 차원의 배상책임을 부정했고 제국주의 일본의 정체성을 부당·불법하다는 점을 인정하지 않으려 했다. 특히 우익의 역사수정주의 세력은 과거 제국의 역사가 정당하고, 식민지지배가 한국의 동의에 의한 것일 뿐 아니라 오히려 한국의 발전을 도왔다는 시각을 가지고 있다. 한국에 대한 의례적 사과와 보상은 하지만 과거사를 반성하지 않는 일본은 언젠가 다시 제국의 역사를 부활시킬 수 있는 세력으로 한국에 인식된다. 한국은 탈제국 과정이 완성되지 않은 일본의 행로가 제국의 부활을 막는 무정부상태적 사회로 순조롭게 연결될지 우려한다. 따라서 한국 주권게임의 중요한 목적은 이를 담보하는 것이다. 향후 미·일동맹이 약화·폐지되거나 미국이 아시아에서 퇴조할 경우 일본이 스스로 다른 국가들과 어떤 관계를 맺을지, 군사적으로 보통국가화하는 데 아시아 국가들의 지지를 받을 수 있을지가 중요한 문제로 부상할 것이다.

동북아 역내국가들 간의 주권게임이 반드시 제로섬게임으로 귀결되어야 하는 것은 아니다. 서로의 이익을 증진하는 정합게임인 동시에 병행되

표 1-3 **동북아 국가들의 상호 승인 과정**

냉전 성립기	한국-미국	1948년
	중국-북한	1949년
	소련-북한	1949년
	소련-중국	1949년
	한국-일본	1965년
데탕트 시기	미국-중국	1979년
	중국-일본	1972년
	UN 중국 대표 교체	1971년
냉전 종식기	한국-소련	1990년
	한국-중국	1992년

는 국제정치게임을 협력적으로 이끄는 원천이 될 수도 있다. 그러려면, 주권게임을 수행하는 국가들 내 각 주체의 인식과 전략이 매우 중요하다.

현재까지 동북아 주권게임은 상호 견제와 균형 논리에 입각해 있었다. 동결된 주권국가 형성 과정이 다시 가동될 때 주권적 요소를 둘러싼 경쟁이 다시 시작될 것이다. 대표적인 것이 해양영토 분쟁이다. 1945년 이후 해양경계획정이 역내국가들 간의 합의로 이루어지지 못하고 서구 제국들이 주도한 평화협정에 의해 처리된 결과, 주권게임이 다시 시작되면 갈등이 재현될 것이다. 이는 이미 주권국가로 정립된 서구 국가들 간에 발생하는 해양영토 분쟁과는 다르다. 중국이 주장하는 남중국해의 구단선(九段線) 영토 경계는 주권국가 형성 과정에서 해결되지 못한 영토 획정 문제가 본격적으로 시작된 것이다.

누가 먼저 주권국가를 이룩하는가 하는 속도 경쟁의 문제도 있다. 하나의 한국, 하나의 중국, 보통국가화된 일본이 다 함께 평화공존하며 공동 번영하면 가장 이상적이겠으나, 주권국가 이행을 완성한 이후에는 본격적으로 경쟁적인 근대 국제정치를 수행해야 하기 때문에 어느 국가가 먼저 온전한 주권국가가 되는지가 관건이 된다. 온전한 주권국가는 더는 주권완성의 노력에 힘을 소모하지 않고 국력과 국익의 증진을 위해 매진할 수 있다. 결국 역내국가들의 주권완성이 서로에게 제로섬게임의 관계가 되는가 아니면 정합게임의 관계가 되는가의 문제이다.

일국의 주권완성이 타국의 이익을 침해한다면 경쟁 국면이 되는 것은 물론이고, 만약 주권게임에서 먼저 승리한 국가가 다른 국가들의 주권과 독립을 침탈하는 제국적 정체성을 추구해 타국의 주권국가체제 자체를 흔드는 지경이 되면 이는 반드시 막아야 하는 중대 사안이 된다. 주권완성을 넘어 21세기의 제국이 되려는 외교정책을 추구한다고 의심할 경우 상대국의 주권게임 성공이 자국의 이익을 침해하는 사안이 되는 것이다. 한·중·일이 온전한 근대적 주권국가로 서로를 승인해 본 역사가 부재한 상황에서 뿌리가 얕은 주권국가체제에 대한 의구심이 있는 것은 당연한 일일 수 있다.

통일된 한국은 중국·일본에 비해 여전히 약소하기 때문에 큰 위협이 되지는 않겠지만, 통일 이후의 통합이 성공적으로 이룩될 경우 강대국의 위상을 가진 국가로 성장할 수 있다. 중국과 일본은 통일한국의 출현을 명분상 찬성하고 있지만 한국 중심의 통일은 중국이 견제하고 있고, 일본 역시 자국과 국력이 비슷하거나 혹은 능가하는 통일한국의 출현을 달가워하지 않는다. 중국이 대만을 통일하게 되면 그야말로 지역패권국의 위상을 지닌 중국이 출현할 것이다. 태평양으로 향하는 제1도련(島連)의 성립에 큰 성과를 이루고 미국에 대한 반접근, 지역거부(A2AD) 전략 역시 진화할 것이다. 통일중국이 어떤 국가가 될지는 여전히 미지수다. 홍콩 반환 이후 일국양제(一國兩制)의 문제점을 여전히 노출하고 있는 중국을 볼 때 과연 통일중국이 어떤 모습을 띨 것인가에 대한 의구심도 있고, 강대한 중국이 주변국에게 위협이 되지 않을까 하는 두려움도 있다.

표 1-4 **역내국가들 간의 주권게임 상호작용**

주체＼상대	한국	북한	중국	대만	일본
한국	-	한국 주권게임의 주된 위협	한국 주권게임에 막대한 영향력 행사	큰 영향력 없음	한국주권게임에 크게 지원, 혹은 방해도 가능
북한	북한 주권게임의 주된 위협	-	북한 주권게임에 막대한 영향력 행사	큰 영향력 없음	수교, 경제 지원 등 유인책 보유, 북한에 대한 압박도 가능
중국	미국과 대만 지원을 통해 간접적 영향력 행사 가능	북한의 모험주의 전략으로 미국의 대북 견제가 대중 견제로 연결 가능	-	중국 주권게임의 주된 위협, 특히 독립 세력의 위협	미국과 대만 지원을 통해 간접적 영향력 행사 가능
대만	미국과 함께 대만 지원 가능	큰 영향력 없음	대만의 주권게임에 막대한 위협	-	미국과 함께 대만 지원 가능
일본	일본의 역사수정주의에 대한 가장 큰 존재론적 안보위협	일본의 역사수정주의에 대한 어느 정도의 존재론적 안보위협, 북한에 대한 국제사회의 지지는 취약	일본의 역사수정주의에 대한 존재론적 안보위협	큰 영향력 별무, 그러나 일본의 제국주의 역사에 대한 비판이 상대적으로 약함	-

보통국가 일본이 어떠한 외교정책을 추구할 것인지에 대해서도 명확한 비전이 결여되어 있는 것이 사실이다. 일본은 국제협조주의, 중견국 외교 노선 등을 표방하기도 하지만, 여전히 자율성을 추구하고 강대국으로 발돋움하려는 노선도 존재한다. 역사적으로 일본이 근대국가화된 이래 정한론을 내세워 한국을 식민지화했고 동아시아에 대한 제국주의 정책을 폈기 때문에, 보통국가이면서 강대국인 일본이 어떤 외교정책을 추구할지는 예견하기 매우 어렵다. 일본이 제국주의 과거를 어떻게 기억하고 소환하는지가 미래 보통국가 일본의 행로를 미루어 짐작할 수 있게 하는 요소이기 때문에, 역사문제에 기울이는 한·중 양국의 관심이 비상하다. 일본의 보통국가화를 한·중 양국이 지지하지 못하고 역사문제를 제기하는 것은 과거 일본 제국주의에 대한 책임 추궁이라기보다는 이를 통해 미래 일본의 변화를 알

아보려는 미래적 의도가 강하다고 봐야 한다.

6 | 주권게임과 국내정치

주권게임은 3국의 국내정치와 사회문화에도 큰 영향을 미친다. 일반적인 국제정치 사안으로 여겨지는 것들이 주권게임과 연결되는 순간 주권게임의 의제로 된다. 역내국가들의 주권완성이라는 목표와 연관된 사안이 되며, 다른 역내국가가 이를 견제하기도 하고, 역외국가가 자국 국제정치게임의 목적을 위해 이 의제를 활용하고자 한다면 이는 국가의 근본과 관련된 문제로 정치화된다. 사안이 안보·군사 문제와 연결될 때는 정치화에서 더 나아가 안보 문제가 되어, 모든 수단을 동원해서라도 이겨야 하는 치열한 싸움으로 발전하게 된다.

온전한 주권국가가 되려는 열망은 한·중·일 3국 국민들의 민족주의를 강화할 수밖에 없으므로, 주권게임의 의제가 된 사안은 국내 여론의 전폭적인 지지를 얻는 경향이 있다. 한·중·일 3국은 역사적으로 보존해 온 자국의 정체성에 대한 인식과 이미지를 적절한 과정을 통해 근대국가의 형태로 변형해야 했는데 모두 성공적이지 못했다. 중국은 19세기 초까지만 해도 세계 제1위의 GDP를 기록한 제국이었다가 산업혁명이라는 세계사의 변화 속에서 약소국이 된 이후 제국주의 세력에 의해 반식민지로 전락했다. 1911년 신해혁명 이후 근대국가를 수립했지만, 국가를 통솔하는 효율적 정부수립에 실패하고 결국 국공내전 끝에 분단되었다. 천하국가로서 중국의 역사적 정체성 인식과 현실 간의 괴리는 이른바 "100년간의 국치"라는 표현에 잘 나타나 있고, 중국이 추구하는 바는 "중화의 꿈", "중국몽" 등의 표어에서 드러나고 있다. 중국이 보존해 온 역사적 정체성이 주권국가로 변형된 중국에서 어떻게 새롭게 실현될지 명확치 않다. 주권국가로서 강대국의 위상을 추구하는지, 다른 국가들에게 규범을 부여하는 패권적 주권국가의 지위를 추구하는지, 아니면 기존의 유럽 기원 주권국가체제를 넘어서 중국 주도의 제국질서라는 새로운 조직원리를 추구할 것인지 알 수 없다. 중국이 온전한 근대적 주권국가로서 강대국의 정체성을 온전히 체현해 외부에 보여준 역사적 시기가 없기 때문이다.

한국은 676년의 삼국통일 이래 한반도를 무대로 하나의 민족국가를 이뤄왔다는 강력한 정체성을 가지고 있다. 때로는 독자적 제국으로, 때로는 중원에 사대하는 주변의 왕조 국가로 존재하면서 단일민족을 단위로 한 하나의 영토국가라는 정체성을 보존해 왔다. 중국에 사대 전략을 폈지만, 왕조의 독립과 자존을 유지하며 군사력을 가지고 외세에 대항해 왔다는 정체성도 주권게임의 중요한 부분이다. 19세기 말 제국주의의 거센 침탈 속에서 대한제국을 출범시켜 근대주권국가를 이룩했고, 이를 보존하기 위한 노력을 기울였다는 점도 민족적 자존심의 한 부분이다. 일본이 불법적으로 을사늑약과 한국병합늑약을 체결해 나라를 빼앗았던 사실에 대해 일본의 인정을 받아내는 것도 주권게임의 중요한 목적 중 하나이다.

현재 남·북으로 나뉘어 이념과 체제를 달리한 채 분단된 상태는 남·북 모두에 비정상적인 것으로 인식되고 있다. 남·북 모두 통일을 국시로 삼고 있다는 점에서 공통되며, 이는 한국의 민족주의와 상통한다. 중국 혹은 일본이 향후 제국적 외교정책을 추구해 한국의 주권을 훼손하려 한다면 이는 한국의 자기 정체성에 큰 도전이 될 것이다. 완전한 주권을 회복한 후에도 중국과 일본이 한국의 주권을 침해하지 않으리라는 확신을 가지기 전까지, 한국은 저항적이고 배타적인 민족주의 성향을 완전히 버리기 어려운 측면이 있다.

일본은 19세기 후반 이래 성공적인 근대국가를 이루었지만, 태평양전쟁에서 패전해 헌법적 제약, 자국 역사에 대한 반성적 사관, 평화주의, 주변국에 대한 죄의식을 가진 국가가 되었다. 현재 자유민주주의 국가이자 평화국가, 상업국가로서 일본의 시민사회가 보여주고 있는 정체성이 완전한 주권을 회복한 후에도 일본의 외교정책에 그대로 반영될 것인가는 의문이다. 일본의 역사수정주의자들과 우익 세력이 되찾고자 하는 정체성은 이와 거리가 있다. 이들은 과거 제국의 역사를 정상적인 역사로 복원해 메이지 유신 이래 강대국 일본의 정체성을 되찾고자 하기 때문이다. 이러한 가운데 일본의 한국 식민지지배가 당시 실증주의 국제법하에서 합법적인 조치였다고 주장하는 것도 일본 주권게임의 한 부분이다. 우익 세력은 일본의 서구 지향 개인주의를 비판적으로 보고, 애국주의·민족주의·집단주의에 기반한 강대국의 정체성을 회복하고자 한다. 그런 점에서 일본에 사과를 요구하고 전쟁범죄의 역사를 상기시키는 한국은 일본의 우익세력에게 정체성의 위협자일 수밖에 없다(Suzuki, 2019).

주권게임은 각 국가가 역사적으로 보존해 온 정체성의 여러 측면을 어떻게 조화롭게 보존하고 변형해 근대주권국가로 진화할 것인지 문제와 관련된다. 각 국가 내부에서 주관적으로 어떤 조건이 주권완성에 부합되는가를 놓고 다양한 의견 차이와 분파가 존재할 수도 있다. 예를 들어 한국 내에는 북한과 정치적·법적 통일을 완성하려는 인식이 있는가 하면, 장기간에 걸친 평화공존, 사실상의 통일에 만족하는 인식도 존재한다.

이러한 모색의 과정에서 개별 국가들은 존재론적 안보(ontological security)를 추구하면서 연속적인 정체성을 가지고 근대주권국가로 탈바꿈하고자 한다. 자기 정체성의 존속, 즉 전기적 연속성(biographical continuity)이 매우 중요한 요소이며, 이를 공격하고 저해하는 외부 세력들은 큰 위협으로 다가온다(Mitzen, 2006; Steele, 2008). 국가 내 다양한 정체성이 충돌하며 주권게임을 수행해 나가는 방식과 목표에 대한 각 국가 내 의견 대립, 이념 갈등도

표 1-5 **국가별 국내 분파의 주권게임 목적 설정**

	한국	북한	중국	대만	일본
팽창적 목적의 내용	대북 압박을 통한 북핵 문제 해결, 조속한 통일 기반 마련, 일본의 식민국가 책임 추궁, 대미 자주성 확보, 대중 자율성 확보	핵무기 보유국 지위 추구, 북한 중심 통일, 일본 식민국가 책임 추궁 및 배상금 확보, 대미 경계, 대중 자율성 확보	대만 흡수통일 완성, 지역적·지구적 패권 지위를 향한 중국몽, 미국을 대체하는 지도력, 대일 견제, 한반도에 대한 영향력 강화	독립선언 및 자주적 생존, 대미 전략적 관계 강화, 대일 협력관계 강화	역사수정주의를 통한 제국주의 과거 정당화, 대미 자율성 확보, 개헌을 통한 군사강대국화, 대중 견제, 남·북한에 대한 우위 확보
협력적 목적의 내용	남·북 평화공존과 점진적 통일, 한·일 전략적 협력 강화, 한·미동맹 유지, 한·중 전략적 협력 강화	남·북 관계 개선과 북한의 생존·번영 추구, 대일 수교 및 배상금 확보, 대미 수교 및 전략적 협력관계 수립, 대중전략적 협력 유지	대만과 평화공존 및 점진적 통일, 미·중 간 협력적 패권 구도 추구, 중·일 협력 구도, 한반도에 대한 우호적 영향력 유지	중국과 평화공존, 대미 협력관계 유지, 대일 경제협력 관계 유지, 주권국으로 승인 확대와 민주주의 수호	한국 등 아시아 국가들과 화해 도모, 호헌 속 미·일동맹 유지, 중·일 협력 모색, 북핵 문제 해결 및 북·일 수교, 한·일 전략적 협력 강화

심각한 형태로 존재한다. 주권게임이 단지 물리적 안보뿐 아니라 존재론적 정체성의 안보에 관련되어 있기 때문이다. 온전한 국가주권을 이루려는 열망은 양보할 수 없는 사활적·핵심적 이익이기 때문에 국가들 간에 타협과 협상이 어렵다. 국제정치에서 사활적 이익이 아니면 협상하고 타협해야 한다는, 고전현실주의의 실천지(prudence)에 대한 강조가 주권게임에 적용되기는 매우 어렵다.

7 | 주권게임에 대한 역외국가들의 개입

주권게임은 동북아 역외국가들에는 적용되지 않는 게임이지만, 동북아의 세력균형과 이해관계에 깊이 개입해 있는 역외국가들에 매우 중요한 전략적 고려 요소이다. 역외국가들로서는 국제정치게임 혹은 지정학적 경쟁에서 이익을 보는 것이 가장 중요한 목적인데, 이 목적을 위해 역내국가들의 주권게임을 어떻게 활용할지가 주요 관심사이다. 동북아 국제정치에 막대한 영향을 미치는 역외국가로서 미국과 러시아는 세계적 차원의 국제정치구조와 동북아 국제정치구조를 상당 부분 결정해 왔다. 동북아는 미국과 러시아가 지리적으로나 이해관계 구조에서 사실상 주요 행위자가 되는, 세계적 차원의 국제정치에 열려 있는 지역이라는 점에 주목해야 한다.

이 책은 1945년 이후 동북아 국제정치가 세 시기의 국제정치게임 구조에 의해 규정되어 왔다고 본다. 첫 시기는 1945년부터 1991년까지 냉전 기간으로, 미국과 러시아는 세계는 물론이고 동북아를 자유 진영과 공산 진영으로 배타적으로 분리했다. 미국은 자유 진영 내에서 강력한 패권적 지위를 가지고 공공재를 제공하며 자국 주도의 이른바 자유주의 국제질서를 뿌리내렸다. 샌프란시스코체제는 제2차 세계대전 종식 이후부터 한·일 수교가 이루어지는 1965년까지 20년에 걸쳐 이루어진 체제이며 1951년 9월 샌프란시스코회의가 공식적인 기점이 되었다. 적과 동지의 구분, 동맹 체결의 원칙과 범위, 미국 중심의 동맹네트워크 형태, 핵확산 억지 체제 수립, 식민지지배의 과거사 및 영토문제 봉합 등의 핵심 요소가 마련되었다. 한편 소련은 중국·북한에 대한 공산주의 종주국으로 아시아에서 공산주의 확대를 위해 노력했고, 김일성과 함께 한국전쟁의 공동 연출자이기도 했다. 1953년 스탈린 사후, 중국이 니키타 흐루쇼프(Nikita Khrushchyov)의 수정주의 노선을 비판하면서 급기야 중·소 분쟁이 발발했다. 이후 북한은 중·소 사이에서 자신의 이익에 따라 이른바 등거리외교를 펴왔다. 동북아 공산권은 사회주의적 국제주의 원칙에 기반한 부분도 일부 있지만, 대개 강력한 민족주의와 국가주권에 따라 운영되었다.

두 번째 시기는 1991년부터 2008년 경제위기에 즈음한 시기로, 이 기간 동안 미국은 역사상 유례없는 압도적인 군사력과 경제력으로 세계 전체에 대한 경제적·안보적 공공재를 제공했다. 기존의 동맹네트워크를 유지하고 자유주의 국제경제질서를 유지했으며, 공산권의 탈공산화 과정에서 미국의 영향력을 증대했다. 북한과 같은 반미 노선의 국가는 생존을 위해 핵을 개발해야 하는 상황에 직면했다. 단극체제에서 패권적 단극국가의 이념은 그 자체로 세계에 큰 영향력을 발휘했고, 미국의 자유주의는 세계를 변화시키는 이념적 근거가 되었다. 그러나 9·11테러 이후 중동을 비롯한 전 세계에 대한 미국의 개입 및 확대 전략은 거대한 반발에 부딪힌다. 이를 해결하는 과정에서 미국은 안보 위기에 직면하고 과도한 재정적 지출은 물론이고 이념적 정당성 훼손의 문제도 안게 되었다.

세 번째 시기는 2008년 경제위기 이후 미국의 국력이 약화되면서 미국의 패권적 역할을 재조정해야 한다는 전략이 부상하는 시기이다. 미국의 오바마 정부는 세계적 차원에서 후퇴(retrenchment) 전략의 필요성을 인정하고, 핵심 이익이 아닌 주변적 이익을 위한 정책 자원 투입에 신중한 모습을 보였다. 다자주의와 동맹을 활용해 문제를 해결하고 직접적인 군사적 개입을 자제하며 핵심적 이익이 걸려 있는 아시아 지역에 힘을 집중하는 아시아 재균형(rebalancing) 전략도 추진했다.

그 뒤를 이은 트럼프 정부는 무엇보다 미국 이익 우선주의와 힘을 통한 평화를 내걸고 국익을 위해 패권적 역할을 해왔던 그간의 과거를 상당 부분 수정하는 모습을 보였다. 미국이 주도하는 자유주의 국제질서의 핵심 근간인 자유무역·다자주의 제도·동맹네트워크·자유민주주의 이념 등을 수정하면서 패권의 힘을 재조정하는 강압적(coercive) 패권의 모습을 띠었다. 이 시기는 미국 패권의 조정과 더불어 중국의 부상과 미·중 간 전략경쟁이 함께 일어나는 시기이기도 하다. 미국의 패권조정이 중국의 도전과 논리적으로 같은 것은 아니다. 패권조정의 과정에서 중국에 대한 무역전쟁과 경제 압박을 가할 수 있지만 미·중 관계는 한편으로 패권조정의 논리에 의해 규정되기도 하고, 다른 한편으로는 미·중 전략경쟁의 논리에 의해 규정되기도 한다. 미국은 중국 견제를 위해 중국의 일대일로 전략에 대항해 인도-태평양 전략을 제시했다. 과연 인도-태평양 전략이 기존의 샌프란시스코체제를 대체할 새로운 요소들을 배태할 것인지, 그 속에서 동북아 역내국가들의 주권게임이 어떤 새로운 양상을 띠게 될 것인지 주목된다(신욱희, 2018; 김명섭, 2015).

국제정치구조의 변화가 동북아 3국의 주권게임의 향방에 미친 영향은 막대하다. 동시에 동북아 국가들의 주권게임의 변화 양상이 미국과 러시아 등 역외국가들의 국제정치게임에 주는 영향도 매우 크다. 한국과 중국의 통일, 그리고 군사적으로 보통국가화된 일본의 출현 등이 실현된다면 동북아 국제정치의 세력배분 구조가 바뀔 것이기 때문이다. 역외국가들에 불완전한 주권국가들의 존재나 불완전 주권국가들 간 갈등 구조의 현상 유지가 때로 유리할 수도 있고, 자국에 필요한 국가가 완전한 주권을 달성하는 현상변경이 유리할 수도 있다.

두 개의 한국과 두 개의 중국은 냉전기 미국과 구소련에게 반드시 지켜야 할 진영 내 세력들이었고, 일본의 역할을 어떻게 규정할 것인가도 미국의 동아시아 냉전 수행에 핵심적 요소였다. 냉전 종식 이후에도 동북아 역내국가들이 수행하는 주권게임은 미국과 러시아의 지역 전략과 직접 연관되어 있다. 러시아의 세력이 예전 같지는 않지만 역내 세력균형에 영향력을 미칠 수 있는 행위자로서의 존재감은 여전히 크다. 이슈별로 북핵 문제는 북한의 존속 자체와 연결되어 있는 문제이고, 대만의 독립선언 역시 역내 정세에 큰 변화를 가져올 것이다. 일본의 개헌 여부 및 향후 안보전략 역시 미국과 러시아 모두에게 중요한 요소이다. 주권게임은 역내국가들이 주축이 되어 수행해 가는 게임이지만, 그 방향과 결과에 역외 강대국들의 역할은 때로 결정적이다. 〈표 1-5〉에서 볼 수 있듯이, 미국과 러시아는 지구적 차원 혹은 동북아 차원에서 국제정치 환경이 변화함에 따라 각자에게

표 1-6 미국과 러시아의 대역내국가 전략의 역사적 변천

	미국		러시아
냉전기 양극체제	미·소 상호 간 냉전 승리 전략이 주된 측면		
	동북아 역내국가들에 대한 전략	한국에 대해 주권완성 전략 신중 대처, 이중 봉쇄/일본에 대해 주권완성 전략 이중 봉쇄, 군사적 보통국가화 추진/중국에 대해 주권완성 전략 견제, 봉쇄	북한, 중국에 대해 주권완성 전략 지원, 신중 대처/한국, 일본 봉쇄
탈냉전기 단극패권체제	미·러 간 상호전략	단극체제 유지·공고화 전략, 대러 개입·확대 전략	소극적 대미 자주성 유지 전략, 탈공산주의 이행
	동북아 역내국가들에 대한 전략	동북아 역내국가들의 주권게임 방관, 혹은 소극적 지원	무력한 상태
미국의 패권조정과 미·중 경쟁 체제	미국 패권 기반 강화, 공공재 제공을 위해 국제사회의 공헌 요구, 한·일의 불완전 주권성과 한·미, 미·일동맹 적극 활용으로 미국 이익 극대화, 두 개의 중국 활용으로 중국 견제		한국 분단을 러시아의 영향력 확장 및 러·일 간 영토 협상 등에 활용, 중국과 협력 구축

유리한 대역내국가 전략을 추진해 왔음을 알 수 있다.

8 | 불완전 주권국가들 간 국제정치게임

주권게임이 근대주권국가체제의 조직원리가 미완인 상황에서 발생하는 가장 근본적인 차원의 게임이라면, 국제정치게임은 주권국가들 간에 벌어지는 전형적인 게임이다. 서구의 국제정치학 이론은 주권국가들 간의 국제정치 관계를 다루고 있으므로 국제정치게임에 대한 분석이라고 할 수 있다. 무정부상태 조직원리하에서 개별 주권국가가 생존과 권력 및 이익을 도모하면서 안보딜레마를 겪고, 세력균형과 이익의 극대화를 추구하며, 자유주의적 기제들인 시장·민주주의·국제 제도에 따라 협력을 제도화하기도 하는 등, 국제정치의 통상적인 게임이 국제정치게임이다.

동북아 역내국가들도 역외국가들과 함께 상호간 국제정치게임을 수행한다. 이때 역내의 불완전 주권국가들은 스스로를 마치 완전한 주권국가인 것처럼 인식하고 또한 상대국들을 완전 주권국가로 간주해 게임을 수행한다. 남·북한, 중국과 대만, 일본 등은 각각 주권의 결손이 없는 자기 완결적 주권체인 것처럼, 혹은 유사주권국가(quasi-sovereign state)의 모습으로 전형적인 근대 국제정치게임을 수행한다. 역외국가인 미국과 러시아 역시 마찬가지로 지역 전략을 세우고 국제정치게임을 수행한다.

불완전 주권국가들은 유사주권국가로서 국제정치게임을 해오면서 자국의 이익을 극대화하기 위해 노력해 왔다. 주권게임에서 성공을 거두면 국력이 커지는 것은 당연하다. 국제정치게임에서 세력 변경 세력이 되고자 하는 의도가 없더라도 주권게임을 성공적으로 수행하면 기존의 국력 배분 구조를 변화시키는 결과를 가져올 수밖에 없다. 한·중·일 3국 모두 주권게임을 성공적으로 수행해 세력배분 구조를 변화시킨 다음 국제정치게임에서 현상 유지 세력으로서 평화를 지향하는, 이중적 노력이 중요해진다. 다른 한편으로 국제정치게임을 성공적으로 수행해 국력을 축적하면 주권게임에서 유리한 위치를 차지할 수 있다. 그런데 국제정치게임을 통한 국력 향상이 현상변경 세력으로까지 나아가지 않도록 주권게임의 성공을 전략적으로 한정시키는 것도 매우 어려운 일이다. 국제정치게임에서 성공하면 세력이 더욱 확장되고 주권게임에서도 유리해지기 때문에, 주권게임 성공 이후 국제정치의 현상을 변경하고 더욱 강대한 나라가 되려는 꿈을 꿀 수 있다. 예를 들어 한국은 통일을 이루어 인구 8000만의 선진 강대국이 되고자 한다. 이를 위해서는 국제정치게임을 성공적으로 이끌어가야 하며, 만약 통일을 달성한다면 동북아 세력균형에 큰 변화를 가져올 것이다. 이때, 더욱 강대해졌음에도 불구하고 기존의 현상을 유지하고 기존의 규범을 준수하는 세력이 되고자 노력할 것인지, 그리고 이러한 통일한국을 주변국가들이 여실한 현상 유지 세력으로 보아줄지가 관건이다.

일본은 세계 3위의 경제력을 가지고 있지만 고령화가 진행되고 '잃어버린 20년'을 겪으면서, 수출 부진과 성장 동력 저하로 향후 경제발전에 불안감을 내포하고 있다. 현재 수준의 군사력으로는 미·일동맹이 약화되거나 미국의 동아시아 퇴조가 명확해질 경우, 일본의 이익을 지키기 어렵다고 판단할 것이다. 개헌을 통한 군사 강대국화는 일본의 외교정책 수단을 일거에 향상시켜 군사적 균형은 물론 경제적·외교적 균형에서 일본을 유리한 고지에 서게 할 것이다. 일본이 주권게임에서 성공한 후에도 안정적인 국제정치게임을 이끌어갈 것인지가 관건이다.

중국의 통일은 대만을 통한 군사력 투사는 물론이고 대만의 경제력을 흡수하고 분단 비용을 해소함으로써 막대한 이익을 안겨다 줄 것이다. 미국이 대만을 통해 가하고 있는 군사적·외교적 위협이 사라지면서 중국은 동중국해, 남중국해, 더 나아가 서태평양으로 진출하는 데 엄청나게 유리한 고지를 확보할 것이다. 중국은 워낙 강대한 국가이기 때문에 주권게임의 성공은 국제정치게임의 판도를 급격하게 바꿀 것이고, 중국의 의도가 현상 유지라 하더라도 이를 곧이곧대로 받아들일 수 있는 주변국가는 별로 없을 것이다. 중국의 지속적인 현상 유지 보장 정책이 필요할 것이다.

북한 역시 주권게임의 목적인 통일과 국력 강화에 힘쓸 것이다. 변화하는 세력균형 속에서 자국의 이익을 극대화하고자 할 것이고, 군사력 사용에 의한 통일도 여전히 하나의 대안이다. 주권게임의 공간에서 북한이 남북교류협력과 한국 주도의 북한 변화에 평화적으로 임할 것이라는 가정은 이미 UN 회원국으로, 어엿한 주권국가로 승인된 북한의 국가성과 불완전 주권국가로서 북한이 추구하는 목표를 과소평가하는 것이다.

국제정치게임이 더 격렬해지는 가운데 주권게임의 공간이 확대될 때,

동북아 역내국가들은 한편으로 국제정치게임을 수행하면서 다른 한편으로는 주권게임의 목적을 추구할 것이다. 이는 국제정치게임을 점점 더 갈등 상황으로 만들면서 치열한 경쟁을 불러올 것이다. 이에 따라 국제정치게임은 더욱더 제로섬게임의 양상을 띨 것이다. 상대방의 국제정치게임과 주권게임의 이익을 침해하더라도 자신의 이익을 달성하려 할 것이다.

동북아의 미래는 한·중·일 3국이 저마다 주권게임의 목적을 달성하고, 이에 대한 상호 승인을 거쳐 협력적 관계를 창출하는 데 달려 있다. 통일한국과 통일중국, 보통국가로 전환된 일본이 서로를 위협으로 느끼지 않고 남아 있는 주권문제로 상대국에게 위해를 가하지 않는 상황에서, 무정부상태적 국제사회를 만들어 국제정치게임을 시작하는 것이 일차적인 목적이다. 그러려면 주권게임을 추구하는 각 국가들의 전략적 선택이 미래 지향적이고 상호 협력적이어야 한다. 그러나 각 국가 내에는 주권게임의 성격을 공세적으로 규정하고, 이를 통해 향후의 국제정치게임에서 우위를 차지하려는 팽창 지향적 세력이 존재한다.

온전한 주권국가들 간의 국제정치게임은 시작에 불과할 뿐이다. 상호 간의 세력균형 속에 안보딜레마를 해결하고 신뢰를 구축해, 공격적 현실주의의 세계를 방어적 현실주의의 세계로 변화시켜야 한다(Tang, 2010). 현재까지 추구해 온 국제정치게임의 성과를 유지하면서 새롭게 발생하는 국제정치게임의 도전도 받아내야 한다. 그간 주권게임은 현실주의적 국제정치게임을 왜곡해 안보딜레마를 심화하고 서로의 안보위협을 증폭시키는 역할을 해온 것이 사실이다. 불완전 주권국가는 온전한 주권국가들이 누릴 수 있는 기본적인 안전감을 가질 수 없기 때문이다.

온전한 주권국가들 간에 확산될 수 있는 자유주의 협력 기제 역시 향후의 과제이다. 시장평화, 민주평화, 다자주의적 제도평화 등은 이른바 자유주의 국제질서 위에서 정착 가능한 목표들이다. 자유주의 국제질서가 미국의 힘만으로 유지되어 온 것은 아니며, 다른 국가들의 참여와 협력 속에 가능했다. 한·중·일 모두 자유주의 국제질서 속에 수출 지향적 경제정책으로 번영을 이루었고 다자주의 규범 속에 예측 가능한 상호작용을 할 수 있었다. 한·중·일의 민주주의가 모두 같은 수준은 아니지만 시장을 매개로 한 사회 행위자들의 역할이 크고 국가를 넘나드는 시민사회 간 협력도 활발하다. 그러나 주권게임의 문제가 등장하기만 하면 민주주의적 협의·토론 기제는 민족주의에 희생되고, 시장은 안보논리화되어 지경학적 게임의 대상이 되며, 다자주의 규범은 주권게임을 수행하는 도구로 전락하는 것이 현실이다. 따라서 온전한 주권국가를 완성하는 주권게임의 수행을 통해서만 향후 국제정치게임에서 협력의 기초가 공고화될 것이다.

국제정치게임에서 협력을 증진하는 가장 이상적인 방법은 공통의 규범과 이상을 체현하는 구성주의적 방법을 통해 협력적 집합정체성을 만드는 길이다. 하지만 주권게임이 수행되는 동안에는 새로운 미래 지향적 집합정체성을 만들기는 거의 불가능하다. 다가오는 미래의 도전과 근대를 넘어서는 가치를 담지하는 정체성을 만들려면 근대에 한정된 주권국가의 규범을 온전히 넘어 새로운 가치를 동북아 국가들이 함께 지향해야 한다.

9 | 주권게임과 국제정치게임의 결합

외형상 전형적인 국제정치게임을 벌이는 동북아 역내국가들은 사실 주권게임을 끊임없이 의식하고 있다. 다양한 개별 정책 사안에서 국제정치게임과 주권게임이 혼합되어 나타난다. 예를 들어 북핵 문제는 대량살상무기인 핵무기의 비확산을 둘러싼 국제정치게임의 대상이지만, 그 근저에는 북핵 문제가 해결될 때 과연 북한이 어떤 정치체로 존속할 것인지, 그에 따라 남북분단의 지정학적 상황은 어떻게 변화할 것인지, 그리하여 남·북한의 불완전 주권 지위에 어떤 변화가 있을 것인지 등 주권게임의 문제가 깔려 있다. 북한은 북핵 문제를 해결하는 과정에서 가능한 한 경제적 이익을 확보하고 외교적 입지도 강화해 향후 한국과의 경쟁에서 유리한 고지를 차지하려 하고, 한국은 북한을 정상국가화하여 점진적인 한국 주도의 통일을 추구하고자 한다. 즉, 북핵 문제를 둘러싼 주권게임이 근저에서 벌어지고 있는 것이다. 미국과 중국 역시 당장의 북핵 문제 향방에도 관심이 있지만, 궁극적으로는 북한의 미래에 대해 치열한 경쟁을 벌이고 있다. 미국은 한국 주도의 통일을 이루어 한반도에 대해 전체적으로 영향력을 확대하기를 바랄 것이고, 중국은 혹여 북한이 미국과 전략적 관계를 설정해 반중 견제의 전선이 될까 우려할 것이다. 이처럼 주권게임이 근저에 있으면서 국제정치게임이 혼합되어 나타나는 예는 동북아 국제정치에서 매우 흔한 현상이라고 할 수 있다.

그렇다면 주권게임과 국제정치게임이 어떻게 결합되어 나타날지가 매우 흥미롭고 핵심적인 사안이 될 수밖에 없다. 결합의 양상에서 나타나는 특징을 살펴보자면, 첫째, 국제정치게임에서 더 많은 권력과 이익을 확보하는 역내국가가 이와 별개의 주권게임을 수행하는 데서도 유리한 고지를 차지할 수 있다는 점이다. 유럽의 경우 17세기 이래 근대주권국가체제를 이루는 과정 자체가 매우 치열하게 진행되었지만, 동북아의 경우에는 이미 주권국가를 이룬 강대한 역외국가들과 그들이 주도하는 국제사회의 흐름 속에서 주권게임이 진행되고 있다. 한편으로는 국제정치게임을 수행하면서 다른 한편으로는 주권게임의 승리도 추구해야 하는 이중적 과제를 안고 있는 셈이다. 이 과정에서 동북아 역내국가가 더 많은 힘을 축적한다면 주권게임에서도 유리한 고지를 차지할 수 있다. 예를 들어 한국이 국제정치게임을 성공적으로 수행해 주변국가들과 외교관계를 돈독히 하고 군사력과 경제력을 축적하면, 향후 북한과의 주권게임에서 유리한 고지를 차지할 수 있다. 일본도 경제발전에서 큰 성과를 거두고 국제무대에서 더 많은 공헌을 하여 외교적 평판을 강화하면 개헌을 통한 보통국가화의 길에 더 많은 지지를 확보할 수 있다.

둘째, 역외의 강대국들이 국제정치게임을 어떻게 진행하는가가 주권게임의 양상을 변화시킨다. 동북아 국제정치의 특징 중 하나는 지구적 강대국들이 모두 이 지역에 몰려 있다는 것이다. 미국과 러시아는 물론이고 중국과 일본도 지구적 강대국이다. 냉전기에 미·소 두 초강대국의 대결은 동북아 국제정치 전체를 규정했다. 한반도의 분단과 중국의 분단, 그리고 미·일동맹 체결과 태평양전쟁 전후 처리, 일본의 지위 결정 등이 냉전논리의 영향을 받았다. 냉전이 수행되는 동안 미·소 간 국제정치게임의 논리는 동북아 역내국가들의 주권게임에 압도적 영향을 미쳐, 사실상 이들의 주권게임이 독자적인 공간을 가지고 수행되기는 대단히 어려웠다.

냉전이 종식되고 미국의 단극체제가 유지되는 동안에 상대적으로 주권게임의 독자적 공간이 확대되었다. 미국 주도의 국제정치게임이 동북아에서 치열하게 진행될 필요가 없어진 상황에서 주권게임의 주요 의제들이 등장한 것이다. 그런 면에서 1990년대가 매우 중요하다. 현재를 규정하는 주권게임이 시작된 때이기 때문이다. 1993년 북한의 핵 비확산체제 탈퇴로 북핵 문제가 시작되었고, 대만의 독립운동 움직임도 나타났으며, 일본의 보통국가화를 향한 전략적 행보도 활발해졌다. 경제발전에 힘입은 중국도 스스로 강대국이 되어 지금의 불완전 주권성을 극복하려는 정책을 좀 더 명시적으로 추구했다. 구소련의 몰락 이후 미국의 단극체제가 성공적으로 유지되는 가운데 주권게임의 독자적 공간이 열린 것이다.

셋째, 완전한 주권을 소유한 정상적 국가들의 경우에는 국가의 주권적 요소, 즉 국가의 생존 자체, 타 국가로부터의 승인, 영토·국민 등의 요소를 침해받지 않고 국제정치 사안을 처리할 수 있다. 그러나 불완전 주권국가의 경우 정상적인 국제정치 사안이 주권게임의 중요한 측면과 연계되어 이를 어떻게 처리하는지에 따라 주권게임의 향방이 달라질 수 있다. 따라서 많은 국제정치 사안이 빠른 속도로 안보논리화될 뿐 아니라 주권문제화된다(Balzacq, 2011; McDonald, 2008). 주권국가들 간의 통상적인 안보딜레마의 경우 상대방이 정당한 적으로 인정된 상태에서 안보 갈등을 벌이지만, 주권게임과 결부된 안보딜레마는 자국의 생존이 걸린 문제가 된다. 남·북 간의 안보딜레마는 하나의 한국이라는 주권적 대안이 존재하기 때문에 항상 남·북의 존속 자체가 문제가 되는 상황으로 연결된다. 양안관계 역시 대만의 안보는 곧 대만의 생존과 직결된다. 국제법적 승인을 받지 못하는 대만의 경우 안보 상황 악화는 즉시 중국에 의한 통일로 연결될 수 있기 때문이다.

넷째, 완전한 주권을 소유한 국가의 경우 상대방 국가가 제국화하여 자신의 주권적 권한을 침해할 것이라는 염려가 상대적으로 적다. 이미 무정부상태로 이행하는 과정에서 제국들 간 충돌을 충분히 겪었고, 치열한 전쟁 속에서 세력균형을 이루어 제국적 열망을 포기했기 때문이다. 그러나 제국에서 주권국가로 이행하는 과정이 완결되지 않았고 주권국가들 간의 국제사회가 뿌리내리지 못하고 있는 상황에서는, 강대국이 쉽게 제국화하여 자국 주권을 침해하는 새로운 조직원리를 추구할 수 있다는 두려움이 상존한다. 중국이 온전한 주권을 완성할 때 근대 국제정치 조직원리를 따르는 강대국으로 변모하는 것이 아니라 근대 이전의 중화질서라는 조직원리의 부활을 실현할지도 모른다는 두려움이 존재한다(전재성, 2011). 일본의 보통국가화 역시 이미 사라진 19세기식 제국 모델을 다시 불러올 수 있다는 경계심이 존재한다. 이러한 문제는 근대주권국가로서 한·중·일 간에 상호 승인과 공존 체제가 뿌리내리지 못했기 때문에 발생한다. 미국의 견제 없는 일본의 미래상과 미국 이후의 세계질서를 주도할 중국의 청사진을 모

표 1-7 동북아 3국이 추구하는 온전한 주권국가의 미래상

	한국	일본	중국
주권완성의 비전	통일	보통국가화	통일
국제정치게임의 목적	3국 간 상호관계: 불완전 주권성의 상호 이용·활용, 상호 협력 추구		
	역외 강대국과 관계: 미·소(냉전기), 미·러(탈냉전기)와 동맹·협력 추구		
이상적 국가 위상	중견국, 강대국	강대국	강대국, 제국
현상 유지·변경 구분	주권완성이라는 면에서는 모두 현상변경 국가		
	주권완성 이외 상대적으로 현상 유지	주권완성 이외 상대적으로 미국과 전략 일치, 근대 질서 속 강대국 전략(미국에 의존한다는 전제하에)	주권완성 이외 상대적으로 탈근대 제국/강대국화의 현상변경
	다른 국가들의 주권게임 및 국제정치게임과 충돌 수준 낮음	다른 국가들의 주권게임 및 국제정치게임과 충돌 수준 중간	다른 국가들의 주권게임 및 국제정치게임과 충돌 수준 높음

두 긍정적으로 확신하지 못하는 상황에서 미국의 쇠퇴가 진행된다면, 지금의 불완전 주권성은 동북아 국제정치 조직원리가 근대주권국가체제를 우회하는 결과를 가져올지도 모른다는 불안감을 부추길 수 있다.

CHAPTER

2

동북아 불완전 주권의 역사적 기원

1 | 제국들의 전쟁과 역내국가들의 주권국가 수립 전쟁

한국, 중국, 일본이 불완전 주권을 가지게 된 역사적 기원은 길게 보면 아편전쟁 시기부터이다. 그 가운데 가장 중요한 결정적 시기는 제2차 세계대전과 태평양전쟁의 전시 외교가 본격화되는 1943년부터 한국전쟁 이후 동북아에서 자유 진영과 공산 진영의 대립구도가 동맹 및 연합 체제를 통해 어느 정도 정립되는 1954년까지 10년간이다.

이 시기는 두 개의 전쟁이 교차했던 시기이다. 그 하나는 유럽 제국들이 중심이 된 구제국주의 전쟁이 종결되고 연합국이자 승전국인 미국과 소련이 새롭게 벌인 전쟁이다. 유럽 제국들 간 전쟁이 베스트팔렌조약 이후 형성되어 온 세력균형이라는 규범적 요소를 기반으로 펼쳐진 것과는 달리, 미·소 냉전은 양국 모두 보편주의 이데올로기를 기반으로 상대방의 존재를 인정하지 않는 근본적 대립의 모습을 보여주었다(Leffler and Westad, 2015). 냉전사가 존 개디스(John Gaddis)의 논의처럼 미국과 소련 모두 제국으로 불릴 수 있겠지만, 양자의 차이 못지않게 구제국과 미·소 양국의 차이 또한 크다(Gaddis, 1997). 과거 제국이 명시적 식민지에 기반해 상대방을 정당한 적으로 인정하는 제한된 전쟁과 이익 배분에 기초하고 있었다면, 냉전은 지구상 모든 민족의 민족자결주의를 지지하지만 미·소 양국이 자신의 이념만을 보편적 국제주의로 내세우며 서로를 인정하지 않는 전면적 대립의 관계였다. 20세기 중반은 냉전이 시작된 동시에 동북아를 냉전논리에 따라 규정한 시기였다.

다른 하나는 역내국가들의 주권국가 수립 전쟁이다. 일본제국주의를 격퇴하고 대외적 독립의 공간을 만드는 것이 주권게임의 애초 목적이었다면 이에 뒤이어 주권국가의 내부적 통일성 확보와 대외적 승인 획득 과정을 둘러싸고 치열한 무력 주권게임이 벌어졌다. 근대국가 이행을 완성하지 못한 한국과 중국 내에서 벌어진 전쟁들로서 김일성이 수행한 이른바 국토완정(國土完整) 전쟁인 한국전쟁, 역시 통일국가를 추구한 이승만의 북진 통일 전쟁, 1911년 중화민국의 성립 이후 본격적 근대국가를 이룩하는 과정에서 발생한 국공내전 등이 그것이다.

동북아의 전쟁들은 근대 국제정치의 조직원리라는 차원에서 보면 주권국가를 이루는 과정에서 발생하는 전쟁이다. 근대주권국가의 구성 요소라고 하면 국민, 영토, 효율적 정부, 독립적 대외관계 등을 들 수 있다. 국가의 주체세력들이 주관적으로 상정하는 국민과 영토의 범위, 그리고 이들을 대표하는 효율적 정부가 확정되지 않은 채 여러 주체 간의 대립만 계속된다면 여전히 근대국가는 성립되지 못한 것이다.

한국은 1897년 대한제국을 성립시켜 근대국가를 이룩했다. 11개 국가가 대한제국을 승인했고, 미국·영국·프랑스·독일·러시아 등은 공관을 설치했다. 그러나 당시는 제국주의의 시대였고 형식적 승인 못지않게 실질적 국력이 중요했으며, 한국은 제국들 간의 담합 속에서 1905년 을사늑약으로 일본의 보호령이 되었다. 19세기 국제법 질서 속에서 온전한 주권국가의 지위를 갖지 못한 주체들은 부분적 주권만을 소유한 것으로 인식되었고, 보호령은 그 대표적 장치였다. 따라서 1945년 해방 이후 한국이 이미 성립된 대한제국을 승계한 것인지, 아니면 역사상 최초로 근대국가로, 그것도 분단되어 경쟁하는 두 개의 주체로 성립된 것인지 논쟁이 있다.

중국 역시 중화민국 성립 이후 지방 세력 간의 대립으로 효율적 단일 정부가 수립되지 못했고, 국민과 영토는 나뉘어 있었다. 일본을 위시한 외세의 침탈이 지속되는 가운데 국민당과 공산당의 대립이 진행되었고, 결국

1949년 10월 중국은 분단되기에 이른다. 대만으로 패퇴한 중화민국의 장제스(蔣介石) 총통은 자신이 1911년 이후 중국 전체를 대변하고 있다고 주장하고, 본토의 공산당 세력에 대해 반공(反攻)을 추진했다. 중화인민공화국의 마오쩌둥 역시 중국이 공산당 아래 통일되었다고 주장하고 대만과의 내전에서 승리해 통일국가를 이루려는 계획을 추진했다.

결국 한국전쟁과 국공내전, 양안 대립은 근대국가로 가는 과정에서 발생한 주권국가 수립 과정의 전쟁으로서, 냉전과는 다른 조직원리 속에서 벌어지는 전쟁이다. 미·소 냉전이 근대 국제정치에서 진화하는 제국들 간의 새로운 경쟁과 대립의 한 형태라면 한국과 중국의 전쟁은 이제 막 독립한 3세계의 근대 이행 전쟁으로서, 그 안에 두 개의 다른 조직원리, 다른 전쟁이 복합되기 시작한 것이다.

2 | 태평양전쟁 이후 일본의 주권 성립 과정

일본은 이미 19세기 메이지 정부를 이루면서 강렬한 내전을 겪어내고 근대주권국가를 성립시킨 바 있다. 이후 제국들의 전쟁에 뛰어들어 패전국이 되었으므로 한국, 중국과는 경우가 다르다. 패전한 제국이 패전국의 멍에를 벗고 다른 국가들에게 보통의 주권국가로 승인받는 문제가 남았다. 유럽의 경우 강대국들이 숱한 전쟁을 벌였지만, 이미 무정부상태의 주권국가체제가 형성된 상태에서 패전국으로서 보상과 배상만 하면 다시 온전한 주권국가로 돌아갈 수 있었다. 강대국 간 전쟁, 제국 간 전쟁에서, 패전국의 경우에도 전후의 주권적 지위에 거의 영향이 없고 전쟁의 원인이 된 이익배분이 새롭게 완성되면 다시 제국의 지위로 복권되었다. 동북아의 경우 근대 국제체제가 형성되어 있지 않았으므로 일본은 새롭게 형성되는 동아시아 근대 국제체제 속에서 재차 근대주권국가의 위상을 갖추어야 했다.

20세기의 새로운 상황도 중요했다. 1917년 제1차 세계대전에 개입한 미국은 베르사유조약 체결 과정을 거치면서 윌슨의 참전 14개 조항에 명시되었던 신외교, 통상의 자유, 국제연맹과 같은 국제기구의 창설을 주장했다. 전후 처리 역시 민족자결주의와 전범(戰犯) 의식에 기반하여 실행해 나갔다. 그 결과 독일은 전면전의 무조건항복 이후 내부 정치체는 물론이고 경제의 근본적 변화, 사회문화적 영향, 국토와 국민의 상실 등을 겪게 되고, 이후에는 강대국으로서 다시 제국들 간 정치에 복귀하지 못하게 된다.

일본의 전후 처리 과정 역시 19세기 유럽 제국들 간의 세력균형 모델을 따른 것이 아니라 20세기 미국 주도의 전후 처리 모델에 따른 것으로, 포츠담회담을 거치면서 일본의 전범화, 국내 체제의 전면적 변화 및 약화를 추구했다. 미국은 일본의 모든 식민지를 해방시키는 것은 물론이고 군국주의 해체와 경제기반의 전환 등을 추구했다. 한편 소련은 일본의 분단을 원했다. 그러나 이 과정에 미·소의 냉전이 시작되고 결국 일본은 미국 냉전의 동아시아 중심 기지가 되어, 태평양전쟁의 전후 처리 과정에서 "관대한" 조약을 맺게 된다(남기정, 2008). 그럼에도 불구하고 일본은 근대국가의 핵심 요소인 '군사국가'의 요소를 잃고, 전쟁 수행이 부정되는 주권의 결손을 가지게 된다.

일본의 보통국가화는 비단 승전국이었던 미국과 소련과의 관계 속에서만 이루어질 문제가 아니었다. 한편으로는 연합국과 평화조약을 맺어야 하지만, 다른 한편으로는 식민지 처리를 온전히 해야만 이들과 새롭게 근대국가들 간 관계를 정립할 수 있었다. 유럽과 달리 일본은 한국, 중국뿐 아니라 여타 동아시아 국가들과 관계를 맺어야 하는데, 이 국가들은 근대 이행 과정에서 다양한 갈등을 겪고 있는 상황이었다. 미국은 냉전 수행의 논리 속에서 일본에 대해 관대한 평화조약을 허용하고 식민지 문제에 대한 일본의 입장을 특별히 배려했지만, 이후 일본과 동아시아 국가들과의 양자 관계는 난관에 봉착했다. 냉전의 논리로 유예·왜곡된 탈식민주의 문제가 해결되지 않으면 일본의 보통국가화에 대한 동아시아 국가들의 반대가 지속될 수밖에 없는 상황이 된 것이다.

3 | 유럽과 아시아의 주권국가 형성 과정 비교

1) 유럽 주권국가체제의 형성과 확장

동북아 주권국가체제의 특수성을 밝히려면 유럽 체제의 자생적 발전 과정과 비교해 볼 필요가 있다. 유럽 근대국가체제의 성립 기점으로는 1648년 30년전쟁이 마감되면서 체결된 베스트팔렌조약을 상정한다. 제국들로 존재해 온 서유럽 강대국들이 서로의 주권을 인정하고, 형식적으로는 유럽 전체를 관장했던 신성로마제국의 주권이 제한되는 한편, 제국 내의 영방(領邦)들은 준주권을 갖게 되었기 때문이다. 제국이 국제정치 전체에 대한 주권을 지향하면서 다른 제국들의 주권을 인정하지 않는 보편권력이라는 점을 생각해 볼 때, 제국들 간의 상호적 주권 인정은 큰 변화이며 이로써 제국은 근대국가로 변모하게 된다. 이 과정은 30년전쟁을 포함해 그 이전부터 치열한 전쟁 과정으로 이루어졌다. 15세기 말 이베리아반도를 통일한 스페인이 근대 제국으로 성립되고, 1519년 카를 5세가 신성로마제국 황제를 겸하면서 유럽 전체로 영토를 확장하는 동안 영국과 프랑스 등 다른 강대국들도 내부 중앙집권제를 완성한 후 유럽을 놓고 각축을 벌였다. 이 과정은 대내적으로 강력한 제후들을 억압하고 종교적 균형을 이루는 군사적 통일 과정이었을 뿐 아니라 대외적으로 제국들 상호 간의 빈번한 전쟁으로 점철된 과정이었다. 찰스 틸리(Charles Tilly)의 명제처럼 "국가가 근대국가를 만들고, 근대국가는 전쟁을 수행하는" 과정이었고, 이용희의 논의처럼 "근대국가는 본질상 군사국가"였다고 볼 수 있다.

30년전쟁 이후에도 유럽 국가들은 끊임없이 전쟁을 해나가는데, 이는 제국들 간의 주권 조정 과정이자 제국이 아닌 유럽 국가들을 효율적으로 배제하고 정복해 가는 과정이었다. 18세기 폴란드의 분할이 대표적 사례였다. 19세기에 접어들면서, 나폴레옹전쟁 이후 빈체제를 통해 주권국가체제를 상당 부분 정비한 유럽은 기존의 식민주의를 제국주의로 강화해 본격적으로 세계 진출에 나선다. 이 과정에서 세계 각 정치체의 주권적 지위를 매우 정교하게 구분해, 부분적이며 불평등한 국제법적 주권체제를 만들어갔다. 보호국·보호령·봉신국·식민지 등 다양한 범주의 비유럽 정치체들이 등장하는데, 궁극적으로 이는 제국주의의 세계 운영 방식 중 하나였다. 유럽의 약소국들, 특히 중동부와 발칸반도 국가들은 오토만제국으로부터 독립하는 한편 주권을 회복해 가는 과정에서 러시아·오스트리아·독일 등 유럽 강대국 정치에 휘말려 든다. 결국 제1차 세계대전 이후 유럽의 모든 국가는 온전한 국제법적 주권을 가진 국가로 독립하고, 이 전간기(戰間期) 동안 전 유럽에 걸친 주권국가체제가 완비된다(전재성, 2011).

세계의 비유럽 지역들 중 상대적으로 매우 발전된 문명을 가지고 있던 동아시아는 제국주의 침탈 이후 근대국가체제로 서서히 변환된다. 유럽의 경우와 마찬가지로 구제국이 해체되고 새로운 제국이 형성되는 한편, 제국들 간의 근대 국제정치 관계가 형성되기 시작했다. 청은 유럽 제국주의의 침탈을 보면서 스스로 근대 제국으로 변모하고자 애썼고, 일본은 중국 중심 전통질서에서 이탈되어 있어 다른 국가들보다 빨리 근대 제국으로 변모할 수 있었다. 1905년 러일전쟁 승리 이후 제국으로 승인받은 일본과 달리, 중국은 1911년 신해혁명으로 아시아 최초의 공화정을 수립했음에도 불구하고 근대 제국으로 변화하지 못했다. 일본의 한국 식민지지배가 시작된 이후 30여 년에 걸친 동아시아의 갈등과 전쟁은 세계적인 유럽 제국주의 틀 속에서 진행된 지역 차원의 근대 이행기라고 할 수 있다. 전쟁과 식민지 통치를 통해 전통 단위들이 근대 단위로 이행하는 고통스러운 과정이었다. 태평양전쟁이 종결되면서 제1차 세계대전 직후의 유럽과 마찬가지로 아시아의 모든 단위가 주권국가로 독립했지만, 이 과정은 냉전의 시작과 시기적으로 겹쳤다. 제1차 세계대전 직후의 유럽 국가들은 미국의 고립주의로 인한 대유럽 불간섭, 비유럽 식민지지배를 통한 제국 지위 유지 등 주권국가 수립에 상대적으로 유리한 입장에 있었지만, 제2차 세계대전 직후의 아시아는 미·소 냉전이라는 새로운 갈등 속에서 양대 진영의 논리에 직접적인 영향을 받게 되었다.

근대주권국가체제라는 면에서 유럽과 아시아는 몇 가지 차이점이 있다.

첫째, 아시아 역시 유럽과 마찬가지로 구제국질서가 해체되고 강대국 간 근대 제국 주권의 시기를 맞이했다. 그러나 유럽과는 달리 아시아의 역외국가인 유럽 제국 열강이 동시에 개입하면서 그 성립 과정은 복잡해졌다. 청의 경우 영국·프랑스·독일 등 제국들의 침탈 뿐 아니라, 미국·러시아의 개입으로 근대 제국으로 변모하기가 어려운 상황이었다.

둘째, 패전국 처리와 승전국들 간의 관계에서 유럽의 경우, 제1차 세계대전 이후 베르사유조약을 통해 패전국 독일에 가혹하리만큼 혹독한 전후 처리를 부가함으로써 주변국가들이 영토주권을 회복하고 주권의 결손을 최소화하는 조치를 취할 수 있었다. 승전국인 영국·프랑스·미국 간 관계 역시 비교적 순조로웠을 뿐 아니라, 미국이 고립주의로 회귀하면서 전간기 동안 승전국 간 경쟁으로 유럽 약소국들의 국제정치 상황이 극단적인 어려움에 처하지 않을 수 있었다. 반면 태평양전쟁 승전국인 미국과 소련은 종전 즉시 경쟁과 대립 국면으로 돌입했고, 이 구도가 패전국 일본의 지위에 영향을 미쳤다. 미국은 일본을 경제적으로 파괴하는 것이 냉전 수행에 불리하다고 판단하고 일본의 국력을 유지시키면서 자신의 동맹국으로 만드는 역코스 정책을 수행했다. 이것은 패전국 처리의 불완전성으로 이어진다.

셋째, 제1차 세계대전 이후 유럽에서는 모든 국가, 특히 중동부 유럽 국가들이 전간기 동안 온전한 주권적 지위를 누리며 상호 인정하는 정상적인 국제체제를 수립할 수 있었다. 그러나 태평양전쟁 직후의 동아시아 국가들은 그럴 만한 여유 기간 없이 곧바로 냉전 대립으로 말려들어 갔다. 양대 진영론을 주창한 블라디미르 즈다노프(Vladimir Zhdanov)의 연설처럼 동아시아는 공산권과 자유 진영으로 양분되었고, 전후 처리는 냉전의 논리와 중첩되었다. 이는 한국과 중국의 식민지·반식민지 해방운동에서 나타난 노선 갈등과 합쳐져 결국 분단으로 이어졌다. 일본의 식민지지배 책임 추궁과 온전한 주권 회복, 일본과 동아시아 국가들 간의 새로운 관계 설정, 이를 보장할 온전한 다자조약이 결여된 상태에서 냉전에 휘말려 든 것이다.

한국의 입장에 주목해 보면, 유럽의 근대국가 형성 과정에서 보였던 제국의 형성, 제국들 간의 경쟁, 제국들의 약소국 정복, 이후 약소국의 국제법적 주권 지위 획득이라는 과정을 모두 거치는데, 마지막 과정인 주권 획득 과정이 결정적으로 왜곡된다. 태평양전쟁 이후 미·소 대립과 미국의 대일본 역코스 정책 때문에 근대적 통일국가로 재탄생할 계기를 상실해 버린 것이다. 다른 한편 한반도 내부적으로는 근대국가 형성의 경쟁, 폭력 과정이 마무리되지 못한 채 분단되었고, 분단은 냉전이라는 국제정치 논리에 휘말려 해결되지 못한 채 온존되었다. 한국전쟁은 일면 근대국가 형성 과정으로서의 전쟁이었지만, 곧 냉전논리와 결합되면서 전쟁의 결과가 동결·유예되었다. 한국은 21세기인 현재까지도 정전 상태에 있으므로 넓게 보면 여전히 전쟁을 진행 중이다. 이론적으로 이 전쟁은 근대국가 형성 전쟁이라고 정의할 수 있다.

2) 동북아 국가들의 불완전 주권국가체제

전통적인 천하질서, 즉 중국의 제국 체제로부터 온전한 주권국가체제로 나아가는 길은 매우 험난하다. 주권의 개념이 이해되어야 하고, 각 단위들이 역사 속에서 형성된 민족·국민·영토의 개념을 적절히 변용해 국민국가로 재탄생해야 하며, 서로 간에 이를 승인하고 공존해야 하고, 역외국가인 미국·러시아가 뒤늦게 합류한 이 근대국가들을 승인하고 안정된 공존관계를 유지해야 한다.

동북아 국가들이 근대로 진입한 것은 서구 제국주의의 격랑 속에서였고, 외부에서 강요된 주권국가체제를 수용·흡수하는 데도 각국의 속도와 성공 여부는 크게 차이가 났다. 전통 제국의 해체, 유럽 제국이 실시한 근대 제국주의의 청산, 새로운 근대국가의 완성, 이들 국가 간의 상호 승인, 그리고 앞서서 이미 20세기 제국을 건설한 미국과 러시아의 역할 변수 등 거쳐야 할 경로 속에 수많은 장애물이 도사리고 있었다.

지금도 동북아 국가들, 즉 두 개의 한국, 두 개의 중국, 일본은 근대국가 성립 과정이라는 측면에서 보면 서로 다른 시대를 살고 있다. 두 개의 한국은 식민지를 벗어나 근대국가의 초기 형성 단계에 있다고 볼 수 있다. 단순 비교의 위험을 무릅쓰고 무정부 상태 조직원리의 형성 단계 차원에서 유럽의 사례를 본다면 30년전쟁의 와중에 있던 약소국의 처지와 비교할 수 있다. 두 개의 중국은, 과거의 제국으로서 30년전쟁 이후까지 온전히 통일된 근대국가를 이루지 못한 신성로마제국에 비유해 볼 수 있다. 내부 주권 문제가 모두 해결되지는 않았지만 국제정치체제에서 중요한 행위자로 기능하고 있는 상황이다. 일본은 근대국가를 너무 성공적으로 이룩해 오히려 패전국이 된 경우로, 비유하자면 30년전쟁 직후의 스페인 정도와 비교할 수 있다. 다소 작위적이기는 하지만, 근대국가 이행의 완성도라는 관점에서 생각해 볼 수 있는 비교 방식이다. 그만큼 현재 동북아는 온전한 근대국가들 간의 국제사회가 아니며 규범적 요소에 기반한 무정부상태 혹은 무정부상태적 사회(anarchical society)를 이루지 못하고 있는 것이다.

한국은 대한제국이 한반도 최초의 근대국가로 설립되었지만 국제사회의 광범위한 승인을 받지 못한 채 1905년 일본의 보호령이 되는 비극을 맞았다. 1910년 강제식민통치 개시 후 1945년 8월 15일 해방을 맞이할 때까지 한국은 임시정부를 수립했지만 역시 국제사회의 인정을 받지 못했다. 일본의 태평양전쟁 패전 후 한국은 독립을 기대했지만, 미군정하에서 끝내 남한 단독정부를 수립하는 데 그쳤다. 1950년 한국전쟁이 발발했고, 1951년 9월 샌프란시스코평화회의를 통해 일본의 주권을 회복시켜 주는 과정에서 미국은 철저히 제국 청산을 하지 않고 서둘러 미일안전보장조약을 체결했다.

독립을 맞이했지만 냉전 상황 속에서 식민지지배에 대한 정당한 보상을 받지 못한 채 한국은 불완전 주권국가로 정립되었고, 이후 남한은 한미상호방위조약을 통해 미국의 동맹체제에 편입되었다. 한국전쟁 이후 정전체제하에서 남과 북의 주권적 지위는 논란거리로 남게 되었고, 1991년 9월 UN에 동시 가입했지만 여전히 남·북한은 특수 관계를 유지하고 있다.

21세기 현재 한국이 온전한 주권국가인가에 대해 국제정치적으로는 많은 논의의 여지가 있다. 한국은 UN의 회원국이자 국제사회의 승인을 받은 어엿한 주권국가이다. 북한 역시 UN의 회원국이자 국제사회 대부분의 국가들에서 승인을 받은 국가이다. 현재 세계의 주도국인 미국과 외교관계 수립을 위한 지난한 협상을 벌이고 있지만, 북한이 국가의 자격이 없다고 의심하기는 어렵다. 문제는 한국과 북한 모두 주관적으로 자신이 한반도 전체를 대변하는 주체라고 생각하기 때문에 스스로를 불완전 주권국가로, 같은 이유로 상대방도 그렇다고 동일하게 인식한다는 점이다. 남과 북은 모두 자신이 유일한 합법정부라고 주장하면서 현 상태를 불완전 주권상태로 인정하고, 국제사회의 승인과 별도로 남과 북이 특수 관계에 있다는 데 동의한다. 이는 향후 통일이 반드시 필요하다는 상황 인식에 따라 상호 경쟁을 거쳐 자신이 주도하는 통일의 여지를 남겨두고자 함이다. 주권의 요소인 국민, 영토, 이에 대한 효율적 정부의 차원에서 남과 북은 모두 결손을 안고 있다고 스스로 인정하는 상태인 것이다.

중국 역시 분단국가인데, 대만이 국제사회에서 국가로서 대체로 승인받지 못하게 된 처지인 데 반해, 중국은 세계의 패권을 넘보는 강력한 국가로 성장했다는 점에서 한반도와는 차이가 있다. 중국의 주권게임은 상당히 성공을 거둔 셈이다. 그럼에도 불구하고 중국의 분단은 중국 본토와 대만의 외교정책 및 양안관계에 큰 영향을 미치는 변수로 작동하고 있다. 미국과 구소련은 중국 분단 직후 개입하여 자국의 이익을 극대화하고자 했고, 미국은 냉전 종식 후에도 대만을 지원하면서 중국의 부상을 견제하고 있다. 미국은 하나의 중국 원칙에 동의했지만 국제정치 현실에서는 두 개의 중국 정책을 기초로 동아시아 전략을 추구해 왔다.

일본은 성공적 근대국가를 이룩했을 뿐 아니라 미국과 함께 제국의 지위를 획득한 비유럽 국가로서 19세기의 성공적 발전 사례를 기록했다. 그러나 태평양전쟁의 패배로 주권 회복 과정이 미국에 의해 주도되었으며, 여전히 미·일동맹의 틀 속에서 많은 제약을 받고 있다. 현재 군사력에 대한 헌법적 제약을 넘어서려는 노력을 기울이고 있는데, 이러한 결손은 일본의 외교정책에 많은 영향을 미치고 있다.

결국 동북아 3국은 상호 간의 국제법적 승인, 국제정치 관계, 미국을 비롯한 국제사회와의 관계 설정 등에서 주권의 불완전성이라는 요소 때문에 독특한 양상을 보이고 있는 것이다. 그 역사적 과정이 물론 19세기 중반 개항 이후부터 서서히 형성되어 온 것이기는 하지만, 냉전의 시발점에서 발생한 한국전쟁과 이전 100년의 역사를 일단락한 1951년 9월의 샌프란시스코회담은 그 결정적 시점이 된다. 샌프란시스코강화조약은 동아시아 국제정치의 조직원리를 결정한 변곡점, 한·중·일의 주권적 지위를 직간접적으로 결정한 다자적인 입법 조약, 즉 동아시아의 베스트팔렌조약이었기 때문이다(전재성, 2018).

4 | 태평양전쟁의 종전과 한국전쟁 이전 동북아 국가들의 성립

1) 국제법적 주권의 성립과 냉전논리의 확산

태평양전쟁이 끝난 후 1954년에 이르는 기간은 크게 두 시기로 나누어 볼 수 있다. 첫 번째 시기는 종전 이후 남·북한과 두 개의 중국, 일본이 근대주권국가의 국제법적 위상을 만들어가는 단계이다. 이때까지는 냉전논리보다 태평양전쟁의 전후 처리 혹은 근대주권국가체제로의 이행 논리가 더 강했다.

두 번째 시기는 냉전논리가 본격 작동하는 시기로, 미국은 이른바 역코스 정책을 통해 이미 일본을 냉전 수행의 전략적 파트너로 삼아 강화조약 조건을 재설정했고, 한국과 대만의 전략적 중요성을 놓고 고민하던 중에 발발한 한국전쟁을 통해 결국 동북아 전략을 완전히 바꾸게 되는 시기이다. 앞서 살펴본 바와 같이 불완전한 주권체제에서 작동하는 국제정치의 양상은 한편으로는 근대 이행 혹은 주권국가 완성을 목표로 하는 주권게임으로 나타난다. 태평양전쟁 종전 이후 동북아에서는 한편으로 주권게임이 다른 한편으로는 냉전 상황 속에서 국제정치게임이 동시에 벌어졌는데, 양자는 하나하나의 사건마다 동시에 침투해 있기는 하지만 분석적으로는 구별된다.

동북아가 외양적으로 근대적 주권국가를 수립하는 과정은 1949년 중국의 공산화로 일단락된다. 일본이 헌법을 새로이 개정·시행하고 강화조약의 내용을 대강 예상하며 주권국가로 나아가기 시작한 1947년, 한국과 북한이 각기 단독정부를 수립하는 1948년, 중국 본토의 공산혁명 이래 두 개의 중국이 성립하는 1949년까지, 동북아 3국은 5개의 국제법적 독립국가로 태어난다. 당시 미국은 한국과 일본에 군정을 실시하고 있었고 대만의 장제스 정권과도 긴밀한 관계를 유지하고 있었다. 소련은 북한의 김일성 정권을 지원해 조선민주주의인민공화국 성립에 기여했고, 국공내전의 막바지에 이른 공산당을 지원함과 동시에 중화인민공화국 수립을 즉각 승인했다.

그러나 이 양대 초강국이 동북아의 지정학적 미래를 얼마나 구체적으로 계획하고 있었는지, 유럽에 비해 아시아를 얼마나 중요하게 여겼는지는 여전히 논쟁거리이다. 미국은 일본의 비무장화, 탈파시즘화, 자유민주주의적 정치개혁, 경제 재건, 자유 진영 포섭 등에 힘을 쏟고 있었고, 한국과 대만이 미국의 사활적 지정학 이익에 반드시 필요한 국가인가에 대해서는 회의적인 태도를 보이고 있었다. 그리고 한국과 대만에서 가장 품위 있는 후퇴를 계획하고 있었다. 소련 역시 미국 핵 독점시대의 동아시아에서 미국에 대한 도전은 자제하고, 일본의 재무장을 경계하면서 소련의 이익을 보장하는 강화조약 체결에 관심을 쏟고 있었다. 동북아 국가들의 주권게임에 냉전이라는 국제정치게임이 본격적으로 개입하지는 않고 있던 시기였다. 이미 시작된 냉전의 흐름도 동북아 3개국에 대한 미·소의 계획을 정교하고 짜임새 있게 만들어내지 못했던 것이다.

한국전쟁이 진행되면서 모든 것이 바뀌었다. 1943년부터 1949년까지 미국과 소련의 동북아 정책이 시대의 흐름을 추종하는 것이었다면, 1949년부터 1954년까지 양국의 정책은 동북아의 지정학 자체를 뒤바꾸어 놓았다. 특히 미국은 동북아의 한국, 일본, 대만의 주권국가 정립에 형성적(formative) 영향을 미쳤다.

한국, 일본, 대만의 국제법적·형식적인 주권과는 별도로 실체적·경험적 주권은 이제 막 형성되는 중이었다. 분단국가로서 한국과 대만은 여전히 통일을 꿈꾸고 있었고, 일본은 완전한 비무장 국가가 될지 아니면 온전한 무장 국가가 되어 미국과 협력할지가 결정되어 있지 않았다. 한국전쟁과 샌프란시스코회의를 거치면서 일본은 미국에 기지를 제공하고 일정한 수준의 군사적 역할을 하는 중간의 길을 가게 되었고, 한국과 대만은 자신의 반쪽에 견고하게 대항하되 전체 국토의 수복은 미국에 의해 제지당하는 체제를 이루게 되었다. 미국이 이끄는 바퀴살(hub and spoke)안보체제의 기초가 마련된 것이다.

2) 한국의 독립과 불완전 주권의 기원

1943년 11월 23일 카이로회담에서 미국의 프랭클린 루스벨트(Franklin Roosevelt) 대통령과 중국의 장제스 총통은 회담 선언문 초안을 놓고 대화하던 중 한국 독립에 합의한다. 한국은 일본에 의해 "기만적인(treacherous)" 노예상태에 놓여 있으며 가능한 한 빠른 시일 내에 독립하도록 한다는 내용이었다. 장제스 총통은 김구 주석의 임시정부를 지원하고 있었으며, 일본의 패망 이후 한국의 독립을 국제적으로 공인받으려 했다. 미국 역시 제2차 세계대전을 치르면서 전후 국제질서에 대한 구상을 해오고 있었는데, 유럽 열강의 구제국주의를 완전히 청산하고 식민지들을 온전히 독립시키는 것을 원칙으로 삼고 있었다. 패전국의 식민지는 물론이고 영국 등 승전국의 식민지도 독립시키는 것을 추구했으며, UN을 통해 국제신탁통치제도를 시행해 독립의 능력을 갖추기 위해 시간이 필요한 국가들은 여유를 두고 독립시키기로 했다.

미국은 한국 역시 독립 이후 독자적 통치 능력이 결여된 국가로 보고 40년 정도의 신탁통치 기간을 논의하던 중이었고, 카이로회담 당시에도 한국의 독립 이후 국제신탁통치를 통해 일정 기간 독립 능력을 배양시키겠다는 생각을 하고 있었다(안소영, 2010). 카이로회담의 초안을 놓고 영국은 한국의 빠른 독립에 반대했다. 종전 이후 자국의 식민지 유지에 영향을 미칠까 우려한 영국은 한국의 독립 조건을 최대한 모호하고 구속력 없게 처리하고자 했으므로, "일본에 의한 노예상태"이라는 문구에서 "일본에 의한"을 삭제하고, 최대한 빠른 시간 내에 독립한다는 내용을 "적절한 절차를 거쳐(in due course)"로 변경했다. 그럼에도 불구하고 국제사회가 한국의 독립을 공언했다는 점에는 의의가 있다고 하겠다(정병준, 2014; 조덕천, 2014; 장박진, 2016; 윤영휘, 2017).

문제는 한국 독립이 일본의 불법적 침략과 식민통치에 대한 주권적 지위 회복이라는 명시적 합의가 없었다는 점이다. 미국은 가쓰라·태프트 조약을 통해 일본의 한국 식민통치를 인정했고, 식민통치가 합법적이라는 사실을 부정하지 않았다. 따라서 태평양전쟁 이후 한국의 독립은 일본의 불법적 제국주의의 무효화라는 관점이 아니라 패전국 영토의 분할이라는 관점에서 다루어졌다. 일본의 합법적 영토이지만, 한국민의 독립 열망을 감안해 독립시키되 이후의 처분은 미국의 전후 처리 과정에 맡겼던 것이다.

미국은 1942년 미드웨이해전 이후 전세가 유리한 국면에 접어들자 태평양전쟁의 전후 처리를 이미 구상하고 있었다. 1942년 장제스 총통의 부인인 쑹메이링(宋美齡)의 미 의회 연설 이후, 루스벨트 대통령은 전후 아시아 질서를 놓고 장제스 총통과 협의하려는 의사를 확고히 하고 있었다. 일본이 침탈한 중국의 영토, 즉 대만과 펑후제도 등을 중국에 돌려주고 만주 지역 역시 중국이 차지하는 것으로 상정하고 있었다. 더 나아가 한국도 중국의 영향력하에 들어갈 것을 예상하고 이를 굳이 반대할 생각을 하지 않고 있었다. 한국에 대한 국제신탁통치 이후 중국의 영향력하에 두어 동아시아를 평온하게 유지하는 것이 미국의 주된 전략이었던 것이다.

그러나 동시에 소련의 영향력을 우려하는 목소리도 커졌다. 미국에서는 이미 1942년부터, 동아시아에서 소련을 견제하기 위해 태평양전쟁 이후 일본을 경제적으로 회복시켜 반공의 보루로 삼으려는 구상이 만들어지기 시작했다. 제1차 세계대전 이후 독일을 완전히 약화함으로써 나치즘 성립의 길이 열리고, 결국 독일의 또 다른 도발을 불러일으킨 것을 상기했던 미국은 일본의 경제적 부흥과 자국과의 협력관계 설정을 중시했다. 심지어는 한국을 일본 지배하에 존속시키는 것도 하나의 대안이 될 정도였다.

루스벨트 대통령은 1945년 2월 얄타회담에서 소련의 태평양전쟁 참전과 UN 참여를 약속받고, 사할린 남부와 쿠릴열도를 소련에 귀속시키기로 결정했다. 또한 다롄과 뤼순을 조차(租借) 형태로 소련에 주어 부동항을 마련해 주는 대안에 비밀리에 동의했다. 루스벨트 대통령은 종전 이후 소련이 UN의 틀 밖에서 문제 국가(pariah state)가 되는 것을 원하지 않았고, 유럽에서 동구권에 대한 영향권을 구축하도록 허용하는 한편, 강대국 협의 체제를 유지하고자 했다. 얄타체제는 소련에 대한 유화정책과 지나친 양보로 미국 내에서 비판받기도 했지만, 미·소 간의 협력 기회를 극대화하려고 했다는 점에서 의미가 있다고 하겠다(노경덕, 2016).

루스벨트 대통령 사후 한반도를 둘러싼 미·소 간의 정교한 협력 외교는 사실상 현저히 약화되었다. 대일 전쟁을 수행하는 과정에서 미국은 원자탄 투하를 실행하고, 소련은 1945년 8월 8일 태평양전쟁에 참여했다. 미국은 한반도의 미래를 둘러싸고 38도선을 경계로 하는 분할을 소련에 제안하고 소련은 이를 받아들인다. 미국은 수도가 있는 서울을 포함하는 적정선을 서둘러 획정하려 했고, 소련은 실현되지 못했지만 홋카이도 북부 점령을 원하고 있었다. 향후 일본 점령 과정에서 내심 미국의 양보를 고려한 소련이 38도선 분할을 받아들임으로써 이후 남북분단의 기원이 된다.

태평양전쟁 종전 이후 미국은 한국에 대한 군정을 실시하고 5년간 국제 신탁통치를 거친 후 독립시킨다는 정책을 추진했다. 미군정 실시 중에 남한 내 중도·좌우를 아우르는 세력을 만들어 군정을 지지하게 하는 한편, 국제신탁통치에 찬성하는 분위기를 만들고자 한 것이다(강성현, 2016). 1945년 12월 모스크바3상회의에서 한반도에 대한 신탁통치를 미소공동위원회(이하 미소공위)가 맡기로 하고 신탁통치를 기정사실화했다. 그러나 급속도로 번지는 반탁운동과 남·북 간 반탁 대 찬탁의 의견 대립으로 미소공위는 결국 공전하다 1947년 6월에 해체되고 만다.

이승만 대통령은 1946년 정읍발언을 통해 이미 남한이 독자적인 단독정부를 수립해야 함을 역설했다. 미군정은 이승만 대통령과 존 하지(John Hodge) 중장의 갈등을 비롯해 남한의 여러 세력과 대립을 거듭했지만, 선부른 미·소 공동 신탁통치가 공산 세력 민족해방전선의 장이 될 것이라는 우려를 공유하고 있었다(이상호, 2008; 차상철, 2009). 하지 중장은 한국의 즉각적 독립을 억압할 수 없다는 점을 한국 내 독립 열망을 체험하면서 깨달았고, 결국 1947년 11월 한국 문제를 UN에 이관하기로 했다. 강대국 간 협의 사항이었던 한국의 독립 문제가 UN에 이관되는 것이 옳은가를 둘러싼 논란도 있었지만, 결국 남한 내에서 독자적으로 선거를 실시하게 되었고, UN은 대한민국 정부가 한반도의 유일하고 정당한 정부임을 승인하기에 이른다. UN 선거를 통해 1948년 8월 15일 남한에서 단독정부가 수립된 후 북한 역시 1948년 9월에 정부를 수립했다. 남·북은 하나의 영토를 둘러싼 두 정치집단의 대립으로 서로를 승인하지 않는 경쟁 상태로 굳어졌다.

5 | 주권게임과 국제정치게임의 복합으로서 한국전쟁

한국전쟁의 원인과 성격, 결과에 대해서는 역사학을 중심으로 많은 연구 성과가 축적되었고 현재에도 연구의 심도와 범위가 지속적으로 발전하고 있다. 한국전쟁의 원인과 성격은 상호 연결되어 있는데, 한국전쟁에 대한 견해는 한반도 모순 격화 → 미국의 격퇴 전략 적용 → 북한의 개입이라고 보는 브루스 커밍스(Bruce Cumings)의 내인론, 소련을 설득하고 중국의 도움을 받아 국토완정을 수행하려 했던 김일성의 전쟁으로 보는 견해, 공산화 이후 중국의 독자노선 추구 및 미·중 간 협력 가능성 차단과 부동항 확보 등 소련의 전략적 이익을 보장하려 했던 스탈린의 전쟁으로 보는 견해, 이승만 정권의 북진 통일 정책이 대북 개전으로 이어졌다는 북한의 공식 견해 등으로 대별할 수 있다(커밍스, 1986; 커밍스, 2016; 박명림, 1996; 이완범, 2000; 정병준, 2006; 손경호, 2011).

국제정치론의 측면에서 보면, 한국전쟁은 근대 제국주의가 쇠퇴한 후 식민지 지위였던 한국이 과거 대한제국의 주권적 지위를 회복하려는 과정에서 최고의 주권적 지위를 놓고 벌인 두 주체 간의 전쟁이다. 이와 함께 제2차 세계대전의 승전국 미국과 소련이 전후 처리를 둘러싸고 본격적으로 갈등하면서, 한반도의 독립을 온전히 보장하는 외교적 해결을 포기하고 오히려 자국의 전략적 이익을 위해 개입함으로써, 국제전의 성격을 동시에 띠게 된 전쟁이다(이완범, 2000: 11). 이렇게 보면 한국전쟁을 놓고 정통주의 대 수정주의, 내전 대 국제전으로 나뉘어 벌였던 기존 논쟁을 어느 정도 종합해 볼 수 있다. 한국전쟁은 국제법적으로는 두 개의 형식적 주권체 간의 전쟁이었지만 여전히 실질적 주권국가를 이루지 못한 두 주체들 간의 근대 이행기 전쟁이었고, 동시에 이 전쟁에 냉전의 국제정치 논리를 덧씌운 20세기 국제정치게임의 일환이기도 했다.

뒤에 살펴보겠지만, 마오쩌둥(毛澤東)의 참전과 장제스의 확전 욕구 역시 중국 내에서 벌어지던 주권게임과 맞닿아 있다. 중국 공산당은 1950년 2월 소련과 동맹을 맺은 후 대만에 대한 군사적 압력을 증대시켜 같은 해 4월에 하이난섬을 점령하는 등, 만약 한국전쟁이 발발하지 않았다면 대만에 대한 총공격을 감행할 수도 있는 상황이었다. 스탈린 역시 이러한 중국의 필요를 알면서 한국전쟁을 준비했다. 결국 두 개의 중국 간 주권게임이 한국 내 주권게임과 연결되는 양상을 보이고, 여기에 미·소의 개입이 더해지면서 국제정치게임과도 복잡한 연관성을 보이게 된다.

역사를 되짚어 보자면, 미국과 소련은 각각 자신의 이익에 가장 적합한 세력을 지원하고자 했다. 미국은 해방 직후인 1945년 9월 8일 하지 중장이 지휘하는 2만 5000명의 미군을 남한에 진주시켰고, 이후 한국 내 많은 세력들이 미국의 지시에 따르도록 하는 정책을 펼쳤다. 사회주의를 비롯한 다양한 세력이 활동하던 남한 내에서 미군정의 정책은 때로는 강압적으로 보일 소지가 컸다. 반면 사회주의 세력이 우세하던 북한에도 조만식 등 민족주의 세력이 있었지만, 소련은 상대적으로 수월하게 김일성 세력 주도하에 북한을 장악할 수 있었다(이완범, 2007; 홍인숙, 2002). 냉전논리로 한반도가 분할되고 미소공동위원회가 공전하게 된 데는 결국 통일을 위한 진지한 노력을 포기하고 공동위원회를 방치했던 미·소 양국의 속내가 반영된 것으로 볼 수 있다. 얄타체제의 외교적 동력 소진과 냉전의 영향권 정치를 통해, 한반도의 분할을 조장하지는 않았을지 모르나 그런 상황을 역전시키려는 노력은 포기했던 것이다.

미국은 1950년 1월 12일의 애치슨라인선언 이전에 이미 한국이 자국의 사활적·전략적 이익 지역이 아니라는 판단을 내리고 있어, 1949년 5월까지 주한미군을 거의 철수시켰다(남시욱, 2015). 소련 역시 1949년 8월의 핵실험과 1949년 중국 공산당 수립 이전까지는 김일성의 남침 지원 요구에 대해 신중한 자세를 보이며 분단 상태의 현상 유지를 선호했다. 그러다가 1950년 2월의 중소우호동맹조약 체결을 앞두고 김일성의 남침 지원 요구가 거세지자 스탈린은 1월 말에 이를 허용하고, 이어 열린 5월의 마오쩌둥과 김일성의 회담에서 마오쩌둥이 한국전쟁 지원을 약속하도록 했다. 소련은 미국이 중국과 교전할 경우 중·소 동맹을 발동해 이를 다양한 형태로 지원하겠다며 중국을 설득했다. 소련과 중국의 지원을 약속받은 김일성은 결국 한국전쟁을 일으켰다.

1953년 7월 27일에 체결된 정전협정은 군사적 정전에 그치고 정치적 차원의 전반적 휴전으로 나아가지 못했다. 이후 평화조약 없이 현재까지 정전체제가 유지되고 있고, 이 과정에서 소극적 평화를 유지하는 역사상 유례없는 전쟁 속 평화의 상태를 보이고 있다(김명섭, 2015). 정전협상은 이미 1951년 7월에 시작되었고, 이승만 대통령은 북진 통일을 주장하며 정전에 원칙적으로 반대하는 입장을 보였다. 1953년 6월 18일 반공포로 석방 등 강경한 자세를 보였던 이승만 대통령은 정전과 동시에 한·미동맹을 반드시 수립하고자 했다(윤정인, 2017). 결국 1953년 10월 한미상호방위조약이 수립되는데, 이후에도 한·미 관계는 순탄하지 못했다. 1954년 11월 한미합의의사록이 합의되어 방위조약이 발효되기까지 군사·경제원조에 대한 한·미 간의 갈등은 극심했고, 미국은 한국전쟁기에 수립했던 이승만 제거 계획인 에버레디 작전까지 재론할 정도였다(이혜정, 2004).

이 와중에 전개된 제네바회의는 한국 문제를 둘러싼 각 측의 입장 대립을 명백히 보여주었다. 4월 26일 시작되어 6월 15일까지 50여 일간 개최된 제네바회의는 정전협정에서 약속했던 경과 기간인 90일을 훨씬 넘겨 개최된 것은 물론이고 인도차이나 문제와 함께 논의되어 한반도 문제에 대해 집중과 합의가 어려운 상황이었다. 특히 전쟁 이후 한반도를 둘러싼 남·북 대결, 북·미 대결이 첨예해졌다. 한국은 북진 통일과 정치 회담의 무효성을 주장하며 미국과도 치열하게 다투는 상황이었고 미국은 UN 감시하에 인구 비례에 의한 한반도 자유선거를 주장하며 사실상 제네바회의에 큰 기대를 하지 않고 있었다. 반면 북한은 한반도에서 외국군 철수와 군대 감축을 요구하며 한국에 대한 통일 전략을 추구했다. 이 과정에서도 남·북 간의 주권게임과 미·중·소 간의 냉전적 국제정치게임이 복합되고 인도차이나 문제가 병렬되면서 갈등 구도가 더욱 복잡해졌다(김연철, 2011; 김보영, 2015). 흔히 샌프란시스코체제와 한국전쟁 이후 한·미·일 대 북·중·소의 단순 대립 구도가 동북아를 지배한 것으로 보기도 하지만, 근대 이행이라는 국제정치적 관점에서 보면 대립 구도의 양상은 훨씬 복잡하다.

한국전쟁 이전에 미·소 양국이 한국의 근대국가 이행을 의도적으로 저해하고 불완전 주권국가로 귀결되는 데 앞장서는 적극적 행동을 한 것은 아니다. 민정 이양과 신탁통치를 거쳐 통일국가로 나아가도록 하는 노력을 약속하기는 했지만, 문제는 냉전이 점차 가시화되면서 결국 영향권 정치로 귀착되어 한반도 주권게임의 정치과정에 자국의 전략적 이익을 위주로 개입한 것이다. 개디스의 논의처럼 미·소 모두 제국의 정치를 행한 것이고, 단지 강압의 제국 소련과 초대 및 동의의 제국 미국이 서로 다른 형태의 개입 정치를 수행한 것이다(Gaddis, 1997; Westad, 2007).

한국전쟁은 여전히 정전상태에서 지속되고 있다. 국제법의 논리로 종전이 되지 않았다는 의미도 있지만, 그보다는 남과 북이 한반도 주권을 놓고 벌이는 근대 이행의 정치적 과정이 여전히 진행 중이라는 의미가 더 크다. 또한 한국전쟁은 유럽 열강의 구제국주의 시대를 넘어 20세기 제국으로 탈바꿈한 미·소가 벌인 냉전이라는 국제정치게임의 개입이 한데 뒤엉켜 나타난 현상으로, 냉전시대가 종식된 현재에도 남·북이 벌이고 있는 주권게임에 주변 강대국들은 여전히 개입의 틈새를 노리고 있다. 이 두 현상은 비유럽 지역 근대 이행의 조직원리 문제와 20세기 중후반 근대 국제정치의 조직원리의 문제가 복합된 것으로서, 둘의 논리는 근본적으로 다르다.

6 | 한국전쟁과 샌프란시스코체제의 성립

1) 동북아의 베스트팔렌조약, 샌프란시스코강화조약의 성격

한국전쟁 발발에 의해 시작되고 한국전쟁 중에 성립된 샌프란시스코체제는 한국의 주권적 지위, 더 나아가 일본과 중국의 주권적 지위에 많은 영향을 미쳤다. 동북아시아가 제국주의를 극복하고 서로를 근대국가로 인정하는 단계를 거치지 못했기에 전후 처리와 탈식민주의 이행, 다자주의적 상호 승인 과정은 근대 주권체제로 이행하는 데 반드시 필요한 것이었다.

샌프란시스코강화조약 그리고 여기에서 도출된 샌프란시스코체제는 이후 동북아 국제질서의 정초로서, 제국주의시대를 종식시키고 패전국 처리의 논리에 따라 새로운 주권국가들의 탄생을 여는 회의여야 했다. 그러나 태평양전쟁을 종결하는 강화조약 체결로서의 샌프란시스코회의는 패전국 일본의 처리 및 향후 연합국과의 관계 설정에 집중한 회의였다. 전후 처리 과정에서 일본의 식민지지배에 대한 처리가 불가피하게 병행되기는 했지만, 미국의 국제정치게임상 필요에 따라 동아시아 국가들 간의 주권 문제와 동북아 주권게임의 문제는 주된 관심사에서 밀려났을 뿐 아니라 일본의 역할만을 중시하는 승전국 미국의 주도가 두드러졌다.

명분상으로 샌프란시스코회의는 동북아 국제정치의 조직원리를 다자적 입법조약으로 성립시키는 분기점이었다. 그러나 관련 국가들이 처한 상황에 따라 회의 참여 내지 조약 서명이 제대로 보장되지 못했다. 소련은 참가했지만 일본에 대한 전후 처리 문제를 둘러싸고 미국과 의견이 대립해

결국 서명하지 않았다. 중국은 두 개의 중국 간 대표 문제로 계속 논란을 벌이다가 참가조차 하지 못했다. 한국의 참가에 대해 소련은 반대 입장이었는데, 찬성할 경우 북한과 관계가 난처해지고 중국의 대표성 논란과도 직결되기 때문이었다.

한국은 임시정부가 있었지만 태평양전쟁의 교전국 지위를 승인받지 못했다. 임시정부가 국제사회에서 국민 전체의 의사를 대표하는, 영토에 기초한 효율적 정부로 인정받지 못했기 때문이다. 일본에 대한 무장투장을 전개했지만 그 성과 역시 교전국 지위를 얻기에는 미흡한 것으로 국제사회는 평가했다. 미국은 애초에 한국을 샌프란시스코강화조약의 서명국에서 배제하려 했지만, 1951년을 전후해 공식 참가자는 아니더라도 서명 주체로 인정하려는 일시적 움직임을 보이기도 했다. 1951년 초에 한국을 방문한 존 덜레스(John Dulles)는 한국의 회의 참가에 대한 언질을 주기도 했다. 그러나 궁극적으로 샌프란시스코강화회의는 한국전쟁의 와중에 공산권에 대항하기 위한 냉전 수행의 필요에 따라 일본의 주권 회복을 목표로 한 것이었던 것인 만큼, 한국의 '지나친' 배상 요구와 반일 태도를 미국은 달가워하지 않았다. 미국은 기본적으로 일본의 경제회복, 자유민주주의 체제 구축을 통한 자유진영 편입, 미국의 동아시아 냉전 수행 기지로서의 군사적 유용성을 전제로 대일 정책과 동아시아 정책을 추진하고 있었다. 일본에 대한 미국의 전후처리는 '관대한' 조약으로 귀결될 수밖에 없었다(김숭배, 2017).

당시 한국 정부가 샌프란시스코강화회의의 국제정치적 의미에 대해 얼마만큼 인식하고 있었는지도 정확히 알기 어렵다. 한국은 강화회의 참가를 위해 많은 노력을 기울였지만 결국 3명의 옵서버 파견만 허용되었고, 변영태 외무장관의 언급처럼 이를 개탄하는 분위기는 있었지만 동북아 국제정치의 조직원리가 이 회의에서 결정된다는 사실을 전체적으로 알고 있었는지는 명확하지 않다. 당시 전쟁 중이던 상황에서 강화조약에 참가하지 못한 것이 여론에서도 큰 주목을 받지 못했던 사실로 미루어보면, 수년간 치밀한 준비를 해온 일본에 비해 한국의 국제정치 인식이 뒤져 있었던 것도 사실이다(유의상, 2015).

결국 샌프란시스코강화조약 체결 과정에 근대 이행기 일본제국주의에 의해 가장 큰 피해를 입은 한국과 중국이 참여하지 못했고, 미국과 함께 역외국가로서 동북아 주권게임에 영향력을 발휘하는 소련도 불참했던 것이다. 그럼에도 불구하고 이후 일본과 한국, 일본과 중국 간의 관계 정상화는 샌프란시스코회의에 준하게 되었다.

2) 샌프란시스코체제 속 한국의 주권적 지위

샌프란시스코강화조약 2조 a항에는 '한국의 독립이 인정된다'는 문구가 있는데, 이를 둘러싸고 과연 강화조약 이전에 한국이 명백한 독립적 지위에 있었는가라는 문제가 제기된다. 한국은 연합국, 교전국 자격을 인정받지 못했고, 일본의 식민지로 규정되어 논의의 대상이 되었다. 더욱이 일본 식민지지배의 불법성도 조약에서는 인정되지 않았다.●

한국은 1948년 UN이 인정한 보통선거에 의해 국제사회가 승인한 단독정부를 수립했다. 그러나 1910년 당시의 대한제국이 불법적으로 일본의 식민지가 되었다가 1945년에 주권국가로서 독립을 되찾은 것인지, 아니면 한일병합조약을 당시 국제법상 합법으로 인정함으로써 주권적 지위를 이루지 못했던 한국이 1948년에 비로소 독립하고 샌프란시스코회의에서 독립

● "일본(Japan)은 한국(Korea)의 독립을 승인하고, 제주도, 거문도 및 울릉도를 포함하는 한국에 대한 모든 권리, 권원 및 청구권을 포기한다(Japan, recognizing the independence of Korea, renounces all right, title and claim to Korea, including the islands of Quelpart, Port Hamilton and Dagelet)."

국으로 추인된 것인지의 문제가 있다. 한국의 입장에서는 병합이 강압에 의해 이루어진 것으로 당연히 불법적인 것으로 인식하고 있지만, 샌프란시스코회의 결과는 논란의 여지를 완전히 봉합하지 못했다. 독립에 관한 문구는 카이로회담부터 확인되지만 한국의 주권적 독립의 기원에 대해서는 여전히 논쟁의 여지가 있다. 한국이 독립적 지위를 이미 누리고 있는 상태였고 그 독립의 기원이 일본의 불법 병합에 있었다는 사실을 샌프란시스코회의를 통해 확인했다고도 볼 수 있지만, 그 인정 여부를 확실히 하지 않은 채 강화조약이 맺어졌다(장박진, 2016).

한국은 강화조약에 참여하지 못함으로써 일본의 식민지지배 배상 역시 다자의 틀에서 보장받지 못했다. 한국은 승전국의 일원도 아니었고, 불법 식민지지배의 피해자로 배상을 받는 주체의 권리도 확실히 확보하지 못했다. 이후 이승만 대통령은 양자회담을 통해 배상 문제를 해결할 수밖에 없었는데, 이 과정에서 한·일 간의 조속한 관계정상화를 추진하려는 미국과 갈등이 불가피했다. 이승만 대통령은 제1차 세계대전 이후 독일에 대한 베르사유조약을 대일 전후 처리와 배상 청구의 모델로 삼고 있었지만, 미국은 베르사유조약 모델이야말로 당시 독일을 현저히 약화시키고 결국 제2차 세계대전을 발발하게 한 근인(根因)이므로 대일 전후 처리에서 반드시 피해야 할 모델이라 생각하고 있었다. 한국전쟁 이후, 한·일 교섭에 나온 일본 측 대표 구보타 간이치로(久保田貫一郎)는 1953년 10월 3차 한일회담에서 "한국이 독립한 날짜는 샌프란시스코강화조약이 발효된 1952년 4월 28일"이라는 망언을 했다. 결국 한·일 교섭 과정에는 배상액 혹은 적산 처리 등의 단순한 문제만이 아니라 일본의 한국 식민지지배의 성격, 더 나아가 식민지가 되는 상황에서 한국의 주권적 지위에 관한 문제가 근본적으로 놓여 있었던 것이다. 한국은 일본의 강제 병탄 당시 한국이 주권적 지위를 누리고 있는 독립 주권국가였으므로 이에 준한 배상이 이뤄져야 한다는 논리를 폈지만, 샌프란시스코강화조약은 한국의 입장이 반영되지 않은 채 이미 체결되어 있었다.

3) 일본의 주권적 지위 회복

한국전쟁 발발 이전 일본은 패전국의 지위에서 서서히 벗어나 주권국가의 틀을 상당히 갖춰가고 있는 상황이었다. 미국은 "일본으로부터의 위협"을 제거하기 위해 일본의 군사적 능력을 제거하고, 정치적으로는 일본을 자유민주주의에 기초한 새로운 국가로 만드는 작업을 시작했다. 일본인들에게 '푸른 눈의 천황'으로 여겨진 맥아더 장군은 1945년 12월 모스크바3상회의 이후 미국·영국·소련·중국 등 4개국이 중심이 되고 11개국이 참가한 극동위원회의 권위와 미국 극동군 총사령관이라는 두 개의 모자를 쓰고 일본의 전후 처리를 수행했다. 맥아더는 먼저 일본의 헌법개정 작업에 깊숙이 개입해 1946년 2월 천황제 존속, 전쟁의 완전한 포기, 봉건제도 폐지를 골자로 하는 이른바 맥아더 3원칙을 다음과 같이 제시했다.

첫째, 천황은 국가 최고위의 지위에 있고 황위는 세습되며 천황의 직무와 권능은 헌법에 기초해 행사되고, 헌법에 제시된 국민의 기본적 의사에 부응한다.

둘째, 국권의 발동인 전쟁을 폐지하고, 일본은 분쟁해결 수단으로서의 전쟁, 나아가 자신의 안전을 지키기 위한 수단으로서의 전쟁도 방기한다. 일본은 자국의 방위와 보호를 세계를 움직이는 숭고한 이상에 맡기고, 일본 육해공군의 권능은 장래에도 고려되지 않으며, 교전권이 부여되지 않는다.

셋째, 일본의 봉건제도는 폐지하고 귀족의 권리는 황족을 제외하고 현재 생존하는 자 1대 이후로는 미치지 않는다는 것이다. 화족(華族)의 지위는 어떤 국민적·시민적 정치권력도 수반하지 않으며, 예산의 형태는 영국의 제도를 모델로 삼는다(쇼오이찌, 2010: 117~118; 이상봉, 2006).

1946년 3월 6일 헌법개정초안요강이 발표되고, 제90대 제국의회를 헌법제정의회로 삼아 114일간의 회기를 거쳐 10월 7일에 헌법이 통과되었으며, 11월 3일 공포하기에 이른다. 그리고 이듬해 5월 3일 극동국제군사재판소 개정 1주년이 되는 날에 새로운 헌법이 시행된다. 이 과정에서 맥아더는 실로 "법을 부여하는 자"로서 일본 정부에 대해 초연하게 군림했고, 일본 정부는 최대한 맥아더 안을 일본화하기 위해 분투했다.

미국의 대일 정책은 경제 부문에도 큰 영향을 미쳤다. 연합국최고사령부 경제 고문 조지프 다지(Joseph Dodge) 공사는 1949년 3월 초부터 이른바 다지 라인을 실행해 일본 경제의 안정과 자립을 위한 지침을 내리고 재정금융 긴축정책을 실행한다. 초균형 예산, 보조금 폐지, 1달러당 360엔의 단일고정환율제 성립 등의 정책이 실행됨으로써 디플레이션을 심화하는 부작용을 낳았고, 심각한 자금 부족으로 실업자가 급증하는 등 문제가 발생했다. 그러나 기업 체질을 근본적으로 바꾸고 무역국가의 기초를 다지며 장기적으로 미일 간 경제관계의 기반을 구축했다고 평가된다. 한국전쟁 중 특수를 누리면서 결국 다지 라인은 자유경제로 전환하는 본격적인 성과를 거둔다(소토카 히데토시 외, 2006: 37~39). 전쟁 기간 중 전쟁물자 조달을 위한 미국의 일본 상품 구매액이 일본 전체 수출의 70%에 달하게 된다(Cha, 2016: 144). 이는 대일 정책 중 하나로서, 아시아를 일본 경제와 연결해 일본 경제를 부흥시키는 것이 중요한 미국의 정책이었다(이혜정, 2001).

한국전쟁의 발발과 샌프란시스코강화회의를 전후로 미국은 "일본으로부터의 위협"을 제거하는 것에서 "일본에 대한 위협"을 제거하는 방향으로 나아갔다. 덜레스는 1950년 9월 15일 대일 강화조약의 구상을 발표했는데, 이는 소련의 참여 여부에 관계없이 협상을 서두를 것, 적절한 군비를 보유한 자유국가로서 일본을 재건할 것, 기존의 적국에 최대한의 자유를 부여할 것 등을 원칙으로 하고 있었다(소토카 히데토시 외, 2006: 59). 같은 해 11월 미국은 극동위원회에 회부한 '대일평화구상 7원칙'을 통해 좀 더 구체적인 내용을 밝혔다.

또한 덜레스는 1951년 3월 말 미국 위티어대학교 연설 중에 강화조약 초안의 내용을 밝혔다. 그것은 첫째, 일본의 안전보장은 유엔헌장이 인정하는 개별적·집단적 자위 결정의 내용에 준한다는 것, 둘째, 일본은 물리적·법적으로 군대를 보유할 수 없고 잠정적 안전보장 조치가 강구되어야 하므로 미군을 해·공군 중심으로 일본과 주변에 주둔시킨다는 것, 셋째, 일본은 태평양의 안전보장에 상당한 공헌을 해야 하며 동시에 공격적 위협으로 간주될 수준의 군비증강을 해서는 안 된다는 것 등이다. 다만 일본에 대한 주변국의 불안을 불식시키기 위해 미·일동맹이 이중 봉쇄 혹은 일본에 대한 제어 수단(restraint)으로도 기능토록 하고, 샌프란시스코회의의 이전에 필리핀(8월 30일)과 양자 동맹조약, 호주·뉴질랜드와는 앤저스(ANZUS) 삼자동맹(9월 1일)을 체결했다.

샌프란시스코회의는 동북아의 주요 행위자인 한국, 두 개의 중국, 소련을 제외한 채 이루어졌고, 미일안보조약으로 마감되었다. 일본은 관대한 전후 처리로 많은 것을 얻었지만, 아주 만족스러운 결과는 아니었다. 중국·소련 등과 평화조약을 체결하지 못해 향후의 부담을 지게 되었고, 배상 문제에서도 양자적으로 해결해야 할 많은 과제를 안아야 했다.

또한 두 개의 중국을 둘러싼 복잡한 문제 역시 미결 상태로 남아, 이후 대중 외교를 통해 해결해야 했다. 일본은 샌프란시스코회의와 1952년 대만과 맺은 타이베이평화조약(일화평화조약)에서 대만에 대한 모든 권리를 포기했지만, 그 승계자가 누구라는 점을 명시하지 않았다. 미국 역시 샌프란시스코회의에서 이에 대해 명확한 견해를 밝히지 않아 이후에 중국의 주권을 둘러싼 논쟁이 지속되었다. 일본은 대만과 평화조약을 맺고 관계정상화를 이루었지만 본토 중화인민공화국과의 관계 역시 현실적으로 중시해야 했고, 결국 1972년 중국과 관계를 정상화한다.

일본은 주권이 회복되었지만 미일안보조약을 통해 미·일동맹에 안보를 맡김으로써 자율성을 상당 부분 잃게 되었다. 이후 일본은 이른바 요시다 독트린이라고 불리는 '경무장과 경제성장 노선'을 채택하게 된다. 한편으로는 일본의 경제발전 주력 노선이라는 장점도 있었지만 미국 냉전 수행의 안보 임무를 분담하게 된 일본은 이른바 '기지 국가' 혹은 대공산권 봉쇄의 전초기지로서 안보정책에 일정한 제한을 갖게 되었다.● 미국은 '이중 봉쇄'를 통해 공산권 봉쇄를 추진하면서 일본에 대한 제도적 견제 장치도 마련한 것이다.

특히 오키나와 문제는 오래 지속되었다. 맥아더는 군정 시절부터 이미 오키나와가 미국-아시아 방위의 핵심이라고 인식하고 있었고, 이는 대일평화조약에서도 확인된다. 평화조약 이후에도 미국은 오키나와를 동아시아 기지 체계의 핵심으로 인식하고, 사실상 오키나와에 대해 군정을 유지하고 있었다. 통치의 근거가 된 '잠재주권'이란 유엔이 미국을 오키나와의 유일한 시정권자로 삼아 신탁통치를 하도록 하는 동안 주권은 일본에 남아 있지만 통치 권한은 미국에 속한다는 논리였다. 이는 상당히 불안정한 것이었고, 1960년 신안보조약 개정에 이어 1969년 오키나와 반환에 이르기까지 일본의 주권을 제약했다.

● 요시다 총리는 1951년 미일안전보장조약을 체결한 당시의 심경을 상당 시간이 흐른 후에 기고문을 통해 다음과 같이 말하고 있다. "첫째, 오늘날의 세계는 집단안전보장의 시대이며 자력을 통해 독립적으로 국가의 안전을 유지할 수 없다. 이해관계가 같은 국가가 서로 의지하고 협력해야만 국가의 안전을 유지하고 세계평화에 상응하는 기여를 할 수 있다. 둘째, 일본의 국운은 자유 진영과 진퇴를 함께 해야만 유지되고 발전할 수 있다. 자유세계의 이념은 개인의 자유를 존중하고 목적과 수단 모두 정당해야 한다는 것이다. 일본의 운명이 그러한 자유세계의 이념과 함께 하는 것에 반대할 사람은 없을 것이다. 자유세계와 공산세계의 중간에 서겠다는 중립론은 진정한 세계평화를 염원하는 이상 일본이 취할 태도가 아니다." ≪산케이신문≫, 1958년 12월 11일 자에 기고된 요시다 총리의 글(소토카 히데토시 외, 2006: 78~79).

4) 대만의 불완전 주권 고착

태평양전쟁 종전 당시만 해도 중국은 장제스 총통이 다스리는 국민당 정부에 장악되어 있었다. 1946년 초 국민당은 공산당에 비해 3배 이상의 군사력을 보유하고 있었고, 미국으로부터 상당 규모의 군사 지원을 받고 있었다. 같은 해 4월 장제스는 공산당에 대한 우위를 믿고 공격을 단행했지만, 결과는 예상 밖으로 공산 세력의 승리였다. 민중의 정치적 지원과 효과적인 당의 지도에 기초한 공산당은 민중의 지지가 약하고 주도 세력이 효율적이지 못했던 국민당을 압도하여 1948년 말과 1949년 초 3대 격전에서 승리해 경쟁에서 주도권을 잡았다. 미국 역시 국민당의 무력함에 점차 실망하고 있었고, 특히 마셜 장관은 1947년 마셜플랜을 추진할 당시 유럽에 전력을 다하고 있기도 했지만, 대만에 대한 지원에 회의를 표명하고 있었다. 1949년 8월 5일 미국이 발표한 『중미관계백서(United States Relations with China with Special Reference to the Period 1944~1949)』는 이러한 미국의 시각을 여실히 보여준 것으로, 미국은 1948년에 들어서면서 장제스 정권에 대한 지원을 점차 줄여가고 있었다(정형아, 2018: 169). 미국은 대만이 태평양 방어에 핵심 지역이라는 사실을 인지하고 있었고, 장제스의 대만 후퇴 이전에 이미 대만을 중국과 분리해 미국의 전략적 관리 아래 두는 방안을 모색하기도 했다. 그러나 대만 내의 토착 세력이 정치적으로 유능하지 못했고, 2·28 사건에서 나타났듯이 외성인 세력을 강하게 구축한 장제스의 사전 정지 작업이 이루어진 상태라 전략적 선택에 어려움을 겪고 있었다.

1949년 10월 중국 본토에 중화인민공화국이 성립되고 장제스가 패퇴해 대만으로 이주한 후, 미국은 양자에 대한 명확한 승인을 보류한 채 상황을 주시하고 있었다. 특히 애치슨은 중국과 소련 간의 갈등 가능성을 염두에 두고 향후 중·소 간 이념적 연합보다 실질적 대립과 경쟁이 생겨날 것을 예상해 미·중 간 관계 강화 가능성에 기대를 걸고 있었다. 애치슨라인선언에서도 대만은 사실상 제외되어 있었다.

그러나 중·소 간의 접근, 대만에 대한 공산당의 적극적 공세가 가시화되면서 변화가 일어난다. 1949년 12월 마오쩌둥의 모스크바 방문에 즈음해 중국은 소련과 동맹을 모색하면서, 1945년에 소련이 맺었던 국민당과의 구우호조약을 문제 삼았다. 결국 스탈린은 얄타회담에서 획득한 뤼순과 다롄의 이용권을 돌려주었고, 1950년 2월 중·소 간에 동맹이 체결된다. 한편 같은 해 1월 30일 스탈린이 돌연 북한 주재 소련 대사 포미치 슈티코프(Fomitch Stykov)를 통해 북한의 남침을 허락한 상황에서, 김일성은 그해 5월 마오쩌둥에게서도 지원 약속을 받아내기에 이른다(션즈화, 2014a; 션즈화 2014b: 2).

소련은 중국 공산혁명 직후 공산당 정부를 승인하고, 1950년 1월에는 UN에서 중국을 대표하는 국가는 중화인민공화국이 되어야 한다고 주장하기에 이른다. 장제스는 이 주장이 1945년 중소조약에 위배된다고 UN에 제소하지만 미국의 지지를 받지 못했고, 오히려 영국과 인도는 중화인민공화국을 승인한다. 동시에 마오쩌둥은 1950년 4월 말 하이난도를 공격해 점령하고 장차 대만을 수복해 통일을 이루려는 의도를 내비친다.

이러한 상황 속에서 미국은 여전히 대만을 군사적으로 지원하기보다 경제적·외교적으로 지원하는, 현상 유지를 위한 최소한의 군사 지원을 정책으로 삼고 있었다. 이러한 상황을 근본적으로 뒤바꾼 사건이 한국전쟁이었다. 미국은 한국전쟁 발발 직후 마오쩌둥의 대만 공격에 대비해 필리핀에 주둔하던 제7함대를 급파해 현상을 유지하고자 했다. 한편 장제스는 한국에 대한 군사 지원 의사를 내비치면서 한국전쟁이 내심 중국에 대한 공격으로 이어져 확전되기를 바라고 있었다. 점차 공산당의 지배가 대륙에서 자리 잡아가는 현실 속에서 한국전쟁을 기회로 삼아 현상을 변경해 보려는 전략이었다. 미국은 대만의 참전이 중국을 자극해 확전 가능성을 높이고 군사적 실효가 없다는 이유로 자제시켰고, 인천상륙작전 이후 공세 전환을 계기로 대만의 참전을 제어했다. 그러나 10월 말 중국의 참전이 현실화되고, 사실상 미국과 중국 간의 전면전으로 확대되자 양상이 바뀌게 된다. 미국은 대만에 대한 군사 지원을 본격적으로 추진해, 1951년 2월 미국과 대만 간에 상호원조조약이 맺어진다. 미국은 대만에 대한 군사 지원을 통해 마오쩌둥의 대만 수복을 적극 억지하고, 대만 수호를 동아시아 전략의 중요한 요소로 삼는다.

대만은 한국전쟁을 계기로 중국의 대표로서 미국이 대만을 인정하기를 촉구하고 군사동맹을 확고히 하려 했고, 미국은 대만이 일본과 평화조약을 맺기까지 이를 신중히 추구한다는 태도를 견지했다. 대만은 미국의 군사 지원을 받기 위해 일본과의 평화조약에서 많은 것을 양보해야 했다. 일본은 중화인민공화국과의 관계를 고려해 대만을 중국의 대표로 인정하지 않고 현재 확보하고 있고 앞으로도 국민당 휘하에 들어올 영토만을 대표하는 정치체로서 대만과 평화조약을 맺었으며, 대만은 일본에 대한 노역 배상 청구권을 포기했다. 대만은 분단국가라는 결손을 만회할 힘을 갖추기 위해 일본에 대한 전후 처리에서 일정 부분을 양보해야 했던 것이다. 결국 대만은 미국과 1954년 12월 2일 상호방위조약을 체결해 동맹관계를 맺지만 장제스가 추구했던 본토 수복 작전은 사실상 미국의 반대에 부딪히고, 공격적인 태평양 다자동맹 결성 계획도 한국과 필리핀 등 주요 국가들의 미온적 태도로 결국 좌절되고 만다(박정현, 2012). 아이젠하워 정부는 대만을 본토의 위협으로부터 보호하는 것을 목표로 하지만, 동시에 장제스에게 백지수표를 주어 그가 공격적 정책을 취하는 것을 막고, 미국의 연루 가능성을 차단하고자 노력했다(Cha, 2016: 84).

7 | 역외국가 미국의 국제정치게임과 동북아 주권게임에 대한 개입

한국전쟁과 샌프란시스코회의 이후 좁게는 동북아, 넓게는 동아시아에 샌프란시스코체제가 마련된다. 일반적으로 이 체제의 핵심은 냉전 수행을 위해 시행된 일본의 역코스 정책, 그리고 한국전쟁을 거치면서 미국이 국제정치게임의 목적을 중심으로 구축한 반공 동맹, 즉 일본·한국·대만·호주·뉴질랜드와 여러 동남아 국가를 바퀴살 형태로 연결한 안보체제의 완성을 의미한다. 미국은 전면적 개입을 통해 동북아의 핵심 행위자로 자리 잡았고, 안보체제에 기반한 시장을 매개로 한 경제 네트워크를 통해 동맹국들의 경제발전을 이끌었다. 흔히 논의되는 미국 주도 자유주의 질서는 동북아에서 미국이 창조한 것이라고 할 수 있으며, 이는 미국의 패권적 힘에 의해 창조되고, 유지되고, 변형된 질서였다. 그러한 점에서 미국 주도 자유주의 국제질서를 둘러싼 자유주의 대 현실주의의 논쟁은 동북아의 관점에서 보면 핵심 문제에 닿아 있지 않다. 미국이 창조한 동북아 자유주의 국제질서는 자유주의적이면서 현실주의적이었고, 주권국가들 간 질서였지만, 불완전 주권국가들 간의 질서였기 때문에, 전형적인 자유주의 국제관계의 기조와는 사뭇 다른 양상을 보였다. 문제는 자유주의 국제질서가 탈식민(post-colonial)의 질서를 이루지 못했다는 것이다. 식민지지배를 둘러싼 근본적인 문제를 미국은 남겨두었고, 특히 한·일 간의 탈식민 문제를 양국에 맡겨둔 채 별다른 노력을 기울이지 않았다.

한국전쟁과 샌프란시스코회의를 주권게임의 관점에서 보면 근대주권국가의 성립 과정 중에 발생한 사건들이고, 그 과정은 현재도 진행 중이다. 1950년대 초의 사건들은 주권게임의 적나라한 양상을 드러내 보여주었고, 냉전이라는 초강대국 간 국제정치게임에 의해 주권게임이 어떻게 변화·굴절·고착화되는지 보여준 사건들이다. 동아시아의 베스트팔렌조약은 내부

행위자들 간의 폭력적 조정이 완결되지 않은 상황에서 역외국가들의 세력 균형과 이념 대결의 논리에 의해 미완으로 남았다. 한국전쟁 정전 이후 한국과 중국의 주권게임은 전면전의 형태를 벗어나 정치·경제·외교 등 다방면의 경쟁으로 나타나는 한편, 초강대국의 제재 효과로 인해 고착화된다.

미국이 한국·일본·대만 등 동맹국의 실질적 주권에 영향을 미치는 방법은 다양했다. 가장 중요한 것은 군사동맹이다. 통상 한국, 일본, 대만과 미국 간의 안보협력 체제를 분석하기 위해 미국의 이중 봉쇄 또는 동맹의 제재 효과를 강조하기도 한다(Cha, 2016). 일본의 군사력을 적정 수준에 한정하고 제도화하는 노력, 이승만 대통령의 북진정책을 제어하면서 한국의 방위는 공고화하는 노력, 중국 본토의 발전을 목도하며 조급해진 장제스의 본토 수복 의지를 제어하면서 대만과 동맹을 유지하는 노력 등이 제재 또는 동맹 상대에 대한 이중 봉쇄로 보이기도 한다. 그러나 미국의 역할은 이보다 훨씬 더 큰 것이었다. 이미 완성된 주권국가와 불균등 동맹을 맺은 것으로 볼 수도 있지만, 그보다는 근대국가 형성 과정에 있는 국가의 정치·군사·외교 과정에 형성적 역할을 수행했고, 유럽의 근대국가 성립 과정에서 나타났던 근대국가 성립의 전쟁 과정에 개입했다고 봐야 할 것이다.

미국이 결성한 군사동맹은 이미 군사력이 있는 국가들과의 협약이라기보다는 군대 창설, 무기 제공, 군사전략 공조 등 근대국가의 기본인 군사국가의 형성 과정에 개입하는 것이었다. 또한 한국·일본·대만 간의 군사협조 체제를 미국 중심으로 이루어냄으로써 다자적 협력 기제를 만들었다. 흔히 동북아 동맹체제는 바퀴살동맹체제라고 명명하여 유럽과는 달리 다자주의가 결여된 것으로 평가한다. 그러나 이 경우의 다자주의는 한·일·대만 간의 직접적 동맹이 결여되어 있다는 뜻이지, 미국을 포함한 4국간의 다자적 협력, 군사적 역할 분담, 더 나아가 이들 간의 군사적 위계가 성립하지 않았다는 뜻은 아니다. 장제스 총통은 안보 불안 해소를 위해 이승만 대통령을 설득해 태평양 군사동맹을 이루려고 했지만 이미 미국 중심의 굳건한 다자안보 질서가 자리 잡고 있었고, 미국이 바퀴살들 간의 직접 연결을 원치 않는 상황에서 이는 불가한 것이었다.

동맹 이외에도 미국은 강력한 경제 지원, 경제발전 전략에 대한 개입, 긴밀한 협력관계를 통한 사회문화적 교류 설정, 동북아 지도자에 대한 관리 정책 시행 등에 힘썼다. 한미방위조약 체결 후인 1954년에도 미국은 이승만 제거 작전인 에버레디 작전을 계속 유지하고 이승만의 북진정책 추진에 대해서는 어떠한 지원도 하지 않으면서 한국의 방위는 도모하는 이중정책을 추구하고 있었다(신욱희, 2004). 이와 같이 미국의 개입정책은 국제법적 주권은 가지지만 불완전한 주권을 가진 국가들에 대해 강력한 영향력을 발휘해 그 국가들과 긴밀한 관계를 도모하는, 미국 중심으로 설계한 정책이었고, 이것이 샌프란시스코체제의 핵심적 내용을 이룬다.

CHAPTER

3

남·북한 간 주권게임과 한반도를 둘러싼 국제정치게임

1 | 남·북 관계를 둘러싼 퍼즐

2018년 4월 27일 역사적인 판문점선언에서 남·북한은 평화의 가치에 합의했다. 문재인 대통령과 김정은 위원장은 "남과 북은 그 어떤 형태의 무력도 서로 사용하지 않을 데 대한 불가침 합의를 재확인하고 엄격히 준수해 나가기로"(3조 1항) 했고, "냉전의 산물인 오랜 분단과 대결을 하루 빨리 종식시키고 민족적 화해와 평화 번영의 새로운 시대를 과감하게 열어나가며 남·북 관계를 보다 적극적으로 개선하고 발전시켜 나가야 한다는 확고한 의지"(전문)를 표명했다. 북한과 미국 간에 평화체제 수립을 위한 공동 노력도 2018년 6월 12일 싱가포르 북미정상회담 공동선언에서 합의되었다. "조선민주주의인민공화국과 미합중국은 조선반도에서 항구적이며 공고한 평화체제를 구축하기 위하여 공동으로 노력할 것"(2항)을 약속한 것이다.

남·북한이 상호불가침과 평화를 위한 노력에 합의한 것은 처음이 아니고, 북·미 간에도 평화체제를 위한 노력은 오래전부터 지속되었다. 1972년 7·4남북공동성명에서 남과 북은 "남북 사이의 긴장상태를 완화하고 신뢰분위기를 조성하기 위해 서로 상대방을 중상비방하지 않으며 크고 작은 것을 막론하고 무장도발을 하지 않으며 불의의 군사적 충돌사건을 방지하기 위한 적극적인 조치를 취하기로 합의"했다. 2005년 9·19 공동성명에서는 6자회담 틀 속에서 북·미가 "조선민주주의인민공화국과 미합중국은 상호 주권을 존중하고, 평화적으로 공존하며, 각자의 정책에 따라 관계정상화를 위한 조치를 취할 것을 약속"(2항)했다. 또한 "직접 관련 당사국들은 적절한 별도 포럼에서 한반도의 항구적 평화체제에 관한 협상을 가질 것"(4항)

을 약속한 바도 있다.

그럼에도 불구하고 한반도는 왜 북핵 문제 악화 속에 경쟁과 대립을 지속하고 있는가? 한국이 북침을 통해 통일을 추구할 리가 만무하고, 미국 역시 북한이 주장하는바 미국의 대북 적대시 정책이 현실화되어, 선제공격을 통해 북한 붕괴를 추구한다고 보기 어렵다. 북한도 승산 없는 전쟁을 통해 자멸의 길로 접어들 것이라고 보기는 쉽지 않다. 남한, 북한, 미국 3자 모두 공격 의사가 없음에도 평화가 이룩되지 않는 이유는 무엇인가?

남과 북은 서로 한반도와 한국민 전체에 대한 주권을 주장하는 분단의 주체들로, 비록 UN에 각각 주권국가로 가입되어 국제사회의 승인을 받았지만 여전히 불완전 주권국가이다. 남·북한 공히 자신을 한민족과 한반도를 대표하는 유일의 주권체로 정의하는 상황에서 주관적으로 상정한 주권국가의 요소들, 즉 영토, 국민, 효율적인 정부, 대외적 정당성 모두에서 이상적인 주권국가의 조건을 갖추지 못하고 있기 때문이다. 자기중심의 통일을 이룩하기 전까지는 국제법적 주권국가로 승인받았다 하더라도 여전히 존재론적 안보에 결손이 있으며 주권을 완성하기 위한 주권게임에 몰두할 수밖에 없다. 남·북 관계가 일반적인 주권국가들 간의 관계와는 달리 주권게임을 수행하는 불완전 주권 상태의 분단국가로 존속하는 이상, 군사력을 매개로 한 경쟁 또는 안보딜레마든 평화 시에도 존재하는 정치적 경쟁이나 평시의 소멸 딜레마든, 뭔가 새로운 분석 틀이 필요하다.

2 | 남·북한 주권게임의 목적

1) 남한 주권게임의 목적

남·북한 모두 주권게임의 최종 목적이 자기중심의 통일 성취라는 점에서 서로를 상대로 한 주권게임은 통일게임이다. 2장에서 살펴본 바와 같이 제국주의 침략과 식민지지배가 종료된 직후 남·북한은 공히 군사력을 통한 주권국가 수립을 주장했고, 결국 북한은 이른바 국토완정론을 앞세워 한국전쟁을 일으켰다. 이 전쟁은 종식되지 않았고, 정전 상태에서 여전히 하나의 주권국가를 이루기 위한 무력 대결은 지속되고 있다.

정전체제가 평화체제로 전환되고 남·북 간 평화가 수립된다 하더라도 통일게임이 이후 어떤 국면을 맞을지 상상하기는 쉽지 않다. 무력에 의한 통일게임은 종식될지 모르나 평화체제 수립 이후에도 정치적·경제적·사회문화적 영역에서 주권게임은 계속될 것이다. 국제정치의 변화 속에서 자신의 힘을 축적해 주권게임의 자원을 극대화하고 상대방에 대한 우위를 확보하면서 자기 위주의 통일을 추구할 것이다. 남·북한은 주권의 기본 요소인 효율적 정부와 대외적 자립성을 온전히 하기 위해 경제발전, 정치적·이념적·사회문화적 통합성 유지, 국제사회에서 한반도의 정당한 유일 합법정부임을 인정받기 위한 외교적 노력을 총체적으로 기울여 갈 것이다. 통일이 평화적·점진적으로 이루어진다고 해서 주권게임이 무승부로 끝나고 완전한 합의에 의한 결과가 도출되기는 극히 어렵다고 봐야 한다.

한국 역시 통일을 국시로 삼아 주권게임을 수행해 오고 있으며, 경제발전을 통한 주권국가의 국력 증강 그리고 북한과의 외교적 경쟁 속에서 국제사회로부터 배타적 대표성을 얻고자 노력해 왔다. 한국이 상정하고 있는 주권게임의 목적을 역사적으로 살펴보면, 단독정부 수립과 더불어 한국은 주권게임을 시작했다. 1948년 7월 24일 이승만 대통령의 취임사를 보면, “여러 동포들도 오늘 한층 더 분발해서 각각 자기의 몸을 잊어버리고 민족 전체의 행복을 위하여 대한민국(大韓民國)의 시민으로서 영광스럽고 신성한 직책을 다하도록 마음으로 맹서하기를 바랍니다”라고 전제한 후, “그런즉 우리가 수립하는 정부는 어떤 부분적이나 어떤 지역을 한하지 않고 전(全)민족의 뜻대로 전국(全國)을 대표하는 정부가 될 것”이라고 정의하고 있다. 또한 “이북(以北)동포 중 공산주의자들에게 권고하노니 우리 조국을 남의 나라에 부속(附屬)하자는 불충한 사상(思想)을 가지고 공산당(共産黨)을 빙자하여 국권(國權)을 파괴하려는 자들은 우리 전(全) 민족이 원수로 대우하지 않을 수 없나니 …… 새 나라를 건설하는 데는 새로운 헌법과 새로운 정부가 다 필요하지만 새 백성이 아니고서는 결코 될 수 없는 것”이라고 정의하고 근대적 의미에서 주권국가의 구성 요소인 하나의 국민 개념을 강조하고 있다. “부패한 백성으로 신성한 국가를 이루지 못하나니, 이런 민족이 날로 새로운 정신과 새로운 행동으로 구습(舊習)을 버리고 새 길을 찾아서 날로 분발 개진하여야 지나간 40년 동안 잃어버린 세월을 다시 회복해서 세계 문명국에 경쟁”할 수 있다고 언급했다.

또한 1948년 9월 5일 이승만 대통령은 “북한정권(北韓政權)에 대하여”라는 담화문을 통해 대한민국 수립 이후 북한 단독정부의 정당성, 즉 북한의 주권성을 부정했다. “UN위원단의 감시하에 700만의 남한인민은 5월 10일 선거에 투표하여 우리 대한민국(大韓民國)을 수립하는 국회를 선출”했고, 북한 정권의 수립은 인정할 수 없다고 선언하고 있다. “공산당(共産黨)이 선전하는 바와 같이 이들 남한시민 중에서 600만 명이 하등의 법적 근거도 가지지 않는 정부에 재차 투표했다는 것은 우리들 시민으로서는 도저히 믿을 수 없는 일”이라 규정하고, “공산당 수뇌자(首腦者)들에 의한 간계(奸計)한 근거 없는 기만에도 불구하고 북한인민은 한국의 법통정부가 서울에 수립되고 그들은 소련이 허락만 하면 곧 이 정부에 참가할 수 있다는 것을 잘 알고 있다"라고 주장하고 있다.

한국이 수행하는 주권게임의 목적은 현행 헌법에 명시되어 있다. 1948년 7월 17일에 제정된 '제헌헌법'의 전문을 보면 제4조에 "대한민국의 영토는 한반도와 그 부속도서로 한다"라고 규정하여 북한을 포함한 영토의 범위를 규정하고 있다. 현행 '헌법' 역시 같은 영토 조항에 더하여 통일을 국가 목적으로 규정하고 있다. 즉 3조는 "대한민국의 영토는 한반도와 그 부속도서"로 정의하고 있고, 4조는 "대한민국은 통일을 지향하며, 자유민주적 기본질서에 입각한 평화적 통일 정책을 수립하고 이를 추진한다"라고 규정하고 있다.

2) 북한 주권게임의 목적

북한 역시 38도선 분단 직후부터 통일을 주권게임의 목적으로 내세우며 무력과 통일전선전술을 통한 통일을 달성하기 위해 3대 혁명역량 강화를 주창해 왔다. 냉전기 한국과 치열한 외교 경쟁을 벌였고, 군사력과 경제력을 증강하기 위한 노력을 기울여 왔다. 북한이 한국에 비해 힘의 균형에서 1970년대 후반까지 앞서 있었지만 이후 한국의 국력이 북한을 압도하기 시작하고, 특히 냉전이 미국과 자유 진영의 승리로 끝나면서 북한을 지원하던 공산권 국가들은 하나씩 탈사회주의 이행을 겪었다. 북한의 현재 당면 과제는 통일이라는 공세적이고 확장적인 목적을 추구할 힘이 부족한 상황에서, 경제발전과 외교적 고립 탈피, 통합적 체제 유지가 더 중요한 상황이다.

북한 주권게임의 핵심 목적인 통일이 어떻게 규정되어 왔는가는 북한 전략의 최고 문서라 할 수 있는 '조선노동당규약'(2016년 5월 9일 7차 당대회 개정)에 정의되어 있다. 북한은 사회주의 국가로서 프롤레타리아 국제주의를 이상으로 삼기 때문에 주권국가로서 통일을 내세우기에는 사실상 이론적 모순이 없지 않다. 따라서 반제국주의의 기치를 앞세워 불완전 국가로서 주권국가 완성의 명분을 내세우고 있다. 서문을 보면, "조선로동당은 남조선에서 미제의 침략무력을 몰아내고 온갖 외세의 지배와 간섭을 끝장내며 일본군국주의의 재침책동을 짓부시며 사회의 민주화와 생존의 권리를 위한 남조선인민들의 투쟁을 적극 지지성원하며 우리 민족끼리 힘을 합쳐 자주, 평화통일, 민족 대단결의 원칙에서 조국을 통일하고 나라와 민족의 통일적 발전을 이룩하기 위하여 투쟁한다"라고 규정하고 있다. "조선노동당의 당면목적은 공화국북반부에서 사회주의강성국가를 건설하며 전국적 범위에서 민족해방민주주의혁명의 과업을 수행하는데 있으며 최종목적은 온 사회를 김일성-김정일주의화 하여 인민대중의 자주성을 실현하는데 있다"라고 정의하고 있다.

북한의 '헌법' 역시 서문에 "위대한 수령 김일성동지와 위대한 령도자 김정일동지께서는 공화국을 조국통일의 강유력한 보루로 다지시는 한편 조국통일의 근본원칙과 방도를 제시하시고 조국통일운동을 전민족적인 운동으로 발전시키시여 온 민족의 단합된 힘으로 조국통일위업을 성취하기 위한 길을 열어놓으시였다"라고 하여 통일의 당위성을 규정하고 있다. 제9조는 "조선민주주의인민공화국은 북반부에서 인민정권을 강화하고 사상, 기술, 문화의 3대혁명을 힘있게 벌려 사회주의의 완전한 승리를 이룩하며 자주, 평화통일, 민족대단결의 원칙에서 조국통일을 실현하기 위하여 투쟁한다"라고 하여, 주권게임의 목적을 통일로 정의하고 있다.

김일성은 정권 수립일인 1948년 9월 9일의 다음 날 조선민주주의인민공화국 정부 정강을 발표하고 주권게임의 목적을 밝혔다. "반역자들은 미제국주의자들과 결탁하여 모든 민주주의적, 애국적 력량을 가혹하게 탄압하면서 마침내 단독적인 괴뢰정부를 수립하고 미국군대의 장기주둔을 요구하고" 있으며, "미제국주의자들과 그 주구들은 우리 민족을 영원히 분렬시키며 국토를 영원히 량단하며 남조선을 미국의 완전한 식민지로 만들려고 발악"하고 있다는 것이다. "남북조선인민의 총의에 의하여 수립된 통일적 조선중앙정부인 조선민주주의인민공화국정부는 나라의 완전한 통일을 실현하며 부강한 민주주의 자주독립국가를 건설할 목적으로 아래와 같은 과업을 실현하기 위하여 투쟁할 것"이라고 말하고 있다. 그리하여 "전체 조선인민을 정부의 주위에 튼튼히 단결시켜 조국통일을 위한 투쟁에 동원할 것이며 국토완정과 민족통일의 선결조건으로 되는 쏘미량국 군대의 동시 철거에 관한 쏘련정부의 제의를 실현시키기 위하여 모든 힘을 다할 것"이라고 논하고 있다. 이 국토완정론은 한국전쟁을 일으키는 근거가 되었다.

북한이 내세우는 통일은 사회주의 이념에 근거한 프롤레타리아 국제주의 주권 개념과 사실상 모순되는 것이다. 전술적으로 통일을 논의할 수는 있지만, 사회주의 사상은 국가주권을 유산자 계급의 개념으로 보기 때문에 민족과 국가를 그 자체로 강조하기 어려운 측면이 있었다. 북한은 민족 개념을 전면에 내세우지 않다가 1970년대에 들어오면서 본격적으로 강조하기 시작한다. 1986년 7월 15일, 김정일은 「주체사상교양에서 제기되는 몇가지 문제에 대하여」라는 논문에서 이른바 '조선민족제일주의'를 공식적으로 제시하고 있다. "내가 우리 민족 제일주의를 주장하는 것은 자기민족을 가장 소중히 여기는 정신과 높은 민족적 자부심을 가지고 혁명과 건설을 적극적으로 해나가야 한다는 것"이라고 전제하고 "자기 민족을 깔보고 남을 맹목적으로 숭배하는 사람들은 자기 당과 인민들에게 충실할 수 없으며 자기나라 혁명에 대하여 주인다운 태도를 가질 수 없"기 때문에 "우리는 언제나 자기 나라의 구체적 현실에서 출발하여야" 하고 "우리나라 실정에 맞게 우리 식대로 해 나가야 하겠다는 확고한 각오를 가져야" 한다고 하여 불완전 주권국가가 수행해야 하는 주권게임을 전면에 내세우고 있다.

표 3-1 남·북한 주권게임의 목적과 수단

	남한	북한
궁극적 목적	한국 주도의 통일	북한 주도의 통일
대내 역량 수단	대북 우위의 군사력 건설, 대북 우위의 경제력 건설, 민주주의 건설을 통한 국내 역량 통합	대남 전쟁을 포함한 군사력 우위 확보, 경제력 병행 건설, 노동당의 지배하에 효율적 정부 유지
대외 관계 수단	한반도 유일 합법정부로 국제사회의 인정 획득, 한·미동맹 강화	중국, 러시아와 전략적 협력관계 유지, 미국과 평화협정 체결을 통한 생존 보장

1991년 김일성 역시 민족을 긍정하는 연설을 하고 있다. "원래 민족주의는 민족의 이익을 옹호하는 진보적 사상으로 발생"했지만, "자본주의가 발달하고 부르죠아지가 반동적 지배계급으로 되면서 민족주의는 자본가계급의 이익을 옹호하는 사상적 도구로 되었"다고 설명하고 있다. "부르죠아 민족주의는 진정으로 민족의 이익을 옹호하는 참다운 민족주의와는 대치되는 사상"이기 때문에 "단일민족국가인 우리나라에 있어서 진정한 민족주의는 곧 애국주의"가 된다고 하여 민족 개념을 긍정하고 있다(전재성, 2018).

3) 통일에 대한 남·북한의 동상이몽

자기중심의 통일을 상정하고 주권게임을 수행하는 남·북은 통일이 지고의 목적이라는 점 자체에 대해서는 서로 동의한다. 동의한 목적 아래 치열한 경쟁을 통해 자신이 수립한 통일 전략과 통일 방안을 실현시키고자 하는 것이다.

남·북 모두 주권게임의 목적으로 상정한 통일은 남·북 간 합의 문서들에 규정되어 있다. 1972년 7·4공동성명을 보면, "쌍방은 조국의 평화적 통일을 하루빨리 가져와야 한다는 공통된 염원을 안고 허심탄회하게 의견을 교환했으며 서로의 이해를 증진시키는데서 큰 성과를 거두었다"라고 전제한 후, 합의된 조국통일 원칙으로 다음과 같은 세 가지를 제시하고 있다. "첫째, 통일은 외세에 의존하거나 외세의 간섭을 받음이 없이 자주적으로 해결하여야 하고, 둘째, 통일은 서로 상대방을 반대하는 무력행사에 의거하지 않고 평화적 방법으로 실현하여야 하며, 셋째, 사상과 이념, 제도의 차이를 초월하여 우선 하나의 민족으로서 민족적 대단결을 도모하여야 한다"라는 것이다.

1991년 12월 13일 남북기본합의서 역시 통일을 규정하고 있다. 전문을 보면 "남과 북은 분단된 조국의 평화적 통일을 염원하는 온 겨레의 뜻에 따라, 7·4남북공동성명에서 천명된 조국통일 3대원칙을 재확인하고, 정치 군사적 대결상태를 해소하여 민족적 화해를 이룩하고, 무력에 의한 침략과 충돌을 막고 긴장 완화와 평화를 보장하며, 다각적인 교류·협력을 실현하여 민족공동의 이익과 번영을 도모하며, 쌍방 사이의 관계가 나라와 나라 사이의 관계가 아닌 통일을 지향하는 과정에서 잠정적으로 형성되는 특수관계라는 것을 인정하고, 평화 통일을 성취하기 위한 공동의 노력을 경주할 것을 다짐하면서, 다음과 같이 합의하였다"라고 규정하고 있다. 특히 남·북 관계가 국가 간 관계가 아닌 통일을 전제로 한 특수 관계라는 점에 합의한 데 큰 의의가 있다. 남·북한은 이미 1991년 9월 17일 UN에 동시 가입하여 국제사회에서 두 개의 주권국가로서 위상을 확보했지만 상호 간에는 하나의 주권국가가 될 여지를 남겨두었던 것이다.

이상과 같이 통일이라는 목적을 공동으로 제시하고 있지만 통일 전략과 통일 방안은 물론 다르다. 잘 알려진 바와 같이 한국과 북한은 각자 통일 방안을 구체화해 통일 전략을 추구했다. 한국은 노태우 행정부 당시 자주, 평화, 민주의 원칙에 기초한 3단계 민족공동체통일 방안을 만들어 이후 정부들이 이를 계승해 왔다. 북한은 조국통일 3대 원칙과 전민족대단결 10대 강령, 고려민주연방공화국 창립 방안을 조국통일의 3대 헌장으로 삼아 연방제 통일안을 추구해 오고 있다.

3 | 불완전 주권 분단국가들 간의 악화되는 안보딜레마

남·북한 모두 근대 국제정치 조직원리하에 놓여 있고 폭력을 정당하게 독점하는 국가의 형태를 갖고 있기 때문에 안보딜레마를 겪는다(Snyder, 1984). 안보딜레마는 무정부상태 조직원리에서, 자국의 안보를 다른 권위체가 책임져 줄 수 없는 상태에서 다른 국가의 군사력이 그 의도와 무관하게 자국에 안보위협으로 다가오는 상황을 지칭한다. 상대방의 무력 침략을 막을 다른 방도가 없는 상태에서 상대방의 군사력 증강은 비록 그것이 방어적 동기에 의해 추동되었더라도 위협감을 느낄 수밖에 없다. 상대방의 의도가 정말로 방어적인지 확인하기가 쉽지 않고 지금은 방어적이더라도 나중에 공격적으로 바뀔 수도 있으며, 그러한 변화의 책임을 물을 수도 없다. 진정 방어적인 목적으로 군비를 증강해도 대부분의 군비는 방어적인 목적과 공격적인 목적 둘 다에 사용될 수 있기 때문에 상대방은 이에 대비할 수밖에 없다. 결국 안보딜레마의 결과는 상호 군비증강 속에 서로의 안보가 더 취약해지고, 군비증강 비용은 더 많이 소요되는 악순환이다(Tang, 2010).

완전한 주권을 가진 국가들은 서로의 존재를 국제법적으로 인정하고 국제사회도 이를 인정하고 있기 때문에 안보딜레마가 심각해져도 존속 자체를 위협받는 경우는 드물다. 정당한 전쟁의 원인을 구성하는 상황이 있어야 하고, 설사 그러한 상황이 만들어져 전쟁이 벌어져도 상대방을 정복해 주권을 말살하는 일은 거의 없기 때문이다. 주권국가로 인정받은 후에 나라가 사라지는 사례는 1970년대 이후 사실상 사례 없다. 서로 적이더라도 정당한 적으로 인정해 존속의 정당성을 인정하는 것이 무정부상태 속

완전한 주권국가들 간 관계의 본질이다.

반면, 분단국가와 같은 불완전 주권국가는 정복이 용인된다. 서로가 통일이라는 목표에 동의하고 있고, 다만 누구 주도의 어떤 통일인가가 과제다. 국제사회나 국제법은 이를 제지할 수 없다. 국제사회와 국제법은 통일 가능성이 남아 있는 불완전 주권국가들 간의 특수 관계가 결국 통일로 귀결될 경우 그 자체를 문제 삼기 어렵기 때문이다. 무정부상태의 규범이 분단국가 한 측의 소멸을 막지 않는 상황에서, 분단국가들 간의 안보딜레마는 비단 안보가 취약해지는 딜레마가 아니라 국가 자체가 소멸될 수도 있는 소멸의 딜레마이다. 무력에 의해 정복당할 수도 있고 국력의 격차 때문에 흡수통일 당할 수도 있다.

통일이 합의에 의해 평화롭게 점진적으로 이루어질 수 있지만, 평화공존 상황 속에서 군사력의 위협이 약화된다고 해서 통일의 정치적 주도권을 둘러싼 경쟁 자체가 사라지는 것은 아니다. 군사력에 의한 안보딜레마와 불완전 주권 분단국가 간 소멸의 딜레마는 군사 경쟁의 모습을 띨 수도 있고, 정치적 경쟁의 모습을 띨 수도 있다. 최악의 경우는 평화 합의를 어기고 일방이 무력으로 통일을 추구하는 것이다. 평화의 약속을 배반하고 무력을 사용하더라도 국제정치에서 이를 강제로 되돌릴 방법은 많지 않을 것이다. 또는 평화공존 상황에서 통일의 주도권 싸움과 그 결과로서의 흡수통일도 언제든 가능하다. 완전 주권국가들 간의 평화공존은 국가의 안전과 생존에 딜레마 상황을 초래하지 않지만, 불완전 주권국가의 경우에는 평화가 생존을 보장해 주지 못한다. 불완전 주권 분단국가에는 평화의 시기 역시 생존과 흡수통일의 딜레마가 작동하는 시기이다.

향후 남·북 주권게임의 목적인 통일의 계기가 어떤 형태로 발생할 것인지를 예측하는 것은 쉬운 일이 아니다. 그러나 통일의 가능한 형태를 논리적으로 상정해 보는 것은 이 책의 목적상 중요한 전제이므로 다음과 같이 정리해 본다.

한국 위주의 통일은 무력통일, 흡수통일, 평화적 교류·협력을 거친 합의통일로 크게 나눌 수 있다. 첫째, 무력을 사용하는 통일은 과거 이승만 대통령이 추구했던 북진무력통일론을 들 수 있다. 현재 한국은 북한을 무력으로 병합하는 것을 추구하지 않지만, 흡수통일 상황이 발생했을 때 군사력을 수단적으로 사용할 수는 있다. 한국은 북한 내 급변 사태가 발생해 정치적 공백이 생기고 그 와중에 인권탄압, 대량 학살 등 무질서 상태가 생기면 UN의 권위하에 안정화 작전의 일환으로 군사력을 사용하는 시나리오를 상정하기도 했다. 미래에 미·중 패권경쟁이 격화되어 군사적 충돌이 일어나고 한반도에서도 무력 충돌이 발생해 남·북한이 각기 미·중 편으로 참전할 경우, 무력으로 통일이 되는 경우도 상상해 볼 수는 있다.

둘째, 흡수통일의 경우로서, 한국이 북한에 대해 강압적인 정책을 추구하여 북한의 약화를 유도하고 혹여 성공할 경우 북한 내 무질서, 기아 등의 상황이 발생하여 흡수통일이 가능할 수도 있다. 또한 북한이 핵무기를 포기하지 않고 핵무기 증강을 지속하여 국제사회의 경제 제재가 지속됨으로써 북한 내 심각한 경제위기와 주민들의 정치적 봉기가 일어날 경우, 이러한 흡수통일이 일어날 수 있다. 이와 더불어 북한이 비핵화 조치를 취하고 개혁·개방이 진행되는 상황에서 급격한 사회 변화가 일어나고 이로 인해 정치 불안정이 조성되는 것도 생각해 볼 수 있다. 정치 불안정이 소요 사태나 사회 혼란 등의 상태로 이어지면 국제사회의 요구에 따라 한국이 흡수통일을 하는 상황이 조성될 수도 있는 것이다.

셋째, 북한이 완전한 비핵화를 이루고 경제적으로도 번영해 정상적인 국가로 발전하는 경우를 생각해 볼 수 있다. 남·북 간에 활발한 교류, 협력이 일어나고 통일을 향한 사회적·문화적·경제적 기반이 공고해질 경우 연합제 혹은 연방제 등에 의한 점진적이고 평화적인 통일 과정이 일어날 수 있다. 가장 바람직한 시나리오이다. 이 경우 통일의 장기적인 주도권을 두고 정치적 경쟁이 발생할 수 있으며 이 경쟁의 과정을 제도화해 통일한국에서 흡수하는 것이 관건이 될 것이다.

다음으로 북한이 주축이 되는 통일을 생각해 볼 수 있다. 크게 전쟁 등 무력에 의한 통일과 북한의 대남 통일전선 등 정치 전략에 의한 통일로 구분할 수 있다. 북한은 냉전기에 무력 사용을 통한 통일을 지속적으로 추진했고 한국전쟁을 발발시켰지만 성공하지 못했다. 한국군과 국민의 대응, 미국을 비롯한 UN국들의 참전, 소련의 제한적 지원, 김일성의 전략적 판단 실패 등 여러 이유가 있지만, 이와 함께 북한 군대의 기대만큼 친북 세력이 준동하지 않아 만족스러운 정치적 호응이 일어나지 않았던 점도 있었다. 냉전기 북한은 베트남 공산화 등 국제정세의 변화를 예의 주시하면서 전쟁을 통한 통일을 추구했지만 성공하지 못했다. 현재에도 전쟁에 의한 통일을 포기했다고 볼 증거는 없다. 핵무기를 전력화해 미국 본토와 일본 본토, 괌 등 미군기지들에 대한 핵 선제공격 내지 2차 공격 능력을 확보함으로써 한국에 대한 미국의 개입을 봉쇄하고, 핵·생화학 무기 등을 사용한 복합전을 성공적으로 수행하는 전략을 여전히 생각하고 있을 것이기 때문이다. 따라서 한·미동맹의 향후 위상과 기능이 결정적인 변수가 될 것이다.

둘째, 정치적·외교적 수단, 즉 대남 통일전선전술에 의한 통일을 생각해 볼 수 있다. 미국 패권조정기에 동맹들에 대한 미국의 공약과 헌신이 급감할 수 있고, 이 과정에서 미국의 대한 안보 공약도 약화될 수 있다. 한·미·일 안보협력도 이에 따라 약화되고, 이에 더해 한·일 간 역사문제 악화, 경제력 경쟁, 일본의 독자적 안보 노선과 보통국가화 추구 등의 변수가 더해지면서 한·일 관계도 악화될 수 있다. 이러한 상황에서, 미·중 경쟁 시대에 북한이 중국의 외교적 지원을 획득한다면 한국의 외교적 고립을 전반적인 목표로 삼을 수 있을 것이다. 북한은 이른바 남조선혁명 역량 강화를 목적

표 3-2 **남·북의 주권게임과 통일 시나리오**

	한국 중심 통일	북한 중심 통일
무력 사용	과거 북진 통일, 북한 혼란 시 안정화를 위한 군사력 사용	핵무기 개발 이후 한·미동맹 약화, 전면전에 의한 통일
무력 불사용	흡수통일: 북한 혼란 시 혹은 북한의 이행 시	한국의 외교적 고립, 정치 혼란 속 통일전선 전술에 의한 통일
	교류, 협력에 의한 평화적, 점진적 통일	

으로 하는 대남 평화공세, 남북교류를 통한 한국의 경제력 향상 등 남·북 관계 발전을 추구하면서 남·북 간 다양한 합작과 연방제 네트워크 구축 등을 통해 북한 중심의 통일에 유리한 환경을 만들어갈 수 있다. 새로운 기술 환경 아래 사이버 심리전, 사이버 테러 등을 활용할 가능성도 있다. 유리한 환경이 만들어지면 무력 통일노선과 결합할 수도 있고, 한국 내 혼란 속에서 연방제 등 중장기적 노력을 추구할 수도 있다.●

4 | 한국의 통일 주권게임과 국내 갈등

한국이 추구하는 대북 주권게임의 목적은 통일이지만, 통일의 성격 규정과 통일 성취 전략의 내용 그리고 통일 전략, 대북 전략, 북핵 전략 간의 관계를 어떻게 설정할 것인지 등 더 세부적인 정책을 둘러싸고 한국 내 의견 차이가 존재한다.

주권게임을 수행하는 데 점진적이고 온건한 태도를 취하는 경우의 논리는 대북 관여, 포용과 평화공존 그리고 점진적·평화적 통일의 추구로 표현된다. 통일은 남·북 관계의 지평에서 멀리에 자리 잡고 당면 과제로서 의

● Bennett(2018)은 상정 가능한 다양한 한반도 통일의 시나리오를 포괄적으로 제시하고 있다.

미는 퇴색된다. 냉전이 종식된 국제 상황에서 김대중 대통령은 새로운 주권게임 방식을 제시했고, 노무현 대통령도 그 기조를 이어받았다. 통일을 당면 지상과제로 삼고 북한에 대한 군사적·정치적 우위를 추구하던 태도에서 벗어나 평화공존과 대북 관여를 중시하는 입장을 설정한 것이다.

2000년 3월 9일 베를린 자유대학 연설에서 김대중 대통령은 주권게임의 목적을 여전히 통일로 상정했지만, 이를 추구하는 방식은 새롭게 제시했다. "가장 현실적이고 합리적인 정책은 당장 통일을 추구하기보다는 한반도에 아직도 상존하고 있는 상호 위협을 해소하고 남·북한이 화해·협력하면서 공존·공영을 추구하는 것"이며 "통일은 그다음의 문제"라는 언명이었다. 남·북은 서로에게 다음 세 가지를 각각 보장하는 가운데 평화를 이룩하자고 제안했다. 먼저 한국은 첫째, 북한의 안전을 보장하며, 둘째, 북한의 경제회복을 돕고, 셋째, 북한의 국제적 진출에 협력한다는 것 등이다. 반면 북한은 첫째, 대남 무력도발을 절대 포기할 것, 둘째, 핵무기 포기에 대한 약속을 준수할 것, 셋째, 장거리 미사일에 대한 야망을 버릴 것 등을 보장하라고 요구하고 있다.

김대중 정부의 이른바 햇볕정책을 주도했던 임동원 전 통일부 장관 역시 자서전『피스메이커』에서 화해·협력 정책의 요체는 "안보를 튼튼히 하여 전쟁을 억제하고 평화를 지키는 한편, 북한의 변화를 유도하고 관리하여 평화를 만들어나가면서 공존공영하는 '사실상의 통일' 상황을 실현해 나가려는 것"이라고 밝히고 있다(임동원, 2015: 263). 햇볕정책은 "북한의 변화를 유도하기 위해 화해와 협력을 통해 남북관계를 개선"하고 "화해·협력을 통해 북한의 개방과 시장경제로의 개혁을 유도하고, 평화공존을 통해 '법적 통일'에 앞서 남과 북이 서로 오가고 돕고 나누는 '사실상의 통일' 상황부터 실현하는 것을 목표로 한" 정책이라는 설명이다(임동원, 2015: 324).

현재 문재인 대통령 역시 법적·제도적 통일을 당면과제로 설정하지 않고 평화공존을 우선 추구한다는 점에서 김대중 정부와 연속성이 있다. 2017년 7월 6일 독일 쾨르버 재단 연설에서, 문재인 대통령은 한국은 "북한의 붕괴를 바라지 않으며, 어떤 형태의 흡수통일도 추진하지 않을 것"이고 "인위적인 통일을 추구하지도 않을 것"이라며, "나와 우리 정부가 실현하고자 하는 것은 오직 평화"라고 밝혔다. 또한 문 대통령은 "통일은 쌍방이 공존공영하면서 민족공동체를 회복해 나가는 과정"이라고 정의하고 "통일은 평화가 정착되면 언젠가 남·북 간의 합의에 의해 자연스럽게 이루어질 일"이라고 논했다.

이러한 논의는 이른바 '신한반도체제' 구상에서 더 구체화되고 있다. 문재인 대통령은 2019년 3·1절 연설에서 "신한반도체제는 대립과 갈등을 끝낸, 새로운 평화협력 공동체"이며 "이념과 진영의 시대를 끝낸, 새로운 경제협력 공동체"라고 규정한 후 "차이를 인정하며 마음을 통합하고, 호혜적 관계를 만들면 그것이 바로 통일"이라고 통일의 개념을 새롭게 정의하고 있다.

이와 달리 보수 정권은 주권게임에서 무력에 의한 통일이나 압박을 통한 흡수통일을 정책의 제일 목표로 삼지는 않지만, 진보 정권의 대북 관여정책에 대해 엄격한 상호성을 적용한다. 주권게임의 목표 설정에서 북한의 공세를 강조하고 안보 태세를 강화하는 데 주안점을 두며, 북핵 폐기 등 북한의 행동에 비례한 남·북 관계 발전을 추구한다.

이명박 정부는 김대중 정부와 노무현 정부의 대북 관여정책을 비판하면서 엄격한 상호성 원칙을 제시했다. "대북 지원은 오히려 북한의 핵 개발과 미사일 발사에 악용"되었고 "햇볕정책은 남북관계의 본질을 바꾸지 못했다"라는 비판과 함께, "대규모 대북 지원을 하면서도 남북관계의 주도권을 북한에 넘겨주었다는 이른바 '퍼주기 논란'에 휩싸이게 되었다"라고 비판했다(이명박, 2015: 303~304). "햇볕정책은 경제협력과 사회적·문화적 교류

등을 통해 북한을 변화시키는 것을 목적으로 한 전략"이었지만 "한반도 평화를 위한 본질적인 문제에 있어서는 남한이 배제되는 결과를 초래"했고, "대북 포용 정책을 쓴 10년 동안 대북 경제협력이나 문화·스포츠의 교류는 크게 활성화됐지만, 군사 관련 논의는 상호 비방 금지나 서해안 해군 당국자 간 긴급 연락 체계 구축 등 극히 초보적인 수준"에 머물렀다는 것이다(이명박, 2015: 304).

이명박 정부는 "미국을 비롯한 한반도 주변 강국이 북한을 위협하기 때문에 자위적 수단으로 핵을 개발했다는 북한의 주장을 남한 대통령이 일정 부분 인정"하는 발언을 한 노무현 대통령을 비판하고, "남북교류의 궁극적인 목표는 '북핵 폐기를 통한 한반도 평화 정착'이라는 점에서, 남북교류는 북한의 핵 폐기와 병행되어야 한다"라는 기조를 제시했다(이명박, 2015: 304~305). 이명박 정부는 이른바 '비핵 개방 3000'이라는 대북정책을 제시하며 "북한의 올바른 행동에는 보상하지만 도발과 협박에 대해서는 일관되고 단호하게 대응"한다는 원칙을 고수했다.

이명박 정부에 이은 박근혜 정부는 북한의 김정은 정권과 때를 같이해 출범했고, 북한의 정권 불안정성을 전제로 보다 적극적인 통일 정책을 추구했다. 2014년 3월 28일 드레스덴 연설을 통해 '통일시대'를 강조했다. 한국도 "통일 이후에 더욱 도약할 것"이며 "북한 지역 역시 급속히 발전할 것이고, 전쟁과 핵무기의 공포에서 벗어난 통일한국은 국제평화 유지와 핵 비확산, 환경과 에너지, 개발 등 다양한 글로벌 이슈에서 세계에 더 큰 기여를 할 수 있을 것"이라고 언급했다. 북한의 경제적 어려움을 전제로 한 인도적 지원, 민생 인프라 건설, 동질성 회복 등을 제안했는데, 이 제안은 북한과 대화의 접점을 찾는 것과 거리가 있었다.

실제로 북한은 2014년 4월 12일 조선민주주의인민공화국 국방위원회 대변인 담화를 통해 드레스덴 연설의 3대 제안이 "북남관계개선과 발전과는 거리가 먼 부차적이고 사말사적인 것들뿐"이라 비판하고, 이들이 "마치 북남관계개선의 1차적인 과제인 것처럼" 호도하면서 "외세와의 침략전쟁 연습을 벌리고 인간추물들을 동원한 반공화국 삐라살포와 보수언론매체들의 분별없는 비방중상, 군부호전광들의 야만적인 해상깡패행위에 매달린 것 등으로 북남관계는 대결과 전쟁분위기"를 조장했다고 비판했다. 한국이 수행해야 하는 주권게임의 목표로 한국 주도의 통일을 상정하고 이를 위한 기본 조건들을 명시적으로 추진한다면 북한의 강한 반발을 쉽게 예상할 수 있다.

5 | 북한의 주권게임으로서 북핵 문제

남·북한 간 주권게임이 군사·외교·경제·사회문화 등 여러 장에서 벌어진다고 할 때, 냉전 종식 이후 북한은 모든 영역에서 패배할 운명에 놓여 있다. 소련이 해체되고 구공산권이 붕괴되고 중국은 시장사회주의로 변모했으며, 한국은 구소련·중국과 차례로 수교했다. 세계에서 가장 강한 군사력을 보유한 미국이 단극체제를 이루면서, 한·미동맹은 북한을 방어하고 억지하는 역할을 지속적으로 수행했다. 북한의 경제력은 국민총생산(GDP) 기준으로 한국의 5%가 채 안 되는 규모로 축소되었고, 사회문화적으로도 한국이 소프트파워 강국이 되는 동안 북한은 독재와 인권탄압으로 얼룩진 이른바 불법국가, 깡패국가의 이미지를 갖게 되었다.

앞서 살펴본 바와 같이 군사력을 사용하는 통일도 여전히 하나의 대안으로 남아 있지만, 새로운 주권게임은 남북교류·협력 국면 속에서 진행되며 이 과정에서 체제와 이념, 경제력의 대결은 양측 정권이 통제하기 어려운 사회 전반의 게임으로 진행된다. 급속하게 변화하는 국제정치 속에서 외교적 지원과 지지 역시 중요한 변수이다. 북한은 핵무기를 개발함으로써 한편으로는 북한에 대한 한국과 미국의 군사력 우위에 대응하는 억지력을 확보하고, 다른 한편으로는 평화적 주권게임에 대비하여 한국에 대해 경쟁력을 확보할 수 있도록 비핵화의 협상을 유리하게 이끌어야 한다는 목표를 추구하게 되었다. 한국으로서는 북핵 문제와 북한문제가 구분되는 지점이다. 북핵은 비핵화 협상을 통해 최대한 경제 자원을 확보할 수 있는 협상의 무기이자, 북한 내부적으로도 외부의 군사 위협을 강조하고 기술 강국으로서 정권의 정당성을 확보하는 수단이기도 하다(전재성, 2019a).

한국의 주권게임 목적이 통일로 귀결되는 반면, 북한의 주권게임은 생존과 번영 등 주권국가의 요소들을 하나씩 갖춰가야 하는 훨씬 더 어려운 과정을 거쳐야 한다. 한국은 세계적 수준의 민주주의, 강력한 독자적 군사력과 한·미동맹, 세계 15위권의 경제력, 세계적으로 확장성 있는 소프트파워를 가지고 있으며, 국제무대에서 중견국의 확고한 외교적 위상을 차지하고 있다. 반면, 북한은 북한 주도의 통일을 생각하기 어려울 만큼 한국에 비해 국력이 열세이며, 한국의 공세가 없더라도 대외 개방이 되었을 때 주권국가로서 생존할 수 있는 기반이 취약하다. 핵무기를 보유하고 있기 때문에 한국에 비해 비대칭 군사력의 우위를 확보하고 있을지 모르지만 전반적인 군사력에서 한국에 뒤처져 있음이 확실하고, 게다가 한국은 한·미동맹으로 확장억제를 제공받고 있다. 북한이 과연 평화와 대외 개방의 조건 속에서 지금의 체제를 유지하며 생존과 번영을 스스로 유지해 나갈 수 있을지는 미지수다. 치열한 세계화 시대의 경쟁 속에서 국가경쟁력을 확보하고, 정치적 리더십을 유지하며, 사회문화적 조화를 유지하기 위해서는 많은 시간과 노력이 필요할 것이다. 북한이 최대한 유리한 조건으로 비핵화를 달성한다 하더라도 기존의 다른 탈사회주의 이행 국가들처럼 성공을 거둘 수 있을지도 미지수다. 분단국 북한이 국력을 축적한다는 의미는 단순히 완전 주권국가들 중 어느 약소국이 국제정치게임에서 국력을 극대화하는 문제와는 다르다. 국력 축적의 실패는 흡수통일의 가능성을 높이기 때문에 생사가 걸린 절박한 문제인 것이다.

북한도 주권게임 기초 확보의 필요성을 잘 알고 있으며, 경제력 성장의 중요성을 강조하고 있다. 김정은 정권 등장 이후 2013년 3월 병진전략을 통해 핵 무력 건설과 경제력 건설을 내세우고 핵무기 개발에 전력했지만, 경제는 나아지지 않고 국제사회의 대북 경제제재만 심화되었다. 2018년 4월 20일 당 중앙위원회 제7기 제3차 전원회의에서는 병진노선의 성공을 선언하고 경제 건설 총력 노선을 주창해, 경제발전의 필요성을 더욱 강조한 바 있다. 2019년 4월 김정은 위원장이 행한 최고인민회의 제14기 제1차 회의 시정연설 "현 단계에서의 사회주의 건설과 공화국 정부의 대내외 정책에 대하여"도 경제력 강화를 제시하고 있다. "사회주의 강국 건설을 위한 현 단계의 투쟁에서 우리 공화국 앞에 나서고 있는 중심 과업은 나라의 모든 힘을 경제건설에 집중해 사회주의의 물질적 기초를 튼튼히 다지는 것"이라는 것이다. "경제적 자립은 자주적인 국가 건설의 물질적 담보이고 전제"이며 "자립적이고 강력한 경제력에 의해서만 국가의 존엄을 지키고 정치군사적 위력도 끊임없이 강화"해 갈 수 있다는 견해를 표명하고 있다. "오늘의 벅찬 현실은 우리 일꾼들로 하여금 총공세의 앞장에서 과감한 투쟁을 벌여 혁명의 지휘성원으로서의 본분을 다해나갈 것을 절박하게 요구"하고 있다고 평가하고 있다.

북핵 문제는 1993년 3월에 시작되어 2020년 현재 30년을 바라보고 있다. 그간 북한은 핵무기 개발의 이유로 미국의 대북 적대시 정책과 미국의 핵 선제공격에 대한 억지력 확보를 내세워 왔다. 미국이 냉전 종식 이후 강력한 단극체제하에서 많은 적대 국가의 정권을 무력으로 쓰러뜨렸으며 국제적으로 용인되지 않은 전쟁을 일으켰다는 전제하에 미국의 대북정책을 핵무기 개발의 이유로 들고 있는 것이다. 북핵 문제가 해결되기 위해서는 북한 비핵화를 완전하고 검증 가능하게 실현해야 하지만, 동시에 한반도 평화체제를 빈틈없이 만들어야 한다.

한반도 평화체제는 한국전쟁의 당사자인 남·북한과 미국, 중국이 참여하여 전쟁을 종식시키고, 상호 불가침과 지속가능한 평화 유지 메커니즘을 만들고, 운용적·구조적 군비통제를 단행해 무력에 의한 불안정이 발생할 수 없도록 제도적 장치를 마련하는 것이다. 이 과정에서 상호 신뢰가 쌓이고, 전쟁 방지를 넘어선 실질적 협력과 교류라는 적극적 평화의 기제를 만들어야 할 것이다. 문제는 북한이 수행하는 주권게임 차원에서 평화라는 상황이 북한의 목적 달성에 유리한가 하는 것이다. 북한은 현 정치체제를 유지하고 정부 통제하에 하향식 경제발전을 추구하면서 이른바 우리 식 사회주의의 이념하에 사회문화적 통제를 유지하고자 한다. 그러나 이미 경제난관 속에 장마당이 생겨나는 등 사회주의 경제체제가 무너지고 이념적 통제가 취약해지는 상황에서, 평화와 대외 개방이라는 새로운 조건이 주어질 때 김정은 체제가 그대로 유지될 수 있을지 알 수 없다.

북한은 평화체제 정착 이후에 자기중심의 통일이라는 목적을 추구해야 함은 물론이고, 시대적 조건에 맞는 주권국가의 요소들을 갖추어야 한다. 가장 큰 난점은 자주와 주체라는 주권개념을 가지고 주권게임을 해왔다는 것이다. 근대 국제체제는 유럽에서 발원해 제국 중심으로 운용되다가, 이들 간의 타협으로 위계적이고 계층적인 주권개념이 자리 잡게 되었다. 약소국들은 온전한 주권을 누리지 못하고 반(半)주권국, 피보호국, 위임통치령 등 다양한 지위를 부여받거나 완전한 식민지로 전락하기도 했다. 제2차 세계대전 이후에도 형식적인 국제법적 주권은 평등하지만 내용적이고 경험적인 주권은 위계적이며, 이에 따라 국제정치가 조직되어 있다는 것은 상식적인 사실이다. 북한이 내세우고 있는 주체사상은 기본적으로 사회주의 사상에 기반하고 있어서 근대주권국가체제와 일정한 모순이 있다. 사회주의를 일정 부분 탈각하더라도 주체사상은 근대국가의 국제법적 주권과 내용적 주권의 필연적 불일치성을 극복할 수 없기 때문에 한계가 있다. 주체사상이 제국주의를 신랄하게 비판하고 반제투쟁을 북한이라는 정치체의 근본적인 정체성으로 삼지만, 근대주권국가체제는 어떤 면에서 제국의 권력을 이미 내장하고 있는 것이다(전재성, 2019c).

북한이 평화체제 이후 주권국가의 요소들을 갖추어가려면 국제법적으로나 내용적으로나 완전한 주권 확보를 목표로 삼을 수는 없다. 분단국가로서 국제법적 주권은 이미 불완전하며, 내용적으로 완전한 주권을 가진 나라는 사실상 존재하지 않기 때문이다. 따라서 분단국가로서 국제법적 주권의 불완전성과 약소국으로서 경험적 주권의 한계를 어떻게 극복해 나가야 할 것인지에 대한 현실적 인식을 가져야 한다. 만약 비핵화의 협상 과정에서 완전한 내용적 주권이나 주체사상을 실제로 실현할 수 있는 조건을 추구한다면 이는 근대국가의 주권개념을 온전히 이해하지 못한 이상주의적 목표를 추구하는 것이나 마찬가지이다.

북한이 핵무기를 통해 군사적으로 주권게임에서 승리할 계획이 아니라면, 비핵화 이후 주권게임에서 가장 유리한 조건을 창출하기 위해 비핵화 협상을 어떻게 진행할지 고민해야 한다. 가능성은 매우 희박하지만, 핵무기 보유국으로 공인된다면 그러한 상황이 진정으로 주권게임의 성공을 더 많이 보장하는지도 고민해 봐야 한다. 평화체제가 이루어지면 핵을 포기하는 것이 아니라 어떤 조건으로 평화체제 이후를 마련할 것인지에 따라 핵 포기를 고민해야 하며, 이 경우 모든 근대주권국가가 그렇듯 완전한 독립성과 자주성을 갖기는 어렵다. 주권은 대외적 자율성의 원칙을 의미할 뿐이지 완전한 자급자족의 자원 확보를 의미하는 것은 아니다. 북한이 비핵화 과정을 통해 어떤 위험을 감수할 것인지, 평화를 감당할 전략을 어떻게

세워야 할 것인지, 그리하여 평화 속의 주권게임을 어떻게 운용해 한국과 경쟁할 것인지가 핵심 과제이다. 북한 정권 역시 핵 포기가 미국의 핵 선제 공격을 초래할 것이라는 이유 때문에 비핵화를 주저하기보다는 평화체제가 이룩되었을 때 주권게임을 할 수 있는 조건을 어떻게 마련할 것인지 더 고민하고 있을 것이다.

6 | 북핵 문제와 한국의 대북 주권게임

한국이 북한 비핵화의 목표를 향해 가면서 추구하는 주권게임의 목적은 한국의 안보를 위협하는 북한의 핵무기를 완전하고 검증 가능하게 철폐하고, 북한으로부터 안보위협을 제거하며, 북한을 개혁·개방으로 이끌어 국제사회에서 자리 잡을 수 있는 정상 국가로 만드는 것이다. 정상 국가화된 북한은 한국과 동질성을 회복한 후에 평화적·점진적 통일을 함께 추구할 수 있을 것이다. 비핵화 과정에서 선비핵화를 엄격히 요구하지 않고 포괄적 합의와 단계적 시행에 기초해 좀 더 단계적인 접근을 취할 수도 있을 것이다. 북한의 점진적 비핵화 조치에 따라 대북 경제제재를 해제하고 남북교류를 단계적으로 시행해 나가는 방식이다. 비핵화 방법을 둘러싸고 북한의 선비핵화 행동을 엄격한 조건 아래 요구할 것인지, 아니면 단계적 보상 방식에 따라 비핵화와 평화체제 구축 순서를 병행해 엮을 것인지가 쟁점이다.

그러나 넓은 의미의 주권게임에서 북한이 비핵화를 단행하지 못하는 것이, 단순히 핵을 포기했을 때 한국을 비롯한 국제사회가 약속한 경제제재 해제, 대북 경제 지원, 미국과 일본의 대북 수교, 평화체제 정립 등의 대가를 제대로 보상해 줄 것인지를 둘러싼 의심 때문만은 아니다. 문제는 오히려 한국과 국제사회가 충분한 대가를 지불해 북한에 평화를 안겨주고 경제 번영을 도왔을 때 현재 북한의 체제가 지속될 수 있는가이다.

김대중 정부와 노무현 정부의 대북 관여정책을 경험한 북한은 한국의 공세적인 대북 교류·협력이 체제 불안정으로 이어질 것이라는 점을 충분히 인식한 것으로 보인다. 자본주의 황색 바람 유입을 막기 위해 방충망식 개방을 주장했고, 남북교류·협력에서도 속도를 조절하는 모습을 보였다. 대북 원조나 경제협력 등의 대북 포용이 사실은 북한의 체제를 흔들어서 보다 원활하고 자연스러운 흡수통일을 지향하는 것 아닌가라는 북한 측의 비판도 종국에는 발생했다. 사실 햇볕정책을 추구한 입안자들도 대북 협력이 퍼주기를 위한 것이 아니라 한국이 추구하는 통일 전략을 실현하는 것이라는 생각을 가지고 있었다(전재성, 2017a).

문재인 정부의 대북 관여 전략 역시 북한 비핵화 이후 북한의 미래를 밝게 보장해 주는 것이라는 비전이 담겨 있기는 하지만, 북한의 견지에서 평화와 번영의 비전은 매력적인 만큼 위협적이기도 하다. 한국은 평화체제 준비를 하면서 북한 체제 보장이라는 용어를 사용한다. 이는 북한으로서는 받아들이기 달갑지 않은 용어이다. 북한은 체제 보장이라는 용어를 사용하지 않고 안전 담보, 안전보장이라는 용어를 사용하는데, 일례로 2019년 3월 1일 하노이 정상회담 결렬 이후 리용호 외무상은 "우리가 비핵화 조치를 취해나가는 데서 보다 중요한 문제는 안전 담보 문제"라는 표현을 사용했다. 북한은 과거 담화문에서도 체제 보장은 북한 스스로 하는 것이고, 체제 보장에는 아무런 문제가 없으니 미국의 대북 적대시 정책 철회가 중요한 문제라고 주장하곤 했다. 따라서 평화체제를 논의할 때, 체제 보장, 안전 담보 등은 다의적인 의미를 가진 것이고 이를 정확히 구별해 대처하지 않으면 평화체제 협상이 쉽지 않다.

대북 체제 안전보장이라고 할 때 대략 네 가지 의미로 구분할 수 있는

데, 첫째, 북한을 국가로 인정하고 주권적 지위를 승인하는 보장, 둘째, 북한에 대한 무력 선제공격을 하지 않겠다는 소극적 안전보장, 셋째, 현재 북한이 유지하고 있는 정치·경제·사회 체제의 보존을 외부에서 도와주고 그 정당성을 인정하는 보장, 넷째, 북한의 주권성과 체제의 성격이 모두 변화되더라도 김정은 내지 김정은 일가의 생명을 안전하게 해주는 보장으로 나누어 생각할 수 있다. 즉 국가적 차원, 안보적 차원, 체제적 차원, 개인적 차원의 보장이다.

한국 정부는 UN 동시 가입과 이후 북한의 국제법적 주권 인정으로 첫 번째 보장은 한 바 있다. 미국과 일본은 UN 무대를 통한 다자 승인은 했지만, 양자 간의 수교가 이루어지지 않아 승인이 필요하다. 두 번째 안전보장은 군사적 의미의 안전보장으로 북한이 미국의 대북 적대시 정책을 항상 언급하므로 미국으로부터의 안전보장이 중요하다. 사실 미국은 여러 차례 북한에 대한 군사적 적대시 정책을 펴지 않겠다고 구두로 언급하고, 새로운 관계 설정을 위한 합의서도 작성한 바 있다. 이에 대해서는 후술하기로 한다.

세 번째와 네 번째의 안전보장이야말로 북한이 고민하는 것으로 한국이 어떤 보장을 할 수 있는지가 핵심이다. 한국은 평화체제를 수립해 남북교류·협력을 재개하여 이를 확대·제도화하고, 북한의 경제발전을 위해 국제사회가 대북 경제 지원을 하도록 촉진하면 북한도 동의하고 만족할 것이라 생각하는 경향이 있다. 북한의 경제발전이 순조롭게 이루어지면 김정은 개인과 지도층의 정치적 입지 역시 확고해질 것이라고 판단하기도 한다.

그러나 평화체제 이후 북한에 대한 경제 지원이 이루어지고 남북교류·협력이 활발해져 북한 사회가 대외 개방을 할 때 어떤 변화가 일어날지 예측하기 어렵다. 더욱이 북한 내에 자본가층이 발생하고 빈부격차가 심화되며, 북한 정부에 대해 일정한 정치적 자율을 요구하는 목소리가 높아질 때 현재와 같은 하향식 운영체제가 유지될 수 있을지 불확실하다.

북한은 핵무기 개발의 필요성을 주장할 때 종종 과거 리비아의 사례를 언급한다. 미국이 대량살상무기의 완전한 선폐기를 요구하는 이른바 빅딜을 주장하면, 북한은 이를 리비아 모델이라고 비판하면서 핵무기를 선제 포기한 리비아의 지도자 무아마르 카다피(Muammar Gaddafi)의 비극적 운명을 인용하는 것이다. 그러나 리비아의 경우, 2003년 카다피가 핵을 포기함으로써 미국의 적대시 정책에 대한 억지력이 소멸되었기 때문에 2011년 미국의 공격에 의해 카다피가 살해되고 결국 리비아가 몰락했다고 보기는 어렵다. 리비아의 핵 포기 이후 미국의 경제제재 조치가 점차 해제되었고, 국제사회의 제재도 해제되었다. 그사이 카다피의 장기독재에 반발한 리비아 내 세분파에 의해 내전이 발생했고, 2011년 중동의 봄 이후 사태는 더욱 복잡해졌다. 벵가지를 근거로 한 반정부 세력이 국제사회에 지원을 요청하자 UN은 결의안 1973호를 통해 비행금지구역을 설정하는 한편, 나토군을 중심으로 군사작전을 펴기 시작했다. 그리고 이처럼 격화된 내전의 와중에 카다피가 살해된 것이다.

따라서 북한이 핵을 포기할 때 미국의 적대시 정책에 대한 억지력이 소멸해 미국의 공격을 받을 것이라고 보기는 어렵다. 그보다는 성공적인 평화체제의 정착과 북한의 변화를 통한 정상국가화 과정에서, 북한의 내부 모순에 따라 반정부 운동의 발생 확률이 더 높다고 생각할 수 있다. 북한이 두려워하는 것은 이 경우 한국과 미국 등 국제사회가 북한 내 사태에 개입해 집권 세력의 책임을 묻고 반정부 세력을 지원해 결국 체제가 붕괴되는 사태일 것이다. 북한이 군사적 공격을 두려워하는 것인지, 평화와 번영의 과정에서 발생하는 새로운 사태를 두려워하는 것인지 정확히 파악할 필요가 있다.

한국은 북한의 변화가 통일을 앞당길 수 있다고 믿기 때문에, 자연스럽게 평화공존 시기 중 남북교류가 한국이 추구하는 주권게임의 목적에 부합

한다고 생각하기 쉽다. 한국이 국제질서의 문명 표준에 맞는 사회를 건설하고 있으며, 결국 한국 중심의 통일이 현실화될 수 있다고 생각하기 때문이다. 이는 한국 중심적인 생각이다. 문제는 북한 역시 햇볕정책 이후 이러한 사실을 인지하고 있으며, 장기적 관점에서 한국의 지원하에 이루어지는 변화가 북한 주권게임의 목적에 위배된다는 점을 깨닫게 된다는 것이다. 북한은 평화체제 이후 한국에 대한 의존도를 낮추고 개혁·개방의 속도를 조절하면서 한국과 경쟁할 수 있는 힘을 키울 수 있는 자원을 마련하기 위해 현재의 비핵화 협상 국면을 최대한 활용하려고 할 것이다. 중국과 러시아의 지원 확보, 미국과 강력한 전략적 관계 설정 및 대미 외교에서 한국과의 경쟁력 확보, 대일 청구권 협상을 통한 최대한의 자금 확보 등 평화체제 이후 주권게임의 목적을 달성할 수 있는 방법을 찾을 것이다. 한편으로는 한국 주도의 통일을 거부하고, 다른 한편으로 자신 중심의 대남 통일전선의 형성이 가능한지, 이른바 대남 혁명 역량 강화의 기회가 있는지 부단히 살펴볼 것이다.

핵문제가 해결되더라도 남·북 간 주권게임은 계속될 수밖에 없다. 평화롭고 점진적인 통일을 지향한다고 해서 남·북이 합의에 의해 동등하게 통일에 공헌하기도 어렵다. 무력의 사용 없이 장기간에 걸친 점진적 변화 속에 궁극적으로 원활한 통일이 이루어진다고 해도 그 과정은 치열한 주권게임으로 점철될 것이다.

7 | 역외국가 미국의 국제정치게임과 북·미 관계

미국은 북한의 주권게임에서 여러 의미를 가진 상대이다. 한국전쟁에서 적으로 마주친 이후 1992년 1월 22일 북한 노동당 김용순 국제부장과 미 국무부 아널드 캔터(Arnold Kanter) 정무차관이 뉴욕에서 최초로 고위급

회담을 열기까지 양자 간 협의는 없었다. 1994년 10월 제네바 합의가 이루어지고 이후 25여 년이 경과하는 동안 북·미는 6자 회담과 같은 다자 채널 또는 필요한 경우 양자 협의를 통해 관계를 맺어왔다. 이러한 관계의 역사 속에서 2018년 6월 12일 북미정상회담과 공동성명 발표는 북·미 관계 역사에 획을 긋는 사건이었다. 미국은 북한의 주권게임상 최대 안보위협인 동시에 북한을 양자적으로 승인해 주어야 하는 세계 최강의 지도국이며 이후 경제발전의 열쇠를 쥐고 있는 강대국이자 북핵 문제 해결을 위한 협상의 상대국이다.

종전을 선언하지 못하고 여전히 전쟁 상태인 정전체제하에 놓여 있는 북한의 주권게임을 미국은 자신이 행하는 국제정치게임의 관점에서 파악한다. 무엇보다 북한이 끊임없이 제기하는 대북 적대시 정책과 북한에 대한 핵 선제공격 가능성에 대해 동의하지 않는다. 미국은 북한의 핵무기가 실제로 미 본토를 공격할 만큼 위협이 되거나, 한국 등 동맹국에 군사도발을 하지 않는 한 대북 선제공격을 할 의도를 가지기 어렵다. 북핵 문제가 중요하기는 하지만 미국의 세계전략에서 북한이 차지하는 우선순위가 그리 높지 않고, 북한에 대한 선제공격을 강행했을 때 생겨날 많은 문제에 비해 이익이 크지 않기 때문이다. 그보다는 북한과 전쟁을 벌인 국가가 세계 유일의 초강대국 위상을 가진 미국이며, 양국의 국력 차이가 압도적이기 때문에 북한에는 주관적 두려움의 대상일 수밖에 없다.

북한은 탈냉전기 주권게임에서 미국으로부터 국제법적 주권국가로 승인받아 생존을 도모하고 한국과 장기적인 통일게임을 벌여야 하는 상황에 직면했다. 동북아 국제정치게임에서 북한의 미래 국제정치적 지위를 결정하는 것은 매우 중요한 근본 문제인데, 이는 북핵 문제와 구별되는 북한문제라고 할 수 있다. 이러한 상황에서 북한이 미국의 대북 적대시 정책을 언급하고 강조하는 것은 전략적으로 유용하다. 미국의 이익이 핵 비확산이라는 국제정치게임에 있는 만큼 미국의 정책적 관심을 끌 수 있는 좋은 정책 수단이며, 북한문제의 우선성을 높일 수도 있기 때문이다. 북한이 핵 개발을 통해 미국의 관심을 끌지 못했다면, 북한과의 종전 및 평화체제 수립, 수교, 경제 지원 등 협상에 미국이 노력을 기울이도록 하기는 쉽지 않았을 것이다. 북한의 핵이 대륙간탄도미사일로 미국 본토를 공격할 수 있는 능력이 증가할수록 미국의 관심은 더욱 높아질 수밖에 없다.

미국의 전략적 관점에서 북한의 핵무기 개발은 국제정치게임의 사안으로 우선 인식된다. 냉전이 종식된 이후 미국은 구공산권의 탈사회주의 이행을 추구하고 미국 주도의 세계질서에 이 국가들과 전 세계를 포괄해야 하는 패권국으로서 과제를 안게 되었다.

미국은 제네바 합의를 통해 북핵을 동결하고 경제 지원과 수교 단계를 밟아 완전한 비핵화를 이룸으로써 비확산 체제를 정비하려고 했다. 2000년 10월 조명록 차수의 방미와 북·미 커뮤니케는 제네바 체제의 정점에 위치한 것이었다. 북·미 양국은 "조선반도에서 긴장 상태를 완화하고 1953년의 정전협정을 공고한 평화보장 체제로 바꾸어 조선전쟁을 공식 종식시키는데서 4자회담 등 여러 가지 방도들이 있다는데 대하여 견해를 같이"했다고 전제하고, 양국 간 "관계를 개선하는 것이 이 국가들 사이의 관계에서 자연스러운 목표로 되며 관계개선이 21세기에 두 나라 인민들에게 다같이 리익으로 되는 동시에 조선반도와 아시아태평양지역의 평화와 안전도 보장하게 될 것이라고 인정하면서 쌍무관계에서 새로운 방향을 취할 용의가 있다고 선언"했다. "첫 중대조치로서 쌍방은 그 어느 정부도 타방에 대하여 적대적 의사를 가지지 않을 것이라고 선언하고 앞으로 과거의 적대감에서 벗어난 새로운 관계를 수립하기 위하여 모든 노력을 다할 것이라는 공약을 확언"하고, "쌍방은 두 나라 사이의 관계가 자주권에 대한 호상존중과 내정불간섭의 원칙에 기초하여야 한다는 것을 재확언하면서 쌍무적 및 다무적 공간을 통한 외교적 접촉을 정상적으로 유지하는 것이 유익하다는데 대하여 류의"한다고 하여, 사실상 평화체제의 기본 전제와 조치들을 북·미 정상급 논의의 차원에서 확인했다. 또한 구체적인 경제조치로서 "쌍방은 호혜적인 경제협조와 교류를 발전시키기 위하여 협력하기로 합의"한다고 선언했다. 이 커뮤니케는 북한이 탈냉전기 동안 추구해 온 주권게임의 중대 목적인 미국으로부터 주권 승인, 북·미 간 새로운 전략적 관계 설정의 기초 수립, 북한의 경제력 발전 등을 포괄적으로 추구할 수 있는 기초를 마련해 준 것이었다.

그러나 9·11테러가 발생하고 부시 정부가 지구적 차원의 반테러 전쟁이라는 초유의 국제정치게임에 몰두하면서 북한 주권게임의 공간은 빠르게 축소되었다. 미국은 9·11테러에 이어 본토에 대한 핵 테러를 극도로 경계하게 되었고, 핵 비확산의 관점에서 북한의 핵문제를 새롭게 정의했다. 북한은 이란, 이라크와 함께 이른바 악의 축 국가가 되었으며, 테러 지원 국가의 이미지가 고착되었다. 2002년 10월 존 켈리(John Kelly) 미 국무부 차관보의 평양 방문 시 재발된 2차 핵 위기는 북한에 대한 미국의 불신을 극대화했고 북핵 문제는 빠르게 악화된 바 있다. 북한의 주권게임 혹은 북한문제는 새로운 국제정치게임이라는 배경 아래 새로운 맥락에서 정의되었고, 북·미 간의 합의 공간은 줄어들었다.

6자 회담이 진행되는 동안 북한은 한편으로는 핵 능력을 향상시켜 핵과 미사일 실험 등을 실행하면서, 다른 한편으로는 비핵화를 전제로 받아들이면서 북미평화협정 수립 또는 평화체제 수립 요구를 병행했다. 미국도 비핵화 노력을 진행하는 동안 평화체제에 대한 관심을 완전히 버린 것은 아니었다. 2005년 9·19 공동성명에는 "미합중국은 한반도에 핵무기를 갖고 있지 않으며, 핵무기 또는 재래식 무기로 조선민주주의인민공화국을 공격 또는 침공할 의사가 없다는 것을 확인"(1조)하는 동시에, "조선민주주의인민공화국과 미합중국은 상호 주권을 존중하고, 평화적으로 공존하며, 각자의 정책에 따라 관계정상화를 위한 조치를 취할 것을 약속”(2조)라고 명시했다. 2006년 11월 18일 하노이에서 열린 노무현 대통령과 부시 대통령의 정상회담에서 부시 대통령은 “북한이 핵을 포기하면, 종전 선언과 평화조약을 체결할 용의가 있다”라고 언급하기도 했다. 이러한 인식은 구체적인 정책으로 발전하지는 못했는데, 송민순 장관의 회고록 『빙하는 움직인다』에 따르면 노 대통령은 남·북 정상회담을 앞두고 종전 선언이나 평화협정 같은 구체적 표현에 집중하고 있었고, 부시 대통령은 검증 가능한 비핵화가 되면 그 후속조치로 전쟁이 끝났다고 선언할 수도 있다는 원칙에 무게를 두었다고 설명했다. 앞서 살펴본 바와 같이 싱가포르 정상회담에서 북·미 양국은 관계 개선에 합의했고, 트럼프 대통령은 한·미 군사훈련의 잠정 중단을 선언하기도 했다. 향후 비핵화와 평화체제 협상에서 종전 선언, 북·미 수교 등 북·미 관계 개선과 관련된 문제가 다루어질 것이며, 북한은 주권게임의 당면 목적을 달성하고자 할 것이다.

미국의 국제정치게임은 2008년 경제위기와 중국의 빠른 부상이 겹쳐 일어나면서 새로운 양상을 띠게 되었다. 이후의 장에서 상술하겠지만, 미국은 향후 패권국가의 국제 공공재 제공이라는 역할을 두고 내부적으로 많은 논란을 거듭하고 있고, 패권의 힘을 회복하기 위한 미국 이익 우선주의를 내걸고 있다. 이 과정에서 중국에 대해 불공정 무역행위를 수정하라는 압박을 가하고 있으며, 더 나아가 미·중 간 세력전이를 예상하고 패권경쟁을 시작했다고 보는 견해도 확산되고 있다. 미국 단극체제하에서 북한 주권게임의 공간이 달라졌듯이, 미국의 패권조정기 그리고 미·중 간 전략경쟁기에서 북한 주권게임의 공간은 또 달라질 것이다. 그리고 이는 물론 한국에도 적용되는 변화이다.

북한은 미·중 전략경쟁이라는 국제정치게임의 환경을 최대한 활용하여 주권게임의 목적을 달성하고자 한다. 김정은 위원장은 그간 소원했던 중국과의 관계를 북·미 싱가포르 회담을 앞두고 극적으로 회복했으며, 2019년 2월 하노이 북미정상회담 결렬 이후 블라디미르 푸틴(Vladimir Putin) 러시아 대통령과 정상회담을 가졌다. 중국과 러시아 모두로부터 비핵화 압박을 받기도 하지만, 북한 주권게임의 정당성을 확인받고 비핵화 협상에서 중·러 양국의 도움을 받으려 노력하는 것이다. 그 배경에는 미국과 중국 간에 격화되는 전략경쟁, 미국과 러시아 간의 지속적인 불화 관계 등을 북한의 주권게임에 맞게 활용하려는 김정은 위원장의 의도가 있었다고 본다. 미·중 양국은 북한 비핵화와 핵 비확산 문제에 대해 국제정치게임의 목적을 함께 하고 있다. 핵보유국가로서 국제적 책임이 있을뿐더러 핵확산을 막아야 하는 이익이 일치하기 때문이다. 중국 역시 자신의 유일한 동맹국이 국제규범을 어기고 핵을 확산할 경우, 장차 국제정치 주도국으로서의 위신이 추락할 수 있다는 문제를 안고 있다. 북한의 핵무기에 대항하기 위해 한·미동맹, 미·일동맹, 한·미·일 안보협력이 강화되는 것도 미국의 대중 견제 전략을 우려하는 중국에는 불리한 상황이다.

미·중 양국이 북핵 문제에서 협력하더라도 북한문제에서 의견이 일치하는 것은 아니다. 북핵 문제가 해결되고 평화체제가 수립된 이후 북한이 추구할 외교 방향을 놓고 미·중은 지정학적 경쟁을 벌일 수밖에 없는 상황이기 때문이다. 북한이 평화체제를 수립한 이후 자신의 주권게임 그리고 국제정치게임의 목적을 위해 어떤 선택을 할지는 여전히 미지수다. 미·중 간 이른바 등거리외교나 헤징전략을 추구할지, 대중 협력을 강화해 북중동맹에 의지할지, 아니면 미국과 획기적인 전략적 관계를 수립해 한국을 견제하고 경제적·외교적 이익을 추구할지 알 수 없다. 사실 과거에 북핵 문제가 해결되지 않은 것은 미·중 양국을 비롯한 동북아 국가들이 북핵 문제 해결 이후의 북한문제, 즉 북한의 외교적 지향이 어떻게 귀결될지 불확실해,

차라리 지정학적 현상 유지를 선택한 데 기인한 바도 크다.

북한은 비핵화 협상에서 스스로 느끼는 안보위협을 해결하고 평화체제 수립 이후 북한의 주권게임을 위해 노력해야 하는 한편, 새롭게 전개되는 미·중 경쟁 국면에서 어떤 국제정치게임을 통해 주권게임의 목적을 달성할지 고민해야 하는 처지이다. 많은 아시아 국가가 미·중 전략경쟁 속에서 선택의 딜레마에 처해 있는데, 두 개의 주권게임을 동시에 벌여야 하는 남·북한의 경우 이러한 딜레마는 더욱 가중되며, 북한 역시 이를 회피할 수 없다.

8 | 향후 남·북한의 주권게임과 국제정치게임

해방과 더불어 분단된 남·북한은 치열한 주권게임을 벌여왔다. 남·북한 모두 역사상 한반도라는 영토 내에서 하나의 민족으로 존속해 온 정체성을 근대주권국가 시대에도 연속성을 가지고 실현하고자 하기 때문에 통일은 공히 남·북한 주권게임의 최종 목적일 수밖에 없다. 이를 달성하기 위해 한반도 전체를 다스릴 능력이 있는 군사력과 경제력을 갖추고자 노력해 왔고, 한반도와 한민족을 대표하는 유일하고 정당한 정부라는 국제사회의 외교적 승인을 얻기 위해 열띤 경쟁을 해왔다.

그런데 이러한 경쟁 공간은 국제정치게임에 의해 규정될 수밖에 없었다. 동북아는 냉전의 두 축인 미국과 구소련이 역외국가로 존재하는 지역이었고, 중국·일본 역시 강대국으로서 지구적·지역적 냉전에 큰 힘을 발휘하고 있었다. 한반도는 미·소 초강대국이 부딪치는 최전선에 놓여 있었고, 한국전쟁은 지구적 차원에서도 냉전을 본격화한 중요한 기점이 되었다. 냉전기 남·북한은 군사적·경제적·이념적으로 대립했지만, 이는 단순히 주권게임의 대립만이 아니었다. 오히려 미·소가 행하는 국제정치게임의 일환으로서 그 잔여 공간에서만 주권게임이 펼쳐질 수 있었다. 1970년대 데탕트 국면에서 미·중 양국은 소련을 견제하는 국제정치게임의 일환으로 데탕트를 추구했고, 하위체제로서 한반도의 미니 데탕트를 추동했다. 남·북한은 부과된 협력의 분위기 속에서 마지못해 협력하는 제스처를 취했지만, 사실은 자기중심의 통일이라는 주권게임을 물밑에서 치열하게 해나가고 있었다. 남·북한 미니 데탕트가 유지되지 못한 것은 국제정치게임과 주권게임 간의 모순관계를 생각해 보면 당연한 귀결이다.

냉전이 자유 진영의 일방적인 승리로 끝나면서 한국은 주권게임에서 유리한 위치를 차지했다. 노태우 정부는 북방정책을 추진해 동구권 국가들과 차례로 수교했고, 결국 소련·중국과도 수교했다. 모스크바와 베이징을 거쳐 평양에 도달한다는 전략을 추진하면서 남북기본합의서와 한반도 비핵화선언, UN 동시 가입이라는 성과를 얻어내기도 했다(전재성, 2012). 미국은 단극체제라는 압도적인 미국 중심 세계에서 한국이 추구하는 주권게임이 미국 국제정치게임의 판도를 거의 바꾸지 않는다는 인식하에 한국 주도의 북방정책을 지원하는 모습을 보였다. 소련과 수교 직전인 1990년 6월 4일 샌프란시스코에서 한소정상회담을 통해 수교와 경협을 논의할 때, 미국이 이를 지원한 것도 같은 맥락이다. 훗날 역사가 밝혀주겠지만, 한국의 주권게임이 북한에 위협이 될 만큼 우호적 환경을 맞이했기 때문에 북한이 스스로의 생존을 위해 핵 위기 창출이라는 대안을 추구할 수밖에 없었는지 모른다.

북한의 핵무기가 빠른 속도로 발전해 미국 본토를 위협할 정도가 되었다는 점, 그리하여 북핵 문제가 미국 안보전략의 우선순위에서 매우 시급하고 중대한 문제로 부각되어 북·미 간 정상회담까지 열릴 수 있었다는 점 등을 제외하고는 북한에 대한 한국의 주권게임상 우위는 여전하다. 경제력은 말할 것도 없고, 군사력에서도 한국은 한·미동맹을 유지하면서 북한의 기습공격에 취약한 상황에서도 전반적인 통상 전력 우위를 유지하고 있다. 국제사회의 인식 역시 한국에 대체로 우호적이다. 한국은 세계에서 보기 드물게 성공적으로 민주화를 이행했고, 민주주의 공고화라는 성과를 이루었으며, 소프트파워 역시 최정상의 수준에 도달하고 있다. 한반도가 통일된다면 한국 중심의 통일일 것이라는 인식이 압도적이다.

그러나 현재 벌어지고 있는 국제정치의 변화는 예측이 어려울 정도로 복잡다단하다. 후술하겠지만 한·일 갈등, 미·중 전략경쟁, 그 속에서 일어나는 한·미동맹의 변화 등으로 인해 한국이 앞으로 추진할 주권게임이 국제정치게임에서 어느 정도의 공간을 확보할 수 있을지, 국제정치게임에서 주권게임에 유용한 자원을 계속 축적해 나갈 수 있을지 불확실하다. 먼저 미·중 전략경쟁 속에서 한국 주도의 통일을 견제하는 중국의 힘과 전략이 강화될 수 있다. 중국은 미·중 전략경쟁 속에서 북한을 중요한 전략적 자산으로 생각해, 북핵 국면을 어떻게라도 타개하고 북한의 발전을 지원할 수 있다. 러시아 역시 중국과 전략 협력관계를 유지하는 한, 북·러 관계를 강화하려 할 것이다. 한·일 관계는 악화되는 가운데 한국의 대북정책에 대한 일본의 협력이 줄어들고, 오히려 북·일 관계 강화가 이루어질 수도 있다. 또한 미국이 지구적 패권의 역할에서 스스로 후퇴하여 동아시아에서 역외균형에 가까운 정책을 추진해 동맹국들의 대중 견제를 독려하고 부담을 전가하려 할 경우, 한국의 외교적·군사적·경제적 부담은 늘어날 수밖에 없다. 앞서 논의한 바대로 북핵 국면에 따라 북·미 관계 역시 긴밀해지지 않으리라 보장할 수 없다.

한국은 주권게임과 국제정치게임 모두를 위해 군사력과 경제력을 계속 발전시킬 수밖에 없다. 국제정치게임에서 자유주의적 협력이 발전해 동아시아의 다자안보협력, 다자경제레짐이 포괄적으로 창출되면 좋지만, 오히려 미·중 전략경쟁을 중심으로 한 제도적 균형(institutional balancing)이 일어날

표 3-3 **국제정치게임의 변화 속 남·북한 주권게임의 양상 변화**

	냉전	탈냉전, 미국 단극체제	미국 패권 재조정, 미·중 전략경쟁
국제정치게임 양상	미·소 초강대국 대립을 통한 양대 진영 경쟁	미국 주도 단극체제하 자유주의 국제경제질서, 세계화 확산, 세계 각 지역별 안보 문제 심화, 미국에 도전하는 테러집단 등장	미국의 국제공공재 제공 역할 약화, 중국·러시아 등 대미 도전 국가들의 등장과 지정학 경쟁 가열, 미·중 전략경쟁 속 여타 국가들의 선택의 딜레마 심화
남·북한 주권게임 양상	한국전쟁, 군사력·경제력을 중심으로 한 적대관계	한국의 압도적 우위 고착, 북한의 핵무기 개발과 생존 전략	북한 비핵화와 한반도 평화 프로세스를 둘러싼 경쟁과 타협, 미·중 전략경쟁 속 남·북 간 외교 경쟁의 새로운 양상

확률이 더 높다(He, 2008). 미·중 무역분쟁 속에서 한국은 이미 경제적 고난을 겪고 있고, 일본의 수출규제라는 걸림돌도 만난 바 있다. 한국의 경제발전이 앞으로도 중요하다는 것은 재론의 여지가 없다.

미·중 전략경쟁은 점차 안보적 함의도 강하게 띨 것이다. 중국은 일대일로 전략을 통해 경제와 인프라의 영향권은 물론이고 안보공동체의 기초도 마련해 가고 있다. 미국의 인도·태평양 전략 역시 안보전략과 긴밀하게 연관되고 있다. 이러한 상황에서 한국이 추구해야 하는 군사력 건설 또는 안보는 주권게임과 국제정치게임에서 모두 중요한 의미를 가질 수밖에 없다. 주권게임의 목적이 통일이라고 할 때, 한국의 강력한 군사력은 향후 대북 평화 프로세스나 통일 과정에서 중요한 수단으로 작용할 것이다. 국제정치게임에서 한국의 군사력은 또 다른 의미가 있다. 냉전기 공산권과의 대결 속에 한국의 군사력은 한·미동맹을 매개로 동북아의 세력균형을 위해 사용되었다. 21세기 중반 미·중 간의 전략경쟁이 가열되고 군사·안보 경쟁으로 이어진다면, 한국의 군사력은 국제정치게임에서 한국의 위상을 확보하고 이를 통해 한국의 국익을 지키며, 새롭게 펼쳐질 주권게임의 기반으로 작용할 것이다.

CHAPTER

4

한국과 일본의 주권게임과 한·일 갈등

1 | 한·일 갈등의 퍼즐

한국과 일본은 동북아에서 대만과 함께 자유민주주의를 성공적으로 안착시킨 나라이고, 미국 주도 자유주의 국제 경제질서하에서, 이른바 발전국가 모델에 따라 수출주도형 경제성장 전략을 통해 빠르게 경제발전을 이룩한 나라이다. 동북아의 냉전구도를 정착시킨 한국전쟁에서 미국은 유엔사령부를 일본에 두어 한·미·일 안보협력의 기초를 놓았고, 1965년 한·일 국교 정상화 이후 이른바 바퀴살동맹체제를 통해 한·일 양국은 간접적인 안보협력을 추구해 오고 있다. 동아시아의 다양한 국제 제도에 함께 참여해 다자 제도 속의 협력을 추구해 오고 있고, 세계무대에서도 평화유지군 협력을 도모하는 등 협력관계가 돈독한 두 나라이다.

그런데도 역사문제가 불거지면 양국의 갈등과 대립은 순식간에 심화되어 협력·평화의 기제는 힘을 발휘하지 못한다. 자유주의 국제정치이론에서 설정하는 시장평화·민주평화·제도평화의 모든 기초를 갖추고 있지만, 역사문제가 불거지면 협력·평화의 측면이 왜소해지고 마는 것이다. 구성주의 국제정치이론은 이를 역사적으로 형성된 정체성·문화·관념의 측면에서 설명하며, 이 중 정체성이 이익과 전략적 목적을 구성하는 한·일 양자 간의 관계적·사회적 측면에 초점을 맞추곤 한다. 역사에 대한 일본의 인식과 한국에 대한 일본의 '사과의 정치학'이 작동하는 측면을 다루기도 한다.

그러나 문제는 더 근본적인 데 있다. 아시아가 유럽 제국주의의 침탈을 당하면서 조직원리가 유럽에서 기원한 주권국가체제로 변형되었고, 근대 이행을 겪는 동안 한국과 일본 모두 불완전 주권국가로 귀착되었다는 점이다. 앞서 논의한 바와 같이 한국의 분단과 일본의 헌법적 제약은 두 나라가 보존해 온 자기 정체성과 존재론적 안보에 심한 결손을 낳게 되었다. 양자 간에는 일본의 식민지지배로 한국의 주권이 침탈당한 쓰라린 경험이 놓여 있으며, 식민지지배의 불법성에 대한 인식, 불법 지배에 대한 배상 등 여전히 해결되지 않은 문제들이 남아 있다.

2 | 한국과 일본의 주권게임 수행의 목적

한국은 분단을 극복하고 통일을 지향하는 주권게임의 목적이 가장 중요하지만, 일본과의 관계에서 주권국가로 존중받고 양자 간에 평화를 정착시키려는 목적 또한 중요하다. 한국의 대북 주권게임의 수행 과정에서 일본은 한국과 전략 협력을 해온 것이 사실이다. 미국을 축으로 한·미·일 협조 체제를 유지해 왔고, 유엔사령부가 일본에 주둔하면서 유사시 한국을 원조할 수 있는 중요한 발진기지가 되었다. 북핵 문제 해결 과정에서도 일본은 한국과 협력을 모색해 왔다. 향후 북핵 문제 해결 이후 북한의 경제발전을 통해 북한이 정상화되고 남북교류가 활성화되려면 일본의 대북 경제 지원도 필수적이다.

그러나 한국 주도의 통일이 이루어질 경우 한국은 인구 8000만의 경제대국이자 군사강국으로 성장할 가능성이 높고 대륙과 연결된 지정학적 요충지로 자리 잡을 것이다. 일본은 이러한 한국의 성장과 통일을 위협적으로 볼 가능성도 있기 때문에 한국의 주권게임이 일본의 이익과 반드시 일치하는 것은 아니다. 일본은 한국과 국교 정상화를 추진하면서도 북한과의 관계 역시 유지하는 등 한국을 자극하는 행태를 보였다. 한국은 통일의 이점에 대해 일본을 설득하고 일본이 구사할 유혹을 느끼는 두 개의 한국 정책에 대비하는 것을 주권게임의 목적으로 삼아왔다.

더욱 중요한 한국 주권게임의 목적은 보통국가화된 일본과 평화공존을 유지하고, 이를 위해 명확한 보장을 확보하는 일이다. 일본은 주권국가였던 대한제국을 불법적으로 식민 통치했으면서도 불법이라는 사실을 인정하지 않고 있으며, 배상 문제에서도 한국과 지속적인 갈등을 일으키고 있다. 식민지 시기 한국 주권게임의 근본 목적은 해방과 독립이었지만, 해방 이후에는 일본의 식민 통치를 둘러싼 해석과 인식의 차이를 극복하는 새로운 해석의 주권게임이 벌어지고 있다. 이는 비단 인식과 해석의 문제일 뿐 아니라 식민통치의 사후 처리, 배상, 사과 등을 둘러싼 현실적 문제이다.

일본이 장차 보통국가가 되고 세계 3위의 경제력과 첨단 기술력을 바탕으로 군사 강국이 되었을 때 한국의 주권을 위협하는 팽창적이고 공세적인 대외 전략을 추구하지 않을 것이라는 보장을 확보하는 것이 한국으로서는 매우 중요한 일이다. 이는 단순히 한·일 관계의 역사에서 비롯된 우려가 아니며, 구조적이고 체제적인 것이다. 제국주의 시대를 넘어 역내국가인 한·중·일 3국이 탈제국의 이념 아래에서 서로를 깊이 이해하고 합의해 주권국가로서 승인하고 공존한 역사가 총체적으로 부재하기 때문이다.

일본은 보통국가가 된 이후의 비전에 대해 명확한 그림을 보여주지 않고 있다. 2013년 최초로 발간된 일본의 국가안보 전략의 경우 적극적 평화주의에 기반을 둔 대외협조주의를 제창한 바 있지만, 실제 자민당 우익 세력은 과거사 부정, 제국주의 책임 부정 등 수정주의 역사관을 내비치고 있고, 정책 면에서는 집단자위권 인정, 평화안전법제 제정 등 군사력 강화 경향과 자율성 확대 경향을 보이고 있다.● 중국의 부상과 북핵 위기가 심화

● 사무엘스는 일본 대전략을 군사력 사용 지지 여부와 미·일동맹 지지 여부에 따라 보통의 민족주의(Normal Nationalists), 신자율주의(Neoautomists), 중견국 국제주의(Middle-Power Internationalists),

되는 상황 속에서 일본은 미국과의 긴밀한 협력하에 인도·태평양 구상을 적극적으로 이끌고 있기도 하다. 이러한 가운데 미래 일본의 전략에 대한 보장을 확보하려는 한국의 노력이 지속되고 있는데, 그 한 지표가 일본의 과거사 인식 방법이다. 일본이 과거사를 어떻게 인식하는지는 일본이 미래를 어떻게 설계하는지와 연결된 문제이기 때문에 한국은 미래 주권을 보호하기 위해 과거사 문제를 지속적으로 제기하고 있다.

한·일 간 주권게임에서 한국의 목적은 일본이 식민지지배의 불법성을 인정하고 국가 차원의 책임에 대해 합의를 이루는 가운데 배상 문제를 다루는 것이다. 이는 과거 회귀적 목적이기보다는 미래 보장적 목적이다. 보통국가로 전환된 일본을 진심으로 승인하고 한·일 간에 주권국가로서 상호 존중하면서 협력해 나가려면 이러한 목적을 가진 주권게임이 순조롭게 진행되어야 한다.

일본 주권게임의 근본적인 목적은 개헌을 통해 보통국가의 위상을 회복하거나, 주권적 결손 의식과 안보 불안 없이 미·일동맹을 유지하면서 평화헌법을 수호하는 것이다(Hagström, 2015). 샌프란시스코강화조약과 동시에 미일 안보조약을 맺고 오늘에 이른 일본은 미국으로부터 "종속적인 독립"을 얻게 되었다(Dower, 2014: 23). 군사력을 보유하는 보통국가가 되면 미·일동맹을 유지하더라도 미국으로부터 더 강화된 독립성을 확보할 수 있게 된다. 이를 성취하기 위한 개헌 자체는 순전히 일본 국내 정치의 문제이다. 참의원과 중의원 2/3 이상의 발의를 거쳐 국민투표에서 과반수를 얻어야

평화주의(Pacificts)로 구분하며, 아베 정부는 미·일동맹을 지지하며 군사력을 지향하는 민족주의에 속한다고 본다(Samuels, 2007). 또한 일본 내에는 평화헌법 유지를 주권게임의 목적으로 상정하는 리버럴 세력들도 존재한다. 그러나 헌법 제정 과정의 비주권성이라는 문제를 어떻게 극복하는가는 여전히 과제로 남아 있다. 자주적 호헌에 대한 대다수의 찬성이 확보되어도 미국 패권 재조정과 미·중 전략경쟁 속에서 미·일동맹의 확고한 유지가 전제되지 않으면 결국 개헌을 통한 군사적 보통국가화가 궁극적인 주권게임의 목적으로 남게 된다.

하는 국내 절차를 거쳐야 하기 때문이다. 결국 일본 국민의 의사가 가장 중요하지만, 그렇다고 이것이 단순히 국내 문제만은 아니다. 과거 일본이 태평양전쟁 패전 이후 제국헌법에서 민주헌법으로 전환하고, 미국의 승인은 물론이고 미국이 주도하는 샌프란시스코체제의 틀 속에서 다른 아시아 국가들의 승인을 얻을 때 미국의 정책은 결정적인 것이었다. 만약 일본이 향후 미국과 협의 없이 개헌을 통해 보통국가화된다면 이는 샌프란시스코체제에 대한 도전으로 비쳐질 수 있고, 미국의 견제를 받을 수도 있다. 미국이 자신이 행하는 국제정치게임에서 일본의 보통국가화라는 주권게임을 지지하는 경우 일본은 원활하게 개헌을 할 수 있고 이후 점차 미국으로부터 독립성을 강화할 수 있다. 실제로 일본은 냉전기 미국의 동아시아 전략, 탈냉전기 미국의 대테러 전략, 이후로는 대중 견제 전략 속에서 개헌의 전기를 마련해 왔다. 미국과 동맹을 공고히 하는 가운데 집단자위권 행사를 결정하고 나아가 군사적 보통국가가 되기 위한 개헌에 미국의 지지를 얻고자 노력해 온 것이다.

그러나 미국의 외교적 지원이 존재한다고 해서 아시아 국가들의 지지가 자동적으로 얻어지는 것은 아니다. 아시아 국가들의 반대가 존재하는 가운데 일본 국민들이 개헌을 위한 국민투표에서 자민당, 특히 우익 세력을 지지해 과반수 이상의 지지를 보낼 것인지는 불확실하다. 일본 국민들은 미국과 아시아 국가들의 지지와 축복을 받는 가운데, 개헌을 통해 전쟁할 수 있는 일본이 오히려 평화유지에 공헌할 것이라는 확신을 가져야 개헌에 찬성할 것이다.

이러한 점에서 일본이 추구하는 주권게임은 물리적 안보 혹은 역내 및 역외국가의 물리적 방해에 부딪힌다기보다는 인식과 정체성, 존재론적 안보에 관한 것이다. 일본 정부가 과거 제국의 역사를 스스로 어떻게 인식하는가에 따라 주변국의 지지를 받을 수 있고, 이로써 일본 국민의 개헌 찬성을 유도할 수 있는 것이다.

그러나 일본의 우익 세력은 과거 일본의 제국주의 역사를 정당화하고 한국을 비롯한 주변국의 대일 역사 비판의 근거를 약화시킴으로써 개헌 환경을 조성하려 한다. 역사수정주의가 강화될수록 주변국은 일본의 미래 전략에 대해 의심을 품으면서 개헌을 반대하는 의견을 개진할 수밖에 없다. 이와 같은 적대적 환경 속에서 일본 국민은 개헌을 통해 일본이 다시 전쟁하는 국가로 변화할까 봐 주저하게 된다. 결국 일본의 우익 세력이 추구하는 일련의 노력이 일본 국민들을 개헌으로부터 멀어지게 하는 악순환에 빠지는 것이다.

일본의 우익이 추구하는 개헌의 주권게임이 지지를 얻으려면 다른 국가들의 주권게임, 국제정치게임과 목적이 상당히 합치해야 한다. 예를 들어 역내국가인 한국이 행하는 주권게임 및 국제정치게임과 목적이 상당 부분 일치한다면 한국은 일본의 주권게임을 지지할 수도 있다. 한국의 대북·대중전략 목적이 일본의 대한반도·대중전략과 일치한다면 한국은 일본의 개헌을 크게 반대하지 않을 가능성이 높아질 것이다. 일본이 추구하는 국제정치게임의 목적이 명확하지 않을 때 한국은 일본의 역사 인식을 주목하고 이에 근거해 미래 일본의 전략을 유추할 수밖에 없다. 일본의 미래 국제정치게임의 목적이 명확해지고 한국 주권게임의 목적과 일치한다면 일본의 주권게임에 대한 우려가 줄어들 수도 있다.

미래에 한국이 추구하는 주권게임이 성공해 한반도를 통일하고 동북아에서 한국의 지위가 상승하는 것도 일본으로서는 주의를 기울여야 할 요소이다. 한·일 양국은 북한이 주권게임의 일환으로 핵무기를 개발하고 한국과 일본의 안전을 위협할 때 이에 공동 대처할 필요성을 느낀다. 북핵 문제가 악화되면 한·일 간의 협력이 강화되는 양상을 보이는 것이다. 그러나 북핵문제가 해결되는 과정에서, 혹은 해결된 이후에 남·북 협력이 강화되고

표 4-1 한국과 일본의 주권게임의 목적과 의제들

	한국	일본
주권게임의 근본 목적	통일, 남·북 평화공존·공동체 수립	개헌을 통한 보통국가 수립
양자 주권게임의 목적	일본이 식민지지배 국가 차원의 책임 인정, 일본 역사수정주의 근절, 미래 일본의 제국화 봉쇄	제국주의 과거에 대한 한국의 문제 제기 종결, 보통국가화에 대한 한국의 지원 획득, 통일한국의 이익이 일본의 이익과 위배되지 않도록 견제와 협력
주요 의제	위안부 문제, 강제징용 문제, 역사 교과서 문제, 독도 문제 해결	한국에 대한 사과, 식민지지배에 대한 한국의 불법성 주장, 식민지지배 배상
의제별 목적	위안부·강제징용 문제에 대한 일본 정부의 법적 책임 시인, 일본의 독도 문제 제기 근절	한국에 대한 사과 종결, 한국의 책임 공방 근절, 개헌에 대한 한국의 지원 획득

한국 주도로 통일 가능성이 높아진다면 일본은 한국의 주권게임에 대해 불안감을 느끼고 견제의 필요를 느낄 수 있다.

한국이 일본의 보통국가화보다 먼저 통일을 이룩해 강력한 군사력과 경제력을 가진 강대국으로서 일본의 보통국가화를 견제한다면 이는 일본의 주권게임에 큰 장애요인이 될 것이다. 일본은 한국의 안보와 경제발전을 돕는 입장이지만, 한·일 간 갈등 요인은 여러 분야에 존재한다. 일본의 보통국가화를 위해 한국을 견제하는 분위기가 일부 형성되고, 국제정치게임이 미 단극체제에서 미국의 패권 조정과 미·중 전략경쟁 시기로 바뀌면서 외교 전략을 근본적으로 재고할 필요가 증가된 상황에서, 한·일 양국은 미래 협력 자체를 재고할 수도 있다.

3 | 한·일 간 주권게임과 국제정치게임의 결합

한국과 일본은 냉전이 시작된 이래 공산권의 존재와 같은 공동의 안보위협이 존재할 때 준동맹의 관계를 맺고 미국을 축으로 한·미·일 안보협력을 추구해 왔다. 그러다가 공동의 안보위협이 약화되면 각자의 주권게임이 강화되고, 서로가 서로의 정체성과 경제를 위협하는 존재로 탈바꿈된다. 냉전기 북한과 중국, 구소련 등 공산권의 위협이 존재했을 때 일본은 미국과의 동맹을 매개로 한국의 안보를 지원하는 관계였고, 경제적으로도 긴밀한 상호 의존관계를 유지해 왔다. 한국전쟁 발발 직후부터 1957년까지 유엔사령부가 일본에 주둔했고, 유사시 한국의 안보 지원을 위한 한국 조항을 유지하고 있다. 미국은 한국, 일본과 이른바 바퀴살 형태의 동맹체제를 유지하고 있다.

그러나 냉전이 종식되고 구소련이 무너진 이후, 러시아는 더 이상 한국과 일본이 협력해서 대처해야 할 공동의 안보위협이 되지 못했다. 중국 역시 1992년 한·중 수교 이후 한·중 간 교류·협력이 강화되고 6자회담을 계기로 북핵 문제 해결의 당사자로 등장하면서, 중국도 한국의 안보 협력 파트너가 되었다.

냉전 종식 이후 버락 오바마(Barack Obama) 행정부에 이르기까지 미국은 대체로 패권의 역할을 수행하며 단극체제를 이끌었다. 세계질서에 필요한 안보, 경제, 가치의 공공재를 제공하며 패권의 능력과 의지를 갖춘 국가로 존속한 것이다. 이 과정에서 동아시아는 미국의 주요 정책 대상 지역이었고, 오바마 대통령은 아시아 재균형 전략을 정책기조로 삼아 동아시아에 대한 적극적인 관여를 내세우기도 했다.

미국 단극체제 아래 동북아의 안보문제가 다양한 형태로 등장했지만 한·일 간 주권게임으로 인해 국제정치게임에서 한·미·일 협력이 크게 손상되지는 않았다. 대체로 중국의 부상에 대한 미국의 관여와 견제가 병행적으로 이루어졌고, 한·미·일 협력기조도 유지되었다. 다만 한·일 간에 대중전략을 둘러싼 입장 차이가 존재해, 일본은 대중 견제에 치중한 반면 한국은 대중 관여의 큰 흐름을 따라갔다. 이러한 차이의 배경에는 2010년 이후 본격화된 동중국해를 둘러싼 중·일 간 주권게임, 한·중 간 대북 전략을 둘러싼 협력의 필요성이라는 주권게임의 영향도 있었지만, 한·중 간 경제협력의 필요성, 중국의 부상에 대한 일본의 견제라는 국제정치게임적 요소도 존재했다.

2010년 센카쿠·댜오위다오를 둘러싼 중·일 간의 갈등이 고조되면서 중국에 대한 일본의 안보위협감이 증가했다. 그러나 이는 한·중 관계에 큰 영향을 미치지 못했다. 일본이 중국을 경계하는 것만큼 한·중 관계가 멀어지지 않자, 일본에는 상대적으로 한국이 중국에 경사되는 것으로 인식되었다. 실제로는 한국이 중국에 경사된 것이 아니라 일본이 중국으로부터 멀어지면서 한·중 간의 거리가 중·일 간의 거리에 비해 상대적으로 가까워진 것이다.

일본이 주장한 한국의 대중경사론은 사드 사태로 한·중 관계가 악화되었음에도 크게 변화하지 않았다. 한국은 사드 사태를 통해 중국의 대한국 전략의 일면을 체험적으로 깨닫게 되었고, 한·중 관계가 예전 같지 않다는 것은 자명한 사실이다. 그러나 한·중 간의 거리가 멀어졌어도 여전히 중·일 관계가 그 보다 멀기 때문에, 일본은 상대적인 한·중 관계의 거리를 여전히 한국의 대중 경사로 여기고 있는 것이 사실이다.

트럼프 정부 이후 미국의 패권 역할은 눈에 띄게 약화되었는데, 이는 비단 트럼프 대통령의 정책 변화 때문만이 아니라 구조적 변화의 결과이기도 하다. 미국 주도의 자유주의 국제질서가 약화되고 중국의 지속적인 부상이 자리 잡으면서 국제정치게임의 양상이 근본적으로 변화하고 있는 모습이다. 미국은 단극체제하에서 지나친 국력 소모와 경제위기를 겪었고, 패권 능력은 있지만 점차 공공재 제공의 의도가 줄어드는 모습을 보이고 있다. 도널드 트럼프(Donald Trump) 정부 들어 미국이 기존의 미국 주도 자유주의 국제질서를 스스로 약화시킴에 따라 동북아 국가들에 대한 미국의 영향력이 상대적으로 줄어든 가운데, 동북아 국가들은 각자 주권게임과 국제정치게임의 방향을 새롭게 모색하게 되었다.

트럼프 정부는 인도·태평양 구상을 제시하고 구체화시켜 나가고 있다. 미국의 새로운 전략 속에서 전반적으로 미국의 동아시아 개입이 약화되고 동맹국들에 대한 안보 부담 전가 현상이 가시화되었다. 향후 동북아 국가들 간에 다극적 세력 경쟁이 본격화될 수 있다는 전망이 강해지는 가운데 일본은 자율성을 강화하는 노력을 기울이고 있다. 미국 단극체제가 약화되고, 미국이 패권국으로서 안보·경제 공공재의 제공 의도를 상당 부분 퇴색시킨 결과이다. 새로운 국제정치게임 속에서 각 국가들은 국제정치 전략을 가다듬고 있다. 일본은 한편으로는 미·일동맹을 강화하고 인도·태평양 구상에 적극 참여하고 있지만, 다른 한편으로는 중국과의 부분적 타협을 추구하면서 향후 미국이 퇴조한 동북아 구도 속에서 일본의 안보전략을 구상해 나가고 있다. 일본은 헌법적 제약으로 인해 군사력 건설에 한계가 있었고, 헌법 개정을 통해 보통국가화를 추진하는 것을 중요한 목표로 설정해 오고 있다. 한국은 일본에 비해 정상적인 대규모의 병력을 유지하면서, 북한과 대치 속에 국방력 강화를 추진해 왔다. 일본이 냉전기에 만들어지고 탈냉전기에도 유지된 안보 구조를 벗어나 새로운 안보전략을 구상하고 있다면 이 과정에서 한·일 간 주권게임은 새로운 양상을 띠게 될 것이다.

미국의 주도력이 약화되면서 한·일 간에 공동의 안보 이익도 쉽게 조정되지 않고 경제 경쟁도 심해지고 있다. 현재 한국은 일본 GDP의 3분의 1 정도에 다다랐고, 1인당 GDP는 동등 수준을 향해 빠르게 나아가고 있다. 산업 경쟁에서도 전자, 반도체 등 일부 산업에서 일본보다 월등한 능력을 갖추고 있다. 일본은 이른바 잃어버린 20년 동안 한국의 경제력이 빠르게 발전하는 데 대해 상대적으로 불안감을 느꼈고, 이것이 한·일 간의 세력전이로 인식되는 상황이다.

자유주의 질서를 수호하려는 중국과 일본의 공통 이익이 부분적으로 발생하는 것도 새로운 현상이다. 중·일 양국은 2018년 10월 베이징에서 정상회담을 갖고 지경학적으로 부분적 타협을 이루어 경제협력의 필요성을 인정했다. 그럼에도 불구하고 장기적인 관점에서 중·일 간의 지정학적 거리는 여전히 좁혀지지 않고 있다. 이러한 변화 속에 향후 한·일이 국제정치 게임에서 얼마나 공통의 이익을 견지할 수 있을지, 미국이 한·미·일 협력을 추동하는 전략을 얼마만큼 수행할지, 그 변화의 여지가 크다.

2018년 10월 한국의 강제징용 대법원 판결의 변화는 이러한 흐름을 더욱 가시화하고 있다. 2019년에 들어서면서 한·일 관계가 악화되다가 결국 일본의 경제제재 조치가 실행되었는데, 이는 비단 강제징용 문제를 둘러싼 양자 관계의 문제가 아니라 장기간 누적된 한·일 간의 국력 경쟁, 특히 경제 경쟁이 정책으로 현실화된 것이라는 인식도 팽배해졌다. 문재인 정부 등장 이후, 2015년 12월 28일에 위안부 합의에 대한 부분 수정 정책이 발표되고 2018년 10월 강제징용에 대한 대법원 판결이 나오면서, 일본은 한국과의 주권게임을 수정하고 있는 모양새이다. 한·일 간 경쟁이 미국의 비자유주의적 패권 정책으로 인해 기존의 자유주의 국제질서에서 이탈하는 형태로 전개되는 것은 더욱 문제이다. 일본은 2019년 6월 오사카 G20 회의 직후 한국에 대한 경제제재를 단행했는데, 이는 기존의 한·일 경제 관계를 뒷받침했던 자유주의 경제질서에 대한 합의 자체에 회의를 불러일으키는 문제로 확산되었다.

일본은 지속적으로 사과를 요구하면서, 과거 제국주의 침탈을 국제법적 불법으로 규정하는 한국이 자신의 정체성에 큰 위협이라고 생각한다. 특히 수정주의 역사관을 지닌 우익은 자신들의 과거 제국주의 시대를 합법적으로 인식하고 그 역사적 전통을 지키면서 향후 국가 대전략의 기초로 삼고자 한다. 우익 세력들의 관점에서는 일본에 역사 반성과 사과를 계속 요구하는 한국이 자국의 정체성을 위협하는 것으로 보일 수밖에 없다. 특히 수정주의 세력은 국민 여론을 움직여 평화헌법을 개정함으로써 보통국가로 가는 길을 준비하고자 한다. 이 과정에서 한국의 역사문제 제기는 단지 사과의 문제가 아니라, 일본이 추구하는 미래 전략에 한국 여론이 등을 돌리는 사건이라 더 문제가 된다.

과거사 문제는 비단 지나간 일본 정책의 시시비비를 따지는 문제가 아니라 근대 이행기 일본의 정체성에 관한 문제이다. 여전히 주권적 요소에서 불완전성과 결손이 있고, 이를 수정주의적으로 완성하려는 세력들에게 한국의 문제 제기는 수용하기 어려운 것이다. 일본은 향후 중국과의 경쟁, 미국의 동아시아 전략이 후퇴 전략으로 귀결될 상황에 대비해 스스로 동아시아 강대국이 되어 자국의 이익을 확보하기 위한 비전을 가지고 대전략을 추진하고 있는데, 한국의 과거사 문제 제기는 이러한 대전략에 위협이 된다. 일본의 주권완성 전략에서 한국을 배제한 채 강대국 전략을 추진하는 세력이 존재하기 때문에 한·일 관계 악화의 소지는 계속 존재한다.

일본의 아시아 전략이 당장은 미국과 동맹을 유지하면서 협력적인 다자질서를 이룩하는 것이지만, 미국의 패권이 약화되고 미국의 아시아 전략이 소극적 개입 혹은 역외균형으로 변화될 것에 대비해 일본 스스로 강대국이 되는 전략으로 귀결된다면, 이를 고려한 한·일 관계가 어떤 것일지가 중요하다. 일본이 보인 한국의 사과 요구 거부, 경제제재, 대북 문제를 둘러싼 갈등 등이 일본의 지역 구도 속에서 한국을 경시하려는 의도적 노력에서 비롯된 것이라면 한·일 관계는 더욱 악화될 소지가 있다.●

● 미국의 동아시아 전략이 적극적 관여와 후퇴를 거듭할 때, 한·일 간의 협력 기조도 약화, 강화의 교체 양상을 보인다는 빅터 차의 논지도 부분적으로 수정·보완할 필요가 있다(Cha, 1999). 미국의 동아시아 전략 변화도 중요한 변수이지만, 한·일 간 협력이라는 국제정치게임의 양상뿐 아니라 양국 주권게임의 양상이 어떻게 변화하는지가 한·일 관계에 더 중요한 변수이기 때문이다. 미국이 동아시아에서 후퇴하더라도 주권게임의 양상이 치열하면 한·일 간 협력은 더욱 어려워진다. 트럼프 정부의 동아시아 전략은 사실상 약화되고 있는데, 중국의 부상이라는 공통의 위협이 존재하지만 한·일 주권게임의 양상이 치열하기 때문에 한·일 협력은 약화되고 있다.

표 4-2 **국제정치게임 구조의 변화에 따른 한·일 주권게임의 변화**

	냉전기	탈냉전기 미국 단극체제	미국의 패권 조정 및 미·중 전략경쟁
역외국가들의 국제정치게임	미·소 초강대국 대립 및 양대 진영 분리	미국 주도의 국제질서	미국의 공공재 제공 약화 및 미·중 전략경쟁 심화, 강대국 경쟁 심화
한·일 국제정치게임 양상	대공산권 준동맹 관계, 미국을 축으로 한 한·미·일 안보협력	북핵 문제에 대한 한·미·일 안보협력, 느슨한 안보협력관계	북핵, 중국에 대한 한·일 간 안보전략 편차 심화, 미국을 둘러싼 한·일 간 경쟁
한·일 주권게임 양상	한·일 국교정상화 등 주권게임의 관리 및 잠재화	역사문제를 둘러싼 주권게임 본격화, 한국 주도 통일에 대한 일본의 주시, 일본 개헌에 대한 한국의 경계	위안부 문제, 강제징용 문제 등 주권게임의 악화, 한·일 간의 안보, 경제 분야 분리(decoupling) 현상 발생

4 | 강제징용 문제와 한·일 주권게임

1) 강제징용 문제의 전개

2019년 6월 본격화된 강제징용 문제는 한·일 주권게임이 양자 간 관계에서 한·일 양국의 국내적 이슈로 증폭되는 상황과, 그 근저에 깔린 국제정치게임의 거시적 변화가 주권게임과 연결되는 양상을 보여주는 하나의 사례이다. 2장에서 살펴본 바와 같이, 샌프란시스코회의는 일본의 한국 식민지지배의 불법성에 대해 판단을 유보했다. 샌프란시스코체제가 한·일 관계 측면에서 가지는 의미는, 냉전 수행 필요 때문에 일본을 패전국 지위에서 탈피시킨 반면, 한국 식민지지배 문제를 미해결 상태로 봉합했다는 점이다. 식민지 배상과 청구권 문제는 양자 협의로 이양되었고, 한·일 양국은 이후 1965년에 이르기까지 14년간 한·일 관계 정상화를 위한 치열한 공방을 계속했다. 한·일 양국은 대한민국과 일본국 간의 기본 관계에 관한 조약의 2조에서 "1910년 8월 22일 및 그 이전에 대한제국과 대일본제국간에 체결된 모든 조약 및 협정이 이미 무효임을 확인한다"라고 규정하고 있다. 이 규정을 통해 한국은 일본 식민지지배의 불법성을 인정하는 것으로, 일본은 이와 반대로 한일기본조약 이전의 조약과 협정이 무효화된 것, 즉 일본 식민지지배의 불법성은 인정하지 않는 것으로 이해했다. 한·일 수교가 이루어져야 하는 상황에서 식민지지배의 불법·합법성 여부를 합의하기가 불가능하다는 사실을 양측이 알고, 의도된 모호성을 활용해 외교적으로 타협한 문안이다.

식민지 배상에 관해서는 대한민국과 일본국 간의 재산 및 청구권에 관한 문제의 해결과 경제협력에 관한 협정을 맺었다. 이 협정 1조에서는 차관의 액수를 명시하고, 2조에서는 다음과 같이 규정했다. 즉 "양 체약국은 양 체약국 및 그 국민(법인을 포함함)의 재산, 권리 및 이익과 양 체약국 및 그 국민간의 청구권에 관한 문제가 1951년 9월 8일에 샌프런시스코우시에서 서명된 일본국과의 평화조약 제4조 (a)에 규정된 것을 포함하여 완전히 그리고 최종적으로 해결된 것이 된다는 것을 확인한다"라는 것이다. 한·일은 샌프란시스코조약 14조의 전쟁배상에 의한 해결이 아니라 동 조약 4조에 규정된 바와 같이 식민지 통치 종료에 따른 재산관리의 정리 조항에 근거해 청구권 문제를 처리하게 되었다. 2조에 이어 3조는 "2의 규정에 따르는 것을 조건으로 하여 일방체약국 및 그 국민의 재산, 권리 및 이익으로서 본 협정의 서명일 에 타방체약국의 관할하에 있는 것에 대한 조치와 일방체약국 및 그 국민의 타방체약국 및 그 국민에 대한 모든 청구권으로서 동일자 이전에 발생한 사유에 기인하는 것에 관하여는 어떠한 주장도 할 수 없는 것으로 한다"라고 명시하고 있다.

1965년 당시에는 위안부 문제, 사할린 노동자, 원폭 피해자 등에 대한 청구권은 다루어지지 않은 것으로 이해되어, 2005년 한국의 민관공동위원회에서 이 문제들과 독립운동가의 고문 등 가혹행위 문제를 다시 다루게 되었다. 문제는 강제징용에 관한 것으로 이에 대한 개인 차원의 청구권이 최종 합의된 것인지를 놓고 문제가 불거진 것이다. 위원회는 강제징용 문제는 정부 차원에서 한일기본조약에 포함된 것으로 보는 것이 적절하다고 결론지으면서도 개인청구권의 소멸 여부에 대해서는 최종 결론을 유보했다.

그런데 2018년 10월, 미쓰비시 사건과 신일본제철 사건의 원고들인 한국의 강제징용 노동자들에 대한 대법원의 최종 판단이 원고 승소 및 배상 판결로 종료됨에 따라 한·일 간의 주권게임은 이전의 역사문제를 둘러싼 갈등과는 비교할 수 없을 만큼 증폭되었다. 일본의 고노 다로(河野太郞) 외상은 대법원 판결이 국제법을 어긴 폭거라고 비판했고, 2019년 7월 1일 경제산업성이 한국의 주력 수출품인 반도체와 디스플레이의 핵심 소재인 불화수소, 불화폴리아미드, 포토레지스트 등에 대해 포괄수출허가제에서 개별수출허가제로 전환했다. 이어 8월 2일, 신뢰할 수 있는 수출 대상국인 화이트 국가 27개국에서 한국을 제외함으로써 1000여 개에 달하는 무역 품목 수출에 제한을 가할 근거를 마련했다. 한국은 이에 대해 일본의 수출규제가 경제보복 행위이며 자유무역 질서를 어기고 정치문제에 대해 경제보복을 단행한 그릇된 정책이라고 비판하면서, WTO 제소 등으로 국제기구에 문제를 제기했다.

강제징용 사건은 10년 이상 진행된 사건으로 한국 대법원의 2012년 판결을 기점으로 큰 굴곡을 겪은 바 있다. 한국의 원고들은 1995년 불법행위에 대한 손해배상금과 미지급 임금 문제로 일본 히로시마 법정에 소를 제기했지만 청구를 기각당했고, 이후 항소·상고 역시 모두 기각당했다. 원고들은 한국 법정에도 소를 제기했는데, 2007년 부산 지방법원과 부산 고등법원은 일본에서 확정된 판결을 승인해 원고 패소 판결을 내렸고, 2009년 서울 고등법원도 항소를 기각했다. 그러나 2012년 대법원은 이 판결들을 파기·환송했고, 일본의 판시가 한국의 선량한 풍속이나 사회질서에 어긋나므로 적용되지 않음을 명시했다. 대법원은 강제징용에 관한 청구권 소송에서 원고 승소 판결을 내림으로써 일본 기업이 배상책임이 있다고 판시했던 것이다. 요컨대 한국 징용피해자가 개인 차원에서 한국 법률에 따라 일본 기업에 배상을 요구하는 과정에 대해 1965년의 한일기본조약은 명확히 규정하지 않았고, 그 빈 공간에서 대법원 판결이 나오게 된 것으로 볼 수 있다. 2018년 10월 대법원이 원고 승소 판결을 최종적으로 확인함으로써 강제징용 문제는 한·일 간 주권게임과 국제정치게임 모두와 연관된 문제로 발전하기에 이르렀다.

대법원 판결은, 한일기본조약이 일본 식민지지배의 불법성을 명시하지 않았지만 한국 '헌법' 정신에 비추어 식민지지배의 불법성을 확인하고, 일본이 한국에 제공한 차관이 식민지 불법 지배에 대한 배상금의 성격이 있다고 볼 수 없으며, 개인청구권 역시 소멸하지 않았음을 골자로 하여 강제징용 노동자에 대한 배상 판결을 내린 것이었다. 2018년 판결문에서 대법원은 "이 사건에서 문제되는 원고의 손해배상청구권은 일본 정부의 한반도에 대한 불법적인 식민지배 및 침략전쟁의 수행과 직결된 일본 기업의 반인도적인 불법행위를 전제로 하는 일본 기업에 대한 위자료청구권"이라고 분명히 명시하면서, "원고들은 피고를 상대로 미지급 임금이나 보상금을 청구하고 있는 것이 아니고, 위와 같은 위자료를 청구하고 있는 것"이라고 규정했다. 또한 "일제의 한반도 지배의 성격에 관하여 합의에 이르지 못하였"고 "이러한 상황에서 강제동원 위자료청구권이 청구권협정의 적용대상에 포함되었다고 보기는 어렵다"고 명시하고 있다. "청구권협정의 일방 당사자인 일본 정부가 불법행위의 존재 및 그에 대한 배상책임의 존재를 부인하는 마당에, 피해자 측인 대한민국 정부가 스스로 강제동원 위자료까지도 포함된 내용으로 청구권협정을 체결했다고 보이지는 않기 때문"이라는 것이다. 그러면서 2012년의 판단, 즉 "개인청구권 자체는 청구권협정만으로 당연히 소멸하지 아니하고 다만 청구권협정으로 그 청구권에 관한 대한민국의 외교적 보호권이 포기되었을 뿐이다"라는 부분도 그 판단의 기초가 된 사실관계에 변동이 생겼다고 보기 어렵다고 확정했다.

대법원 판결은 식민지지배의 불법성 여부를 조약에 명시하기 어려웠던 1965년 당시의 외교적 상황을 현재의 관점에서 사법적 판단으로 새롭게 규정한 것이었고, 이는 이른바 1965년 한·일 관계 체제를 새롭게 조망하게 하는 전기를 만들었다. 일본을 포함한 과거 서구 제국들의 식민통치가 불법이었는지에 대해서는 시대가 지날수록 새로운 견해가 대두하고 있다. 국제적 강행규범이 21세기 들어 자리 잡으면서 식민지지배를 법적으로 판단했던 시제법 원리가 후퇴하고 소급효 법리가 강화되는 추세에 있기 때문이다. 그러나 제국주의를 자행했던 서구 국가들은 식민지지배와 관련해 한정된 사과를 하면서도 법적 책임은 전혀 인정하지 않고 있다. 이 과정에서 한국 대법원의 판시는 식민지지배에 대한 독자적 판단을 내리고 있으며, 국가권력이 관여한 반인도적 불법행위에 대해서도 일본의 법적 책임을 묻고 있다. 이에 대해 일본과 국제사회가 강행규범의 적용 가능성을 들어 동의하지 않을 것은 명확하지만, 국내법에 근거해 국제사회를 향해 문제를 제기했다는 측면에서 의미가 있다고 하겠다.

한일기본조약 당시 경협자금이 배상금의 성격을 띠었는가에 대해서는 국제법적 논란이 계속되는데, 명시적이지는 않지만 한국정부가 배상금을 요구하지 않기로 한 것에 대한 상응 조치로 일본이 경협자금을 제공한 것으로 보아 맥락적으로 연관관계가 있다고 보는 견해가 존재해 왔다(이근관, 2013). 중요한 것은 개인청구권이 여전히 유효하다는 판단인데, 한·일 양국 정부는 1965년 당시 상대국 국민이 자국에 요구하는 개인청구권을 자국의 법률에 따라 판단하기로 합의함으로써 내용상의 합의를 유예하는 기술적 합의를 이루었다고 볼 수 있다(김기창·최나진, 2017). 한일기본조약 이후 일본은 개인청구권이 소멸되었음을 확인하는 국내법을 새롭게 제정한 반면, 한국은 후속조치가 따로 없어서 개인청구권에 대한 정리가 명확치 않았다. 대법원은 이에 대해 "일본이 청구권협정 직후 일본국 내에서 대한민국 국민의 일본국 및 그 국민에 대한 권리를 소멸시키는 내용의 재산권조치법을 제정·시행한 조치는 청구권협정만으로 대한민국 국민 개인의 청구권이 소멸하지 않음을 전제로 할 때 비로소 이해될 수 있는 점"을 명시하고 있다. 이에 대해 개인청구권이 살아 있음을 일본도 인정했다는 견해와, 1965년 당시 일본은 자국 국민에 대한 보상책임을 피하기 위해 한일기본조약을 활용한 데 불과하고 이후 개인청구권을 부정했다는 견해(이근관, 2013)가 존재한다.

2) 강제징용 문제의 국제정치적 해석과 한·일 주권게임

2018년 10월 한국 대법원 판결 이후 사태의 양상이 다음과 같은 주권게임의 논리에 따라 진행되고 있다는 점에 주목할 필요가 있다. 첫째, 일본의 제국주의 정체성 자체가 주권게임의 의제가 된 것이다. 대법원 판결이 일본 식민지지배의 불법성에 대한 논의를 명시하면서 강제징용 문제는 일본 제국주의와 일본의 정체성 전체를 문제 삼는 주권게임의 문제로 의제화되었다. 한·일 간에 이른바 역사문제가 존재해 왔지만 주로 국가 차원의 법적 책임을 묻는 문제와 연결되어 있었고, 식민지지배 자체의 불법성에 대한 본격적인 문제 제기가 법적 차원에서 제기되지는 않았다. 강제징용 문제에 대한 대법원의 판결은 한·일 주권게임의 가장 근본적인 문제를 제기함으로써 기존의 역사문제와는 다른 차원의 중요성을 안겨주었다. 2001년 8월 남아프리카 더반에서 열린 유엔인종차별철폐회의에서도 나타났듯이, 과거 서구 제국들의 식민지지배의 반인도성, 불법성, 국가 차원의 법적 배상의 필요성에 대한 문제 제기가 21세기 들어 강화되고 있고, 이 과정에서 대법원 판결은 한국 헌법을 넘어 국제사회의 규범에 기초한 주권게임의 양상을 띠어가고 있다.

둘째, 강제징용의 주권게임은 전후 동아시아 안보 구조를 규정해 온 샌프란시스코체제와 한일기본조약의 정당성에 대한 문제 제기로 연결될 수 있다는 것이다. 강제징용 문제는 1965년 한일기본조약을 통해 설정되었던 기존 체제의 유효성을 근본적으로 되묻고 있다. 일제하 일본군위안부 문제는 1965년 당시 충분히 다루어지지 않았다는 한·일 간의 공통된 문제의식하에 일본의 법적 책임에 대해서는 합의되지 않았지만, 일본이 사과와 반성의 뜻을 비치고 보상금을 제시하는 노력을 기울인 데 반해, 강제징용 문제는 청구권협정의 핵심적 내용을 두고 한·일 간의 물러설 수 없는 갈등을 불러일으킨 것이다. 일본은 한국 대법원의 판결을 예의 주시하다가, 2018년 10월 최종 판결이 나자 이 판결이 국제법을 어긴 폭거라고 규정하고 한국이 국제법을 위반했다는 입장을 취했다. 한국 정부 역시 대법원 판결이 한·일 관계 전체를 뒤흔들 수 있는 주권게임이라는 점을 충분히 인지하고 있던 것으로 보이며, 신중한 대응을 위해 2019년 6월에 양국 기업의 재단 설립에 의한 해결안을 제시하기까지 많은 시간을 보냈다. 또한 한일기본조약이 샌프란시스코조약에 완전히 종속되는 것은 아니지만 식민지지배의 불법성 불인정, 배상의 성격 등이 이 조약에 기반하고 있으므로, 한국 대법원이 제기한 한일기본조약의 전제에 대한 물음은 샌프란시스코체제의 허점에 대한 문제 제기로도 확대될 수 있다.

셋째, 한일기본조약과 샌프란시스코체제에 대해 문제 제기를 하더라도 한·일 양국 모두 주권게임으로 진행된 강제징용 사안을 놓고 문제의 완전한 타결을 추구하기는 어렵다는 것이다. 대법원이 식민지지배의 불법성을 한국 헌법의 정신에 입각해 명시한 가운데, 강제징용 문제를 식민지지배의 불법성 자체에 대한 문제로 규정해 해결하려고 하면 1965년 체제 자체를 흔들게 된다. 한·일 양국은 1965년 당시 식민지지배의 불법성 문제에 대해 합의를 볼 수 없다는 점을 인지하고, 수교와 한국의 경제발전 필요성에 기대어 2조의 의도적 모호성을 설정하여 이 문제를 절충·봉합했던 것이다.

일본의 식민지지배를 둘러싼 견해는 세 가지로 나누어 볼 수 있는데, 첫째는 불법론으로서 조약이 강압에 의해 체결되고 황제의 승인 없이 이루어졌다고 보는 견해이다. 둘째는 합법론으로서 법적으로나 도덕적으로 문제없이 정당한 절차에 따라 조약을 통해 이루어졌다고 보는 견해이며, 셋째는 유효부당론으로서 도덕적으로는 부당하지만, 당시의 국제법에 따라 허용된 범위 안에서 합법적으로 이루어졌다는 견해이다. 일본은 합법론과 유효부당론을 견지하는 세력으로 나뉘는데, 1995년의 무라야마 담화도 유효부당론의 범주에 속하는 것으로, 식민지지배가 국제법적으로 합법이었다는 점을 부정하지는 않는다(도시환, 2015). 따라서 식민지지배의 불법성 자체를 재론해 한·일 관계를 재설정하려면 이는 1965년의 기본조약은 물론이고 샌프란시스코조약의 일부 전제까지 수정해야 하는 엄청난 변화를 초래하게 된다.

한국 내에서는 그간 한국의 경제발전, 한·일 간의 국력 격차 감소, 냉전 종식과 한·일을 둘러싼 국제정치게임의 변화 등을 들어 1965년 체제를 발전적으로 재규정하자는 논의도 등장하고 있다. 과거 식민지지배의 불법성을 일본이 인정하는 대신 한국은 피식민지지배의 배상을 일본에 요구하지 않고, 한국 내 피해자들에게는 한국 정부가 상당 부분 배상하면서 한·일 관계를 재설정하자는 주장이다(남기정, 2019). 규범적으로 매우 설득력 있는 이러한 주장을 일본 정부가 과연 받아들일 수 있을지, 식민지지배의 불법성을 인정하지 않는 서구 구 제국들의 반응이 어떠할지, 일본 지배세력이 추구하는 주권게임의 목적, 즉 일본의 과거 제국주의를 정당한 역사로 복원하려는 목적을 여전히 견지하는 세력들의 대응이 어떠할지 등을 고려해 봐야 한다.

넷째, 강제징용 문제가 주권 문제로 의제화되는 가운데 일본은 이를 주권게임 문제로 정치화했고, 결국 한국에 대한 수출규제를 북한에 대한 전략물자 통제라는 문제와 연결시킴으로써 안보화했다. 그동안 한·일 간 주권게임에서 안보와 경제가 분리(decoupling)되어 왔다면, 이제 일본은 강제징용 문제에 대응하는 주권게임의 전략을 수정한 것이다. 일본은 2018년 6월 말 오사카 G20 회의 직후 한국에 대한 수출규제 조치를 발표함으로써 자유주의 국제경제질서에 반하는 정책을 취했고, 국제사회로부터 일정 부분 비판을 받게 되었다. 정치·안보 문제에 대해 경제적으로 보복하는 중국의 전철을 밟는다는 비판도 받고, 자유주의 경제질서를 어기고 일방적인 보복을 단행하는 트럼프 정부를 따라한다는 비판에도 취약해졌다.

한편 한국은 일본의 대응이 경제보복이라고 비판하면서도 강제징용과 관련한 양자 문제에 대해서는 한국 대법원의 판결을 준수한다는 기본 입장을 내세웠다. 근본적으로는 일본 식민지지배의 불법성에 관한 문제를 의제화하여 이를 한·일 관계 전반의 문제로 인식하고 강경대응 방법을 택했는데, 한편으로는 대법원의 판지와 국제사회의 통론을 조정하는 대일 외교적 노력도 불가피한 상황이다. 한국은 이후 조건부 연장으로 입장을 선회했지만, 2019년 8월 일본과의 군사정보보호협정(GSOMIA)의 연장 중단을 발표했을 당시 안보를 이유로 경제제재를 취한 일본과 안보협력을 하는 것이 논리적으로 성립될 수 없다고 설명했다. 한국이 대법원의 판결을 존중해야 함은 의심의 여지가 없으나 외교적으로 한·일 간의 문제를 해결하는 노력을 기울여야 하는 것도 당연한바, 그간 한국 정부의 노력이 충분했는지에 대한 국내외의 비판도 제기되었다.

다섯째, 강제징용 문제가 주권게임의 의제가 되고 안보화되면서 양국 국내에서 엄청난 반향을 불러일으켰으며, 한·일 간 외교 공간이 매우 축소되었다는 것이다. 일본 내에서는 한국이 위안부 문제, 강제징용 문제 등 일본과의 합의 및 국제법을 위반하고 지속적인 배상을 요구한다는 비판의 목소리가 비등했고, 한국에 대한 수출규제 조치에 찬성하는 여론이 50%를 상회한다는 조사 결과가 나왔다. 일본 정부 역시 한국이 국제법 위반 상태에 있으며, 국내법에 의해 국제 합의를 위반하는 국가라는 명분론적 주장을 반복했다.

한국 내에서는 일본의 수출규제가 경제보복이라는 인식하에 일본의 역사 인식 비판, 청구권협정 재해석에 대한 주장, 일본 상품 불매운동, 반일세력 척결, 일본 관광 자제 등의 거센 반일 열풍이 일어났다. 한국은 국제법을 위반한 것은 일본이며, 자유주의 국제질서를 훼손하고 있다고 비판하면서 일본산 소재 부품 수입에 대한 대체 수입선 개발, 자체 생산 등 자립적 경제 노선에 대한 강조 움직임도 발생했다.

이러한 분위기에서는 강제징용에 대한 배상 문제를 한·일 간의 협의와 외교에 의해 해결할 공간은 매우 줄어들었다. 국제법적으로 볼 때 한일기본조약으로 개인청구권의 소멸 여부, 일본이 식민지지배의 불법성을 인정하지 않더라도 한·일 간의 배상 합의 여부를 논의하고, 이에 따라 강제징용에 대한 현실적인 배상 방법을 마련하고 한·일 간의 협력관계를 유지하는 문제 등에 대해 협의할 수 있는 여지는 극도로 좁아졌다(이근관, 2013).

여섯째, 한·일 간의 주권게임이 미·중 경쟁과 미국 패권조정기의 와중에, 미국의 아시아정책이 불확실한 상황에서 벌어지고 있다는 것이다. 한국의 해방 직후부터 사실상 한·일 간 주권게임이 계속되는 가운데에서도 국제정치게임에서 협력관계를 이루어온 것은 역외국가인 미국과 구소련이 추구한 냉전, 그리고 북한이 일으킨 한국전쟁 등의 상황과 관련이 깊다. 한국은 국제정치게임에서 공산권으로부터 안보를 지키고 경제적으로 발전해야 하는 목적이 있었고, 미국이 건설한 바퀴살 동맹체제 아래 일본과의 긴밀한 협력이 불가피했다. 1965년 한·일 관계 정상화 및 이후 일본의 한국 조항 설치, 한·미·일 안보협력 등은 미국의 동아시아 정책과 주도권에 힘입은 바 크다.

한·일 간의 주권게임이 발생할 공간이 국제정치게임에 의해 결정되었을 뿐 아니라, 주권게임 진행 자체도 역외 강대국의 영향을 받은 바 크다. 미국은 위안부 문제나 강제징용 문제로 한·일 관계가 악화될 경우, 한·미·일 안보협력을 통해 북핵 문제를 해결하고 더 나아가 중국의 부상에 대처할 전략적 밑그림이 약화된다고 생각한다. 문제는 강제징용 문제가 대두되는 시점에 트럼프 정부가 미국 우선주의를 내세우며 명확한 동아시아 안보 전략이 결여된 상태에서 자국의 국익 극대화에만 몰두했다는 점이다. 일견 트럼프 정부는 아베 정부 및 문재인 정부와 밀접한 관계를 맺고 있는 듯 보이나, 사실은 미국의 국익을 위한 외교관계에 그칠 뿐이지 동아시아 차원의 전략 구도를 명확히 하지 못하고 있다는 점에서 강제징용 문제를 둘러싼 한·일 간 주권게임의 국제정치적 상황이 과거와는 다른 양상을 보이고 있다.

5 | 일제하 일본군위안부 문제와 주권게임

일제하 일본군위안부 문제는 강제징용 문제와는 차이가 있다.● 일본군위안부 문제 역시 1990년대 초반 이래 주권게임의 사안으로 의제화되어

● 불완전 주권국가 개념으로 위안부 문제를 포괄적으로 분석한 글로는 손열(2018) 참조.

2015년 위안부 협상 합의에 이르기까지 한·일 간의 첨예한 사안으로 존재하고 있었다. 일본은 1965년 한일기본조약에서 모든 배상 문제가 해결되었다는 입장 아래 법적 책임을 부정하고 있다. 1993년 8월 4일 위안부 관계 조사 결과 발표에 관한 고노 내각관방장관 담화에서 "위안소의 설치, 관리 및 위안부의 이송에 관해서는 옛 일본군이 직접 또는 간접적으로 이에 관여했다"라는 점을 인정했고, 이후로도 아베 정부와 자민당 역시 이를 명시적으로 부정하고 있지는 않다. 그러나 국가 차원의 책임과 배상은 부정하고, 그 대신 일본 정부를 포함한 여러 단체가 설립한 아시아여성기금을 통해 보상금이라는 명목으로 간접적인 방법의 배상을 한 바 있다.

법적으로는 1991년 시모노세키 법정에서 위안부 원고들이 일본을 상대로 아시아태평양전쟁희생자 보상 청구를 제기한 이래, 1998년 시모노세키 지방법원은 위안부 승소로 1차 판결을 내렸다. 그러나 2004년에 이를 뒤집어 일본 최고재판소 판결에서 원고 패소로 재판을 종료했다.

우리 정부는 2004년 2월 13일 한일회담 관련 문서의 공개를 명하는 판결에 따라 관련 문서를 공개했고, 국무총리를 공동위원장으로 하는 민관공동위원회를 설립해 입장을 정리한 바 있다. 2005년 8월 26일의 결정을 통해, 한일기본조약 협정은 샌프란시스코조약 제4조에 근거해 한·일 양국 간의 재정적·민사적 채권·채무관계를 해결하기 위한 것이었고, 일본군위안부 문제 등과 같이 일본 정부 등 국가권력이 관여한 '반인도적 불법행위'에 대해서는 이 사건 협정에 의하여 해결된 것으로 볼 수 없으므로 일본 정부의 법적 책임이 인정된다는 입장을 밝혔다.

한편 일본 정부는 고노 담화를 통한 사과, 한일기본조약으로 법적 문제 해결, 아시아여성기금의 활동 등을 통해 일본군위안부 관련 문제가 완결되었다는 주장을 되풀이해 왔다. 이에 대해 한국의 헌법재판소는 2011년 8월 '대한민국과 일본국 간의 재산 및 청구권에 관한 문제의 해결과 경제협력에 관한 협정 제3조 부작위 위헌확인' 판결에서 한국 정부, 즉 피청구인인 외교통상부 장관의 위안부 문제 해결의 부작위에 대한 위헌 판결을 내렸다. "일본에 대한 배상청구권의 실현 및 인간으로서의 존엄과 가치의 회복에 대한 장애 상태가 초래된 것은 우리 정부가 청구권의 내용을 명확히 하지 않고 '모든 청구권'이라는 포괄적인 개념을 사용하여 이 사건 협정을 체결한 것에도 책임이 있다는 점"을 지적하고 있다. "일본국에 의하여 광범위하게 자행된 반인도적 범죄행위에 대하여 일본군위안부 피해자들이 일본에 대하여 가지는 배상청구권은 헌법상 보장되는 재산권일 뿐만 아니라, 그 배상청구권의 실현은 무자비하고 지속적으로 침해된 인간으로서의 존엄과 가치 및 신체의 자유를 사후적으로 회복한다는 의미를 가지는 것이므로 피청구인의 부작위로 인하여 침해되는 기본권이 매우 중대하다"라는 판결이다.

2015년 12월 28일에는 박근혜 정부하에서 한·일 위안부 문제 협상 합의가 양국 외교장관 공동 기자회견을 통해 발표되었다. 그러나 일본의 법적 책임 인정, 화해치유재단 기금의 배상금 성격 인정에 대한 내용이 없었고, 결국 문재인 대통령은 한·일 위안부 TF 결과 발표와 관련해 "피해자를 배제하고 한·일 정부가 서로 요구조건을 주고받는 방식으로 문제 해결을 도모한 것은 분명한 잘못"이라고 언급하면서 "일본이 진실을 인정하고 피해자 할머니들에게 진심을 다해 사죄하며, 그런 일이 다시는 일어나지 않도록 국제사회와 함께 노력할 때 할머니들도 일본을 용서할 수 있을 것이다. 그것이 완전한 위안부 문제의 해결"이라고 지적했다. 이후 화해치유재단 기금 10억 엔은 한국 정부의 기금으로 충당하기로 했고, 일본 정부에 반환하지 않은 상태에서 이미 기금의 배상 성격은 사실상 부인되었으며, 합의의 준수 여부를 놓고 한·일 간 논란도 계속되고 있다.

위안부 문제를 둘러싼 한·일 주권게임의 양상은 강제징용 문제와는 차이가 있다. 첫째, 위안부 문제가 1965년 한일기본조약에서 충분히 다뤄지지 않았다는 한·일 간의 공통 인식이 일정 부분 존재했고, 한일기본조약 자체에 대한 비판으로 이어지지는 않았다는 점이다. 일본은 위안부 문제의 경우에도 법적 청구권 배상은 한일기본조약으로 종결되었다고 주장하지만, 재단을 설립해 보상이라는 명목으로 기금을 전달했다. 반면, 강제징용의 경우 일본은 청구권 협정으로 모든 보상이 완결되었기 때문에 일본 정부는 물론이고 관련 기업들도 보상금을 제공할 수 없고, 한국 대법원의 신일철주금에 대한 자산동결 및 압류에 승복하기 어렵다는 입장이다.

둘째, 위안부 문제에 대해 일본 정부, 더 구체적으로는 일본군의 개입을 인정해 한일기본조약과는 별개로 일본의 사과를 받아냈다는 점이다. 한일기본조약에서 식민지지배의 불법성에 대한 논의가 불명확하게 절충된 것과 별도로 위안부 문제에 일본군의 개입이 인정되었다는 것도 특별한 점이다. 이와 달리 강제징용 문제에서는 일본 식민지지배의 불법성 자체와 이에 기반한 개인청구권의 인정이 중요한 사안으로 등장했다.

셋째, 위안부 문제는 식민지지배라는 특수한 환경 아래 자행된 반인륜적 행위일 뿐 아니라 보편적 인권의 측면에서도 국제사회의 비판 대상이 되었다. 한국은 물론이고 일본 내에서도 위안부 문제에 관한 일본 정부의 조치에 대해 비판이 일었고, 주권게임이 단순한 양국의 여론전을 넘어 국제사회의 주목을 끈 바 있다. 그러나 위안부 문제가 한국 내에서 일본 식민지지배의 불법성과 한일기본조약의 정당성 자체에 대한 비판으로 광범위하게 전파되지는 못했다. 위안부 문제와 1965년 체제 간에 일정한 절연성이 유지되었던 것이다. 반면 강제징용 문제에서는 대법원 판결과 한국 정부의 대응을 통해 일본의 식민지지배 문제가 개인청구권 존부 문제와 절연되지 않은 채, 그간 한·일 관계의 기본 틀에 대한 총체적 여론 비판으로 연결되었다.

넷째, 강제징용 문제에 대한 미국의 대응이 위안부 문제에 대한 대응과 매우 달랐다는 점이다. 오바마 정부는 한·일 간의 관계 악화, 한·미·일 공조체제 약화를 우려했고, 동아시아 재균형 전략에 대한 고려 속에 양국이 합의를 이루도록 압박했다는 다양한 관측이 있었다. 반면 트럼프 정부는 동아시아 안보전략에 대한 명확한 구도 없이 자국 이익 우선주의를 내세우고 있기 때문에 한·일 간 주권게임에 대한 개입 자체에 방향성을 상실했다고 볼 수 있다.

6 | 역내국가들의 입장과 한·일 주권게임

1) 중국과 한·일 주권게임

일본의 보통국가화가 군사적 강대국화 및 팽창적 외교정책으로 이어질 것을 경계하는 시각은 중국도 공유하고 있다. 중국이 수행하는 주권게임의 목적이 통일을 넘어 지역적·지구적 패권국가의 위상을 추구하는 수정주의 전략이라면 일본의 주권게임 목적과 상충되는 지점이 발생할 것이다. 일본·중국 모두 주권게임의 목적을 달성한 다음에 지역 강대국으로서 기존 질서를 유지하고 세력균형을 이루며 공존과 평화의 기제를 추구한다면 양국의 주권게임이 정합게임으로 안착할 가능성도 물론 있다.

일본과 중국은 1972년에 국교정상화 교섭을 시작해 9월 29일에 외교관계를 수립하고, 국교정상화를 위한 공동 커뮤니케를 발표한다. 여기서 일본 정부는 중화인민공화국 정부가 중국의 유일한 합법정부임을 승인하고, 중국 정부는 대만이 중화인민공화국 영토의 일부임을 거듭 표명하여, 중·일 간 주권게임에서 중국의 입장을 확인한다. 한편, 전쟁 배상 문제에 대해 중국 정부는 "중·일 양국 국민의 우호를 위해서 일본국에 대한 전쟁배상의 요구를 포기할 것을 선언"한다(손열, 2015). 이후 1978년 양국은 평화우호조약을 체결하고 양국 및 양 국민 간 청구권을 상호 포기하는 것으로 이해했는데, 1995년 중국 측이 개인청구권은 소멸되지 않았다는 입장을 보임으로써 다시 논쟁이 재발했다.

일본은 1937년 중일전쟁을 일으키고 중국 대륙을 침탈한 바 있다. 중국은 일본 군국주의를 비판하면서 일본의 보통국가화를 경계하고 있다. 특히 중국의 부상과 함께 미국의 대중 견제 전략이 등장하고 미·일동맹이 중국 견제를 위한 가장 중요한 기제가 되면서 중국의 대일 전략이 우호적이기는 어려운 상황이다. 대만과 밀접한 경제적·사회문화적 관계를 맺고 있는 일본의 정책도 중국의 주권게임에서는 적대적인 부분이다. 중국은 일본의 보통국가화가 자신의 주권게임의 목적인 통일 및 중국몽과 제로섬 관계라는 점을 인식하고 이를 견제하는 관계에 있다. 따라서 일본의 보통국가화를 견제하기 위해 역사문제를 제기한다는 점에서 한국과 이해관계가 일치하는 것으로 보이기도 한다. 일례로 시진핑(習近平) 국가주석은 2014년 7월 5일 방한 중에 서울대학교에서 한 연설에서 일본에 대항하는 한·중 간의 역사적 동맹을 상기시키는 발언을 한 바 있다. 임진왜란 당시 명나라의 조선 지원을 언급했고, 군국주의에 대항한 한·중 간의 협력을 상기시켰다. 즉, "지난 세기 전반에 일본 군국주의는 중국과 한국에 대한 잔인한 침략전쟁을 시작하여 한반도를 합병하고 중국의 강산을 침략해 중국과 한국을 도탄에 빠뜨리고 산하를 훼손했다"라고 하면서, "일본 침략에 저항하는 전쟁이 본격화된 몇 년 동안, 우리 두 나라의 국민은 서로를 도와주었다"라고 언급했다.

그러나 일본에 대한 한·중 주권게임의 목적이 반드시 일치하는 것은 아니다. 첫째, 중국은 일본에 의해 식민지지배를 받은 것이 아니며, 1911년 신해혁명이 일어나고 이듬해인 1912년에 쑨원을 임시 대총통으로 추대해 공화국인 중화민국을 설립했기 때문에, 중일전쟁은 주권국가들 간 전쟁의 성격을 띤다. 중국은 한국처럼 식민지지배의 불법성을 확인해 존재론적 안보를 확정해야 하는 상황이 아니므로 일본에 대한 주권게임의 목적이 한정적이라 할 것이다. 배상 문제 역시 한국처럼 식민지지배의 불법성에 기인한 정체성의 문제라기보다는 주권국가들 간 전쟁배상 문제로 한정된다.

둘째, 중국은 1895년 청일전쟁 패전 이래 일본에 비해 국력의 열세를 면치 못하다가 2010년 중국의 GDP가 일본을 능가하면서 세계 2위의 경제대국으로 올라섰다. 군사력과 첨단기술 등 여전히 일본에 열세인 부분이 있지만, 중국의 지속적인 발전 추세로 보아 중·일 간의 세력균형은 중국 쪽으로 기울어질 확률이 높다. 미·일동맹이 약화되거나 미국의 동아시아 전략이 약화되면 일본에 대한 중국의 우위는 더욱 강해질 것이다. 따라서 일본의 보통국가화 이후 일본의 팽창적 대외 전략에 대한 우려가 한국보다는 상대적으로 약할 수밖에 없다. 그러한 고려는 현재 일본에 대한 일정 수준의 포용 전략, 필요하면 일본과 지경학적 타협을 이루는 전략 등에서 나타난다.

셋째, 한국이 문제시하는 일본의 과거 식민지지배와 제국주의 정책에 대해 일본은 정체성의 맞균형을 취하기가 매우 어렵다. 한국이 일본에 대해 침략적인 정책을 편 적이 없으며, 한국의 외교정책 자체가 평화 지향적이기 때문이다. 일본은 한국의 정체성을 비판할 명목을 찾아 국제법 위반 국가, 자유민주주의가 정착되지 않은 국가 등 비판의 표적을 생산하려 하지만, 여의치 않은 것이 사실이다. 이에 비해 중국은 역사적 제국으로 존재해 왔고 경제적 부상 이후에는 남중국해 문제 등에서 공세적 외교정책을 펴고 있기 때문에, 일본은 중국에 대해 정체성의 정치가 가능하다. 따라서 일본이 주권게임을 수행하는 데 중국보다 한국이 더 어려운 상대이며, 한·중 역시 일본에 대한 주권게임을 수행하는 데 이해관계가 반드시 일치하는 것은 아니다.

앞으로의 국제정치에서 중국의 부상이 더욱 두드러지고 미·중 간의 전략경쟁이 가속화되며, 중국이 기존의 자유주의 국제질서를 해친다는 비판이 비등할 경우, 중국에 대한 주변국의 견제가 더 강화될 것이다. 미국이 주도하는 인도·태평양 전략이 더욱 구체화될 수도 있고 이 과정에서 한·일 간 전략 협력의 필요성이 강화될 수도 있다. 이와 같이 국제정치게임에서 중국이 한·일 간의 공동 위협으로 작용할 경우 한·중·일 간 주권게임의 양상은 달라질 수 있다.

2) 북한과 한·일의 주권게임

북한은 일본의 제국주의 침략의 역사와 북한을 위협으로 상정하는 미·일동맹을 지속적으로 언급하며 일본을 비난해 왔다. 북한 주권게임의 목적이 공세적으로는 북한 중심의 한반도 통일, 수세적으로는 생존과 경제력 회복, 효율적 정부 및 대외 독립성의 유지라고 할 때, 일본의 대북정책은 북한에 위협적인 것으로 인식되어 왔다. 물론 탈냉전기에 들어선 1990년 9월 24일 자민당의 가네마루 신(金丸信) 부총재와 다나베 마코토(田邊誠) 사회당 부위원장이 방북해 김일성을 만나 수교를 모색한 바 있고, 2002년 9월 17일에는 고이즈미 총리가 평양을 방문해 김정일과 납치자 문제 해결과 수교 교섭을 타진하기도 했다. 그러나 일본의 대북 전략이 북한의 군사 위협, 특히 중거리 미사일과 핵무기를 무력화하는 데 초점을 맞추고 있는 이상, 북·일 간 관계 개선은 어려운 일이다. 북한이 핵무기를 주권게임의 가장 중요한 수단으로 삼고 있고, 일본의 보통국가화를 과거 제국주의와 연결시켜 비판하는 상황에서 북·일 간 주권게임은 제로섬 관계라 할 수 있다.

북한이 아베 정권의 대북정책을 비판하는 것처럼 한국이 일본의 대한국 정책을 비판하는 상황에서는, 일견 남·북 간의 이해관계가 일치한다고 생각할 수 있다. 일본제국주의를 비판하는 대목에서 남·북의 일치된 목소리가 있고, 독도 문제에서도 북한은 일본을 비판한다. 강제징용 사태 이후 일본의 대한 수출규제 조치에 대해서도 북한 역시 강도 높게 비판해 한국 내에서 반향을 불러일으키기도 했다. 예컨대 북한은 2019년 7월 19일 조선중앙통신 논평을 통해 일본의 수출규제 조치를 다음과 같이 분석·비판하고 있다. 즉, 일본은 "지역 구도에서 제일 약한 고리, 호락호락한 존재인 남조선을 제물로 삼아 대내외 통치 위기를 모면"하고 "무역 규제조치 확대로 남조선 경제를 타격하여 당국에 대한 남조선민중의 불만을 야기시키고 궁지에 몰린 친일매국 세력에게 재집권의 길을 열어주자는 중장기적인 목적"을 추구하며, "남조선 일본 관계 악화를 바라지 않는 상전을 자극하여 조선반도 문제에서 밀려난 저들의 리익을 중시받도록 하자는 데도 치밀히 타산된 일본의 속심"이 있다는 것이다.

그러나 남·북 간 주권게임의 목적이 여전히 갈등을 빚고 있는 상황에서 북한의 대일 비판이 한국 주권게임의 목적과 근본적으로 일치하는 것으로 보기는 어렵다. 북한은 대일 비판을 통해 한·미·일 안보 공조를 약화시켜 결국 한국과의 주권게임에서 우위를 차지하려고 노력한다. 북핵 문제가 해결되면 북한은 경제발전을 통해 경험적 주권을 공고히 해야 하는 과제에 직면할 것이고, 이때 가장 중요한 경제 자금의 원천은 일본의 식민지 배상금이 될 확률이 높다. 어떤 형태로 배상금의 성격이 규정되고 액수가 정해질지는 모르지만, 현재 북한의 대일 비판은 향후 일본과의 협상에서 북한에 유리하게 작용될 협상 카드로서 성격도 있다.●

● 이와 관련해 2002년 9월 17일 고이즈미 총리 평양 방문 이후 발표된 조일평양선언 3항에서 이 문제를 언급하고 있다. 내용을 보면, "일본 측은 과거 식민지지배로 인하여 조선인민에게 다대한 손해와 고통을 준 력사적 사실을 겸허하게 받아들이며 통절한 반성과 마음속으로부터의 사죄의 뜻을 표명했다. 쌍방은 일본 측이 조선민주주의인민공화국 측에 대하여 국교정상화 후 쌍방이 직절하다고 간주하는 기간에 걸쳐 무상자금 협력, 저리자장기차관 제공 및 국제기구를 통한 인도주의적 지원 등의 경제협력을 실시하며 또한 민간경제활동을 지원하는 견지에서 일본국제협력은행 등에 의한 융자, 신용대부 등이 실시되는 것이 이 선언의 정신에 부합된다는 기본인식 밑에 국교정상화회담에서 경제협력의 구체적인 규

일본이 현재 한국과 갈등을 빚고 있는 강제징용 문제 등 많은 문제는 북·일 수교 과정에서 재현될 수도 있다. 일본은 향후 대북 관계 개선 과정에서 벌어질 한국과 북한의 대일 주권게임의 양상들을 고려하여 대처할 수밖에 없다. 결국 북·일 간의 주권게임은 남·북 간 주권게임과 연관되어 있고, 양자가 갈등 상황을 유지할 경우 서로의 이해관계가 어긋나는 형상이라고 하겠다.

강제징용에 관한 대법원 판결 이후 한국은 일본 식민지지배의 불법성을 확실히 하고, 강제징용 문제를 불법 식민지 배상의 문제로 다루었다. 1965년 체제에 대한 근본적 비판도 대두한 바 있고, 이를 폐기하는 것을 목표로 해야 한다는 주장도 있다. 그러나 폐기 이후 한국의 국가이익에 대한 철저한 대비가 필요하며, 이는 한·일 관계에 대한 장기적인 계획을 바탕으로 해야 한다. 단순 폐기보다 기존 체제를 지속적으로 수정·보완하고 일본 역사 인식의 전환을 촉구하는 계기를 지속적으로 조성해 나간다고 할 때, 향후 북·일 수교 과정에서 일본의 식민지지배에 대한 북·일 간의 협상은 한국에도 매우 중요하다. 북한은 단순히 대남 경쟁의 차원에서 북·일 수교와 배상 문제를 다룰 것이 아니라 과거사에 대한 올바른 인식이라는 남·북한 주권게임의 일치된 목적을 염두에 두고 일본과 협상해야 한다. 일본 역시 북·일 수교를 통해 역사에 대한 정확한 인식을 가지고, 이를 기반으로 정당한 주권게임을 수행하는 계기를 마련해야 한다.

모와 내용을 성실히 협의하기로 했다. 쌍방은 국교정상화를 실현하는데 있어서 1945년 8월 15일 이전에 발생한 리유에 기초한 두 나라 및 두 나라 인민의 모든 재산 및 청구권을 호상 포기하는 기본원칙에 따라 국교정상화회담에서 이에 대하여 구체적으로 협의하기로 했다. 쌍방은 재일조선인들의 지위문제와 문화재문제에 대하여 국교정상화회담에서 성실히 협의하기로 했다"라고 규정하고 있다.

7 | 미국 패권 전략 변화 속의 한·일 주권게임의 미래

한·일 관계는 미국의 동아시아 전략이 변화하고, 미·중 전략경쟁이 가열되면서 이전과는 다른 새로운 국면에 들어서고 있다. 이는 국제 정치구조의 변화에 따른 것인데, 동북아 역내국가들은 1945년 이후부터 현재까지 미국의 패권을 전제로 한 구조 속에서 국제정치게임과 주권게임 모두를 벌여왔다.

미국은 제2차 세계대전 이후 소련과 공산권을 포괄하는 패권질서를 수립하려 했다. 핵무기 독점국이자 막대한 경제력을 소유하고 제2차 세계대전의 전시 외교를 주관했던 미국은, 처음에는 소련을 포함한 국제질서를 이끌 수 있다고 상정했던 것이다. 세계적인 차원에서 미국은 마셜플랜을 수립해 소련과 공산권에 경제 지원을 제안한 바 있고, 동아시아에서는 샌프란시스코 강화회의를 개최할 때 소련과 공산권 국가들을 초청해 일원적 질서를 수립하고자 했다. 그러나 결과적으로 자유 진영 내에서만 미국의 패권이 확립되고 냉전적 대립이 고착화되었다. 냉전 종식 이후에도 미국의 세계적 패권은 흔들림 없이 지속되고 있다.

미국의 패권이 존재하지 않는 미답의 세계질서는 동북아 역내국가들이 경험하지 못한 것이다. 냉전기에는 미국과 소련, 탈냉전 후 단극패권기에는 미국이 국제정치게임의 기본 규칙을 정했고, 이 과정에서 주권게임의 범위가 결정되었다. 대일 강화조약과 미일안보조약으로 구성된 샌프란시스코체제는 미국 국제정치게임의 목적에 맞추어 역내국가들의 주권게임 범위를 동결한 것이었다(Dower, 2014). 일본의 보통국가화를 태평양전쟁 전후 처리와 연결시킴으로써 일본의 군사력과 군사전략을 미·일동맹에 근본적으로 의지하게 했다. 한국전쟁 중에 만들어진 샌프란시스코체제는 남북분단을 전제로 한 것이고, 그 뒤에는 냉전질서가 존재했다. 한국의 대북정책 역시 미국이 구상한 동아시아 동맹네트워크에 군사적으로 의존하는 것이었다. 요컨대 미국이 주도하는 동북아 국제질서 아래 역내국가들의 주권게임 공간은 미국의 동아시아 전략에 의해 결정되어 왔던 것이다. 만약 미국이 세계적으로, 또는 동아시아 차원에서 패권의 역할을 축소하거나 아예 포기한다면 주권게임의 공간은 동북아 역내국가들 간의 관계에 따라 결정될 것이다. 역내국가들 간 국제정치게임이 매우 협력적으로 진행되어 평화의 기초가 마련된다면 주권게임 역시 상호 이익을 도모하는 방향으로 나아갈 수 있을 것이다. 그러나 동북아 국제정치게임이 세력균형에 기반을 둔다면 안정적인 주권게임의 전개는 기대하기 힘들다.

주목할 점은 미국의 동아시아 전략이 상당한 진폭을 보이며 전개되어 왔다는 것이다. 1950년대와 1960년대에 냉전이 심화되었을 때 미국은 동아시아에 강하게 개입한 반면, 1970년대에는 베트남전 종식과 데탕트를 기회로 소극적 개입을 추진했다. 1980년대 신냉전기에는 한·미·일 안보협력을 강화하는 등 강력한 개입을 추구했지만, 1990년대 냉전 종식 직후에는 개입의 성격을 재조정하는 모습을 보였다. 9·11테러 이후에는 지구적 반테러 전쟁의 목적에 동아시아 전략이 상당 부분 종속되었고, 이는 동맹 변환이라는 부시 행정부의 정책에서 나타난 바와 같다. 2008년 경제위기 이후로는 미국의 경제력 약화에 따른 세계전략적 축소가 나타나는 한편, 아시아 중시 경향이 동시에 나타났다. 중국의 부상에 대한 견제의 필요성과 발전하는 동아시아 경제와 밀접한 관계를 맺어야 하는 필요성이 동시에 생겨났고, 이것이 오바마 정부의 아시아 중시 전략으로 표현된 바 있다.

이러한 변화가 미국의 안보전략 변화에만 기인한 것으로 보기는 어렵다. 미국 주도 자유주의 경제질서의 본질은, 공공재를 제공하는 패권국 미국이 일정한 국력 수준을 유지하기 위해 때로는 자국의 헌신에 기초하고 때로는 타국의 도움에 기초해 질서의 안정성을 유지한다는 점이다. 이 과정에서 타국의 도움을 요구할 때 자발적 협력에 의지하기도 하지만, 때로는 미국이 제공하는 공공재를 이유로 타국의 도움을 강제하기도 한다. 이는 일방주의로 나타나며, 결국 자유주의 국제질서는 무정부상태 조직원리 아래 간헐적 일방주의를 기초로 하고 있는 것이다.

간헐적 일방주의를 앞세운 패권조정기에 동북아 국가들은 국제정치게임과 주권게임 수행에 공히 어려움을 겪는다. 미국이 패권을 조정하면서 전가하는 부담은 대상 국가들에 불균등하게 배분될 수밖에 없다. 1980년대 일본과 서유럽 국가들은 미국의 경제가 약화되자 부담을 분담했는데, 1985년 플라자합의를 통해 엔고 시대를 맞은 일본은 이후 경제침체를 겪었다. 반면 한국은 1980년대의 남·북 관계와 한국의 약소한 국력 때문에 미국의 요구를 비켜 갈 수 있었다. 전두환 정부 때 미국은 무역 부문에서 시장개방 등의 이슈로 한국을 강하게 압박했지만, 한국은 남·북 관계를 이유로 이를 방어할 수 있었다. 이후 한국은 경제성장을 지속해, 현재 한·일 간의 경제 균형 상태는 향후 한국이 일본을 일정 부분 앞설 수 있는 상황으로까지 발전했다.

패권조정기에는 미국의 국제정치게임에 따른 국가들 간 세력균형의 변화가 불가피하다. 미국이 도전국의 부상을 선제적으로 막으면서 자국의 패권 기반을 강화하려는 노력이 여러 국가에 불균등한 부담을 부과함에도 불구하고 이 국가들이 순응하는 이유는, 패권의 힘을 회복한 미국이 자국의 장기적 이익을 보장해 줄 것이라 기대하기 때문이다. 현재 패권국에 들이는 비용이 장기적으로는 편익으로 돌아올 것이라 기대하는 것이다.

이처럼 간헐적 일방주의에 기초한 패권 주도 질서에서 이익을 얻으려는 국가들 간의 국제정치게임은 반복되는 게임인 경우에만 의미가 있다. 만약 미국이 강압적·약탈적 패권으로 변해 이후에 정상적인 시혜적 패권으로 돌아올 가능성이 없다면 이 게임은 마지막 단계에 도달한 것이다. 그때는 미국은 물론이고 다른 국가들도 자국의 이익을 극대화하기 위한 새로운 행태를 보일 확률이 크다. 문제는 미국의 일방주의가 정말 패권의 마지막 단계에 도달한 것인지 판단하기 어렵다는 점이다. 미국이 다시 정상적 패권으로 돌아와 장기적 공공재 제공을 재개하게 된다면, 당장의 자국 이익 우선주의가 훗날 미국의 보복으로 귀결될 것이기 때문이다.

일본은 트럼프 정부 등장 이후 미·일동맹을 강화하고 미국의 경제 이익 추구에 최대한 부응하려는 태도를 보였으며, 인도·태평양 전략 참여 등 외교·안보 부문에서도 지원을 아끼지 않았다. 그럼에도 불구하고 미국은 일본과의 무역협상에서 농축산물 등 광범위한 시장개방을 요구하고 있고, 주일 미군 유지 비용의 대폭적인 인상도 요구하고 있다. 이러한 상황에서 무엇보다 헌법적 제약하에 미·일동맹에 기대 왜소한 군사력을 보유하고 있는 일본과 주변국 간의 갈등이 커져만 간다는 점이 문제이다. 개헌을 통해 군사력을 확보하면서도 주변국들과 관계를 개선하는 목표를 추구하는 것은 미국이 전폭적 도움이 있거나 혹은 미국이 패권적 역할을 포기하여 미·일동맹이 완전히 약화되었을 때나 가능한 일이다. 트럼프 정부 들어 미국의 외교·안보 전략이 일본의 보통국가화를 특별히 지지하고 있지 않은 상황에서, 일본은 불안한 안보 정세와 미국의 탈패권 흐름 속에 개헌과 군사 강대국화를 서둘러야 할 동기를 갖게 되었다. 미국의 패권이 약화되자 일본이 주권게임을 본격적으로 강화하려는 것이다.

그러나 앞으로 한·일의 주권게임이 반드시 제로섬게임으로 귀결되어야 하는 것은 아니다. 양국이 목표로 하는 것 사이에 절충점이 존재한다. 북한 비핵화, 한국의 대북정책, 남·북 평화공존과 통일 등에 대해 일본의 지원을 얻을 수 있고, 이를 위해 한국은 통일 이후 대외정책의 방향을 명확히 설정하고 일본을 설득해야 한다. 통일한국이 지역 강대국으로서 자국의 이익만을 추구하는 것이 아니라 중견국으로서 지역의 다자 협력에 공헌할 수 있다는 점을 부각해야 한다. 반면 보통국가로 전환된 일본이 팽창하는 강대국으로 한국에 위협이 되지 않게 하려면 일본의 정확한 역사 인식 정립이 선행되어야 한다. 일본의 역사 인식에 대한 한국의 정확한 파악도 필요하다. 일본이 과거 제국주의 역사의 불법성을 부정하고 한국 식민지지배의 합법성을 주장하며, 피해에 대한 법적 책임을 부정할 때 오히려 한국의 지지를 받는 개헌과 보통국가화가 더욱 어려워진다는 사실을 일본이 공감해야 한다. 그러려면 한국은 보통국가화된 일본이 동아시아 다자 협력에 공헌하는 외교정책을 추구할 수 있도록, 전략 협력을 공고히 하는 평시의 안정된 전략 대화가 필요하다. 특히 미국 주도의 자유주의 세계질서가 약화 일로를 겪고 있고, 중국의 부상 이후 미·중 간 전략경쟁의 향방이 미지수인 가운데, 현재의 한국과 일본이 현재의 자유주의 국제질서를 수호하고 보완하는 데 공통의 이익이 있음을 확인할 필요가 있다(한일 신시대 공동연구 프로젝트, 2016).

이를 위해서는 양국은 자신의 목표만을 배타적으로 추진하는 노력을 중단하고 협력적 방향으로 주권게임을 이끌어갈 수 있도록 해야 한다. 또한 변화하는 국제정치게임의 현황을 함께 파악하고 적절한 세력균형을 바탕으로 시장과 민주주의, 다자 협력에 의한 공존과 평화를 이끌어갈 수 있도록 노력해야 한다.

CHAPTER

5

한국의 주권게임과 미국의 국제정치게임

1 | 불완전 주권국가인 한국과 한·미동맹

냉전이 미국과 자유 진영의 승리로 끝나고 소련과 공산권이라는 안보위협이 사라지자 미국이 구축해 놓은 동맹네트워크가 과연 붕괴할 것인지를 둘러싸고 많은 논란이 있었다. 동맹은 공통의 안보위협에 대처하는 군사력의 통합을 의미하는 것인데, 적이 사라진 탈냉전기에 과연 미국 주도의 동맹이 유지될 수 있느냐는 물음이다.

동북아에서는 1993년 북핵 위기가 발생하면서 북한이라는 안보위협이 여전히 존재하기 때문에 한·미 동맹, 미·일동맹, 한·미·일 삼각 안보협력이 존재했다고 설명할 수 있다. 9·11테러 이후에는 테러집단과 같은 비국가행위자가 막대한 피해를 야기해 이에 대항하기 위한 지구적 동맹이 새롭게 필요했고, 한·미 동맹도 지구적 맥락에서 새로운 중요성이 부가되었다는 설명도 가능하다. 한국 역시 미국의 반테러 전쟁을 돕기 위해 군대를 파견하고 외교적으로 지원하는 등 동맹으로서 다양한 역할을 수행했다. 그러나 실제로 한·미 동맹이 북한이라는 위협과 지구적 안보위협의 수준에 비례해 그 중요성이 인식되었고, 한국 역시 이에 준해 한·미 동맹을 유지하고자 했는가.

현대사적 맥락에서 최근의 사태를 돌아보면, 냉전이 종식된 후 단극체제를 유지해 오던 미국은 점차 약해지는 패권을 보강하고 중국과 러시아 등 지정학적 경쟁국에 대항하기 위해 자국 이익 중심주의에 기반을 둔 강압적 패권 정책을 취하기 시작했다. 트럼프 정부는 동아시아에 대한 명확하고 장기적인 외교·안보 전략은 제시하지 않은 채 동맹국들에 많은 압박과 부담을 주었다. 한편으로는 중국에 대한 관세 부과, 지적재산권 보호, 기술 절취 금지 등 경제 압박 전략을 취하고 있지만, 미·중 전략경쟁의 성격이 여전히 명확하지 않은 상태에서 동맹국인 한국에 대해서도 이전 행정부보다 많은 압박을 가하고 있다. 한국이 한·미 동맹 분담의 의무를 다하지 않는다고 비판하면서 이른바 '부자동맹' 한국에 분담금 증액을 요구하는가 하면, 한미자유무역협정이 불공정하다면서 개정하기도 했다. 중국을 겨냥한 것이기는 하지만, WTO의 개도국 보호 조항에서 한국이 제외되는 등 미국의 대외 경제정책이 한국에도 큰 부담을 주고 있다.

북한의 핵무기 개발이라는 안보위협과 중국의 부상이라는 도전 요인이 존재하기 때문에 한·미 동맹이 유지되는 것은 이해할 수 있는 일이지만, 현재와 같은 미국 안보정책의 변화 속에서 한국이 미국과 동맹을 유지하는 것은 물론이고, 오히려 강화하고 트럼프 정부의 요구에 적극적으로 부응하는 것은 어떤 이유 때문인가.

한·미의 관계가 군사동맹이므로, 안보위협이 지속되기 때문이라고 설명할 수도 있다. 안보뿐 아니라 높은 수준의 경제적 상호 의존도 중요한 변수이다. 자유민주주의와 시장자본주의 가치를 공유하고 있으며 역사적으로도 한국전쟁에 기반을 둔 혈맹이라는 사실 때문에 정체성과 가치에 기반을 둔 유대도 깊다. 그럼에도 불구하고, 트럼프 정부의 동아시아 전략 내지 동맹 정책에 대해 한국이 일관되게 강한 지지를 보내고 있다는 사실에 대해서는 더 많은 설명이 필요하다. 유럽의 나토 동맹국들이 트럼프 정부를 강하게 비판하고 미국의 일방주의, 자국 이익 우선주의에 대해 견제의 목소리를 높이는 것과는 매우 다른 현상이다. 한·미 동맹의 상대적 공고성과 한국의 매우 높은 대미 공약(commitment)을 어떻게 설명해야 할까.

2 | 미국이 한국에 미친 형성적 영향과 동맹

1) 한·미 관계의 역사와 미국의 형성적 영향

미국은 19세기부터 한국의 주권국가 승인과 형성 과정에 영향을 미쳐 왔다. 개항 이래 미국은 한국에 긍정적인 이미지를 가진 국가로 자리매김해 왔다. 1882년 서구 국가로는 처음으로 한국은 미국과 조미수호통상조약을 체결했고, 이를 통해 관세자주권과 같은 한발 앞선 주권적 권리를 실현하기도 했다. 또한 미국은 자유민주주의를 체현한 국가로 한국의 근대국가 모델이 되었다. 미국은 다른 국가들과는 달리 동북아에서 직접적인 식민지 개척을 추구하지 않았으며, 기독교를 전파해 한국 사회문화 근대화에 긍정적인 영향을 미쳤다.

태평양전쟁을 일으킨 일본에 승전해 한국 해방에 결정적 역할을 했고, 이후 군정을 실시하는 과정에서 대한민국 정부 수립에 막대한 영향을 미쳤다. 한국전쟁에 전격 참전해 한국의 안보를 수호했고, 이후 한·미 동맹을 통해 한국의 국가안보와 경제발전, 사회문화 발전에 미친 영향력에 대해서는 재론의 여지가 없다. 미국은 비단 한국뿐 아니라 일본과 여타 동아시아 국가들에서도 자유주의 국제질서의 기반을 창출했으며, 명실 공히 미국이 창조한 자유주의 국제질서를 이 지역에 정초(定礎)했다.

그럼에도 불구하고 미국은 두 개의 얼굴을 가지고 있다. 한국은 개항 이전 제너럴셔먼호사건과 신미양요를 통해 미국과 치열한 전투를 벌인 바 있고, 러일전쟁 직후인 1905년 7월에 미국과 일본은 가쓰라·태프트 밀약을 통해 일본의 한국 식민지지배와 미국의 필리핀 지배를 상호 인정한 바 있다. 일본의 강제적 한국 식민통치 개시 후 영사관을 가장 먼저 철수한 것도 미국이었고, 한국민이 자치를 할 능력이 없다는 판단 아래 태평양전쟁에서 일본이 패퇴하더라도 40년 한국을 신탁통치할 필요하다고 생각한 것도 미국의 루스벨트 대통령이었다.

태평양전쟁 이후 동북아에서의 미국은 근대주권국가들 중 가장 국력이 센, 공공재를 제공하고 규범과 규칙을 부여하는 패권국가에 그치지 않았다. 미국은 한국과 일본에 군정을 실시해 근대주권국가의 요소들을 만들어 가는 데 형성적(formative)인 역할을 했다. 제2차 세계대전 중 전시 외교를 진행하는 과정에서 미국은 한국을 독립국가로 승인할 것인지, 얼마나 오랫동안 신탁통치를 거쳐야 주권국가가 될 만큼 역량을 갖출 것인지를 판단하고, 독립 직후 어떤 이행기를 거쳐야 할 것인지 등의 문제에 대해 결정적으로 영향력을 발휘했다. 해방 직후 한국의 영토와 국민의 범위를 결정하는 데 미국의 역할은 핵심적이었고, 해방공간에서 여러 정치 세력과 관계를 맺음으로써 정부 형태를 결정하는 데도 큰 영향을 미쳤다. 제2차 세계대전 이후 소련과 냉전이 본격화되면서 미국의 영향력 아래 있는 남한의 대외관계에도 명확한 선을 그었고, 과거 한국을 통치했던 일본의 전후 위상과 식민지 지배의 불법성 인정 여부, 한·일 관계 재설정 조건 등에 관해서도 기준을 제시했다. 1945년 8월 38도선을 기준으로 한 잠정 분단과 한국전쟁 이후 한국이 대북 주권게임을 수행하는 데 대한 미국의 견해는 미국이 수행하는 국제정치게임의 목적에 크게 좌우되었다. 한국의 주권게임 목적의 범위, 수단으로서 필요한 군사력·경제력 건설에서 미국의 전략 목적과 지원 여부는 결정적인 것이었다. 물론 패전국 일본에 대한 미국의 형성적 영향력은 재론의 여지가 없을 정도로 컸다.

한·미동맹과 미·일동맹은 단순히 미국과 한·일 양국 간 국력의 차이가 큰 비대칭 동맹이 아니라, 미국이 한·일 양국의 주권적 요소를 형성하는 데 결정적 역할을 한 형성적 동맹이라고 할 수 있다. 그런 점에서 한·미·일 간의 바퀴살 동맹체제는 단순히 동맹들 간의 이익을 조정하는 네트워크가 아니라 애초부터 국가 건설의 방향성과 내용을 연결한 동맹네트워크였다고 할 수 있다. 한·미·일 동맹네트워크는 한국의 분단, 일본의 패전국 처리, 식민지지배 배상에 대한 불완전한 처리, 한·일 국교 정상화, 한·미·일 안보 협력, 미국 주도의 자본주의 대영역 형성 등 미국의 역할을 축으로 한 하나의 패키지였다.*

논자들은 미국이 중심축인 동북아 바퀴살 형태의 양자 동맹들의 네트워크와 유럽의 나토와 같은 다자 동맹네트워크 간의 차이가 어디에서 비롯되었는지를 질문해 왔다. 유럽의 경우는 제2차 세계대전 이전에 이미 온전한 주권을 갖춘 주권국가들 간의 동맹이었기 때문에 전후 주권의 형성과 관련된 복잡한 문제가 없었다. 그러나 동북아의 경우, 주권과 관련된 문제가 산적해 있었다. 예를 들어 한·일 간에는 1910년에 시작된 식민통치 합법성 문제, 식민지지배 배상 문제, 국교 정상화 문제 등이 존재했다. 그러나 미국은 한국전쟁이 발발하고 동북아에서 열전이 벌어지는 상황에서, 한·일 관계를 근본적으로 해결할 생각을 하지 못하고 미국 중심의 네트워크를 이룰 수밖에 없었다. 유럽의 다자 동맹이 국력의 차이가 존재하고 위계성이 있더라도 온전한 주권국가들 간의 계약에서 비롯되는 반면, 동북아 국가들에는 이러한 다자 간 계약의 기초가 되는 주권성의 문제가 해결되지 않은 채 남아 있었다. 동북아에서는 한·일 양국을 연결하는 다자 동맹체제를 만들 여유가 없었으며, 이는 개별 동맹의 간접적 네트워크로 귀결되었다.

제2차 세계대전 이후 냉전기의 자유 진영과 탈냉전기의 세계 전체에 걸친 질서를 미국 주도의 자유주의 국제질서라고 부른다. 이 경우 자유주의

* 이러한 시각은 비대칭 동맹 파트너 간 제약(restraint)에 초점을 맞춘 분석과 이론적 차이가 있다. Cha(2016), Pressman(2008), Weitsman(2004) 등의 논의는 완전 주권국가들 간의 힘의 차이에 근거해 동맹 내 제약의 요소를 분석하고 있다.

국제경제질서, 다자주의 국제 제도, 자유민주주의와 인권 존중의 이념, 미국 주도의 양자·다자 동맹네트워크 등을 핵심 요소로 규정한다. 그런데 더욱 중요한 것은 이러한 자유주의 국제질서를 구성하는 국가들의 주권적 성격에 관한 것이다. 통상 온전한 주권국가들 간의 관계를 미국의 주도로 다자주의 협력과 자유주의 요소를 통해 안정화한 것이 자유주의 질서라고 생각하지만, 사실은 미국이 많은 국가의 주권성 자체에 영향을 미치면서 성립시킨 질서이다. 패전국인 일본과 독일의 불완전한 주권성에 대해 통제력을 발휘한 것은 물론이고, 과거 구미의 식민 통치에서 해방된 비서구 국가들의 주권국가 수립 과정에 형성적 영향을 미치면서 자유주의 질서를 이루었다. 물론 미국뿐만 아니라 구제국들과 공산주의 종주국인 소련 등도 자신의 영향권 내에 신흥 약소 독립국가들의 국경, 국민, 정부 형태, 대외관계 등에 영향을 미치면서 제2차 세계대전 이후의 질서가 만들어진 것이다.

결국 불완전 주권국가들에 대한 형성적 역할을 토대로 자유 진영을 운영하는 것이 미국 주도 자유주의 질서의 주축 요소였다. 그러한 점에서 자유주의 국제질서는 미국과 비서구 약소국들의 관계에서 온전한 주권국가들 간의 다자주의적 협력이라기보다는, 미국이 다른 동맹국들의 주권 수립에 형성적 역할을 하면서 만들어낸 긴밀하고 상호 연결된 질서라고 하겠다.

2) 한국의 주권게임과 미국의 형성적 역할

해방부터 정부수립까지 미국은 군정을 통해 한국의 주권적 요소 형성에 영향력을 발휘했고, 이후에는 한국전쟁을 치르고 정전을 이루면서 동맹관계를 통해 한국의 주권적 요소가 발전해 가는 과정에 힘을 미쳤다. 1945년 8월 14일 밤, 미국 국방부 작전국 정책과장 찰스 본스틸(Charles Bonesteel)

대령과 딘 러스크(Dean Rusk) 중령이 북위 38도선으로 한반도를 임시 분할할 것을 소련에 제시하면서, 한반도는 미·소 양국에 의해 분할 점령되었다. 분할의 당초 이유는 소련의 지나친 남하를 막기 위해 편의에 따라 분할 점령을 선택한 것이었고, 향후 승전국의 전후 처리와 미소공동위원회 결정에 따라 한반도에 단일 정부를 수립하는 것이 수순이었다. 그러나 이 분할을 통해, 결과적으로 태평양전쟁의 승전국인 미국이 패전국의 식민지였던 한반도의 영토와 국민이라는 주권적 요소를 형성하는 데 막대한 영향을 미치게 되었다.

미군정 기간 중 하지 중장과 이승만 대통령의 의견 충돌은 잘 알려진 바 있지만, 한국의 단독정부 수립 과정, 그리고 한국이 자유민주주의 국가로서 미국이 구축해 가고 있던 자유 진영 국가의 정체성을 만들어가는 과정에서, 미군정은 실질적인 결정권자였다. 미군정은 한반도에 대한 신탁통치, 단독정부 수립 등을 둘러싸고 결정적인 영향력을 발휘했고, 1948년 5월 10일 UN 임시위원단의 감시하에 제헌의회 구성을 위한 총선거를 실시해 대한민국 정부수립의 기틀을 마련했다.

1948년 8월 15일 한국 정부수립 이후 미군 철수가 시작되어, 1949년 5월 500여 명의 군사고문단을 남겨둔 채 약 4만 5000명의 철수가 완료되고, 이후 애치슨라인을 발표하는 등 미국의 한반도 정책은 변화를 보였지만, 큰 틀에서 보면 이것도 미국의 동북아 정책이 형성되어 가는 과정이었다. 한국전쟁이 발발하자 미국은 전격적으로 개입해 한국의 운명을 갈랐고, 이후 한·미동맹을 체결해 한국의 군사적·경제적 재건의 기초를 제공했으며, 이념적으로도 양국의 긴밀한 관계가 시작되었다. 미국의 영향력은 단순히 패권국가로서 공공재와 규범을 제공하는 역할을 훌쩍 넘어 한국의 주권적 요소 형성에 영향을 미치는 근본적인 것이었다.

미국의 영향력은 한국의 주권국가 형성 초기 주권게임과 국제정치게임의 범위를 제한하기도 했다. 한국전쟁은 2장에서 논의한 바와 같이 국제적 차원에서 미·소 냉전의 국지적 대리전의 성격을 띠기도 했지만, 한반도의 근대주권국가 이행 과정에서 일어난 전쟁이기도 했다. 북한과의 주권게임은 미국과의 국제정치게임 속에서 타협을 통해 진행되었고, 1953년 10월 1일 체결되고 1954년 11월 18일에 발효된 한미상호방위조약은 한국의 주권게임과 국제정치게임에 결정적인 역할을 한 요인이다.

한국의 주권성에 대한 미국의 영향력은 국가 수립 시기 이후에도 계속되는데, 이는 한국이 수행하는 주권게임의 목적, 추진의 공간, 추진 수단 등 모든 면에 걸쳐 미국의 영향력이 압도적이었다는 것을 의미한다. 냉전기 한국은 주권게임에서 북한을 압도할 수 있는 군사력과 경제력을 소유하여 한국 중심의 통일을 이루려는 목적을 가지고 있었다. 미국은 냉전기 한국과 함께 공산권 및 북한의 위협에 공동 대처했고, 이는 한국의 주권게임, 국제정치게임의 목적과 미국의 국제정치게임의 목적이 일치했기 때문에 가능했다. 즉, 미국이 수행하는 국제정치게임의 테두리 내에서 한국의 주권게임을 추진할 수 있었다는 것을 의미한다.

일본과 관계 정상화를 이루는 과정에서 식민지 불법 지배에 대한 사과와 배상을 받아내고, 일본이 보통국가화하여 한국의 안보를 위협하는 팽창적 세력이 되지 않도록 견제하는 것도 한국 주권게임의 중요한 목적이었다. 그러나 미국은 냉전 수행의 필요 때문에 일본의 전후 처리 과정에서 이러한 한국의 요구를 수용하지 않았고 1965년 한·일 국교 정상화를 추동함으로써 한·미·일 협력 구도를 만들어냈지만, 결국 식민지지배 배상에 대한 문제를 해결하지 못한 채 현재에 이르는 데 결정적 역할을 했다.

냉전이 종식되면서, 미국은 자국의 단극 패권 체제 아래 동아시아 역내 국가들의 국제정치게임에 상당한 여유를 제공했고, 한국도 주권게임을 추구할 공간을 확보했다. 그 첫 번째 시도가 한국 주도의 북방정책이었다. 미국 단극체제 초기에 한국이 추구한 북방정책은 미국 국제정치게임의 이익을 좌우할 정도로 변화를 일으킬 정책이 아니었다. 미국의 힘이 세계적·지역적으로 워낙 압도적이었기 때문에 북방정책을 통한 한국의 주권게임이 불러올 동북아의 세력균형 변화가 미국으로서는 큰 변수가 아니었다. 북방정책이 미국과 협력 속에서 이루어진 부분도 있지만 한국 주도의 남·북 관계, 더 나아가 통일을 이루기 위해 미국 의존도를 줄이려는 민족주의적 동기의 영향을 받은 것도 사실이다. 단극체제 초기라는 점에서 한국이 추구할 수 있는 주권게임의 공간이 상대적으로 매우 넓었다.

1993년 북핵 문제가 발생하면서 한국 주권게임의 공간은 크게 줄어들었다. 미국에 북핵 문제는 핵무기 비확산이라는 지구적 규범의 문제이자, 중국의 개입을 통해 재조정될 수 있는 미·중 간 지정학 균형의 게임이었기 때문에, 국제정치게임으로서의 함의가 컸다. 통일게임을 수행해야 하는 한국에 북핵 문제는 큰 걸림돌이었고, 이를 해결해 주권게임의 과정을 다시 정상화해야 했다. 그러나 1994년 10월 21일 제네바 합의는 북·미 간의 양자 구도 아래에서 결정되었다. 미국이 한국의 주권게임보다 자국의 국제정치게임 이익을 위해 북핵 문제 해결의 방향성을 결정했기 때문에 한·미 간에 갈등이 불거질 소지가 발생했다. 북핵 문제 해결 이후 새롭게 발생할 향후 한국 주권게임 문제에 대해서는 4장에서 설명한 바와 같다. 미 패권의 조정과 미·중 전략경쟁이 본격화된 시점에서 한국은 북핵 문제를 해결해 북한의 위협을 소멸시키는 한편, 북·중 관계가 다시 공고화되어 한국의 통일 기회가 줄어드는 것을 경계하고, 북·미 협상 과정에서 한국이 소외되고 북·미가 전략적 관계를 설정하는 것을 주시해야 하는 상황에 있다.

탈냉전기 미국 단극체제 아래 미국이 한국의 통일게임에서만 중요한 존재였던 것은 아니다. 한국은 미·일동맹의 추이를 보아가면서 일본의 보통국가화를 견제하는 것을 주권게임의 중요한 목적으로 상정하고 있기 때문이다. 중국의 부상에 대한 아시아 견제 네트워크가 인도·태평양 지역을 기초로 만들어지는 상황에서, 일본이 다시 아시아 지역질서 변화 과정에 강력한 영향력을 행사하고, 미국의 전략이 미·일동맹 중심으로 재편되는 것을 한국으로서는 경계해야 할 상황이었다. 한·미동맹은 약화되고 미·일동맹이 강화된다면 일본의 팽창적 보통국가화를 막아야 하는 한국의 주권게임에 위협적인 상황이 만들어진다.

결국 한국이 미국과의 동맹을 통해 얻어낼 수 있는 것은 비단 안보만이 아니다. 냉전기 한·일 양국은 공산권의 침략으로부터 스스로를 보호하기 위해 미국이 필요했지만, 냉전 종식 이후 그 필요성은 현격히 낮아졌다. 그럼에도 미국과의 동맹을 공고히 하는 이유는 국제정치게임의 이익뿐 아니라 주권게임의 이익이 동맹에 걸려 있기 때문이다. 주권게임을 할 필요가 없는 완전 주권국가들 간의 비대칭 동맹에서 보이는 안보와 자율성 교환의 사안과, 주권게임을 해야 하는 불완전 주권국가들의 대칭 내지 비대칭 동맹은 근본적으로 차이가 있다(Morrow, 1993).

과거 노무현 정부 때 미국은 자신의 국제정치게임인 이라크전쟁을 치르면서 한국의 파병을 요청했다. 한국은 이라크전쟁에 국제정치게임의 이익이 크지 않았지만, 북핵 문제 해결과 남·북 관계 발전 그리고 통일이라는 주권게임의 목적을 위해 미국의 도움이 필요하다고 판단했다. 노무현 대통령은 2003년 4월 2일 이라크 파병을 위한 국회 연설에서 "북핵 문제의 평화적인 해결을 위해서는 무엇보다 굳건한 한·미 공조가 중요한 것"이라는 대전제를 밝혔다. 좀 더 구체적으로 "명분론에 발목이 잡혀 한·미 관계를 갈등 관계로 몰아가는 것보다는 오랫동안의 우호관계와 동맹의 도리를 존중해서 어려울 때 미국을 도와주고 한·미 관계를 돈독히 하는 것이 북핵 문제를 평화적으로 해결하는 길이 될 것이라는 결론"을 내렸다고 언급하고 있다. "한반도에서 전쟁은 없을 것이며 우리와 합의가 없는 한 미국은 북핵문

표 5-1　대미 관계에서 한국 주권게임의 목적

	냉전기	탈냉전 후 미국 단극패권기	미국 패권조정 및 미·중 전략경쟁기
한국의 대미 주권게임의 목적 내용	동맹을 통한 대북 군사력 압도, 일본의 팽창적 보통국가화 억제, 대북 균형 우위를 위한 미국의 경제원조, 공산권의 대북 지원 견제	동맹을 기반으로 핵 확장 억지 확보 및 북한 비핵화 달성, 일본의 팽창적 보통국가화 억제, 중국의 대북 지원 견제	동맹을 기반으로 핵확산 억지 확보 및 북한 비핵화 달성, 일본의 팽창적 보통국가화 억제, 미국의 동아시아 정책을 둘러싼 일본과의 경쟁, 중국의 대북 지원 견제, 중국의 패권국가화 경계

제를 일방적으로 처리하지 않을 것이고 약속은 반드시 지켜질 것"이라고 연설해 미국의 국제정치게임과 한국 주권게임 간의 밀접한 상관관계를 표명하고 있다.

트럼프 정부 등장 이후, 얼핏 보기에 한국의 국제정치게임 목적과 미국의 국제정치게임 목적 간에 차이가 있는 듯 보일 수도 있다. 한국이 수행하는 주권게임에 대한 미국의 영향력이 여전히 결정적이기 때문에, 때로 한국은 국제정치게임의 이익을 양보하는 것이다. 한국이 추구하는 통일과 미래의 안정된 동북아 주권체제를 형성해 나가는 데 미국의 힘은 여전히 결정적이다.

3 | 한국의 주권게임과 한·미동맹

한·미 관계는 군사동맹이라는 공식 관계를 축으로 이어지고 있고, 동맹이 지속되면서 양국 간 관계는 비단 군사·안보뿐 아니라 다른 분야에서도 심화된 관계로 발전해 왔다. 동맹은 적에 대한 개념을 공유하고 적으로부터의 안보위협에 함께 대처하는 것을 목적으로 한다. 미국에게 북한은 한국전쟁의 상대국으로 여전히 전쟁 중인 적대국이다. 동맹국인 한국과 일본은 물론이고, 대륙간핵탄도미사일 개발을 통해 미국 본토에 대해 군사적 위협을 가하는 상대이기도 하다. 또한 북한은 자신이 보유한 핵·미사일 기술을 미국의 적성국인 이란 같은 나라에 수출하거나, 경제적 이익을 위해 테러집단에 판매할 수도 있다고 의심되는 대량살상무기 확산 국가로 규정되기도 한다. 미국은 북핵 문제를 해결해 자국 본토를 위협할 수 있는 핵무기를 완전히 제거하고 미국의 안보를 위협하는 세력의 핵무기 확산 위험을 봉쇄하는 것을 주요 목표로 한다.

그러나 불완전 주권국가인 한국이 한·미동맹을 유지하며 주권게임으로서 통일게임을 벌일 때, 기존의 일반적인 동맹관계들과는 다른 양태를 보일 수밖에 없다. 한국에게 북한은 안보위협이자 군사적 적이면서, 교류·협력의 상대이자 궁극적으로 통일의 상대편이라는 양면성이 있기 때문이다. 북핵 문제가 탈냉전 초기에 발생한 북한 주권게임의 일환이라고 볼 때, 한·미 양국이 이에 어떻게 대처하는지는 한국의 주권게임과 미국의 국제정치게임 간의 관계를 설정하는 핵심 요인이다. 이때 중요한 것은 북핵 문제 해결을 위해 북·미 간에 새로운 협력관계를 맺고 한반도 평화체제를 이룩하는 것이 미국 국제정치게임의 목적에 부합하는지 문제이다. 만약 북핵 문제 해결 과정에서 한국이 중국과 더 가까워지고, 북핵 문제 해결 이후 주한미군의 주둔 근거가 약화된다면, 당면한 북핵 문제는 해결해야 하지만 이후 평화체제 아래 한·미동맹이 어떻게 될지에 대한 고민이 깊어질 수밖에 없다.

미국은 공식적으로 한국민에 의한 한반도 통일을 지지한다고 명시하고 있다. 미 국무부는 "미국은 한국민이 수용할 수 있는 조건에 기초한 평화통일을 지지하며, 한반도의 미래는 한국인이 결정할 문제라는 것을 인정한다"라고 공식적으로 밝히고 있다. 남·북한 어느 쪽에 의한 통일로 명시하지 않고, 다만 한국민의 의사에 따른 통일이라는 것이 공식 견해이다. 미국이 한국 주도의 한반도 통일에 대한 명시적 지지를 밝힌 것은 2009년 한·미 정상에 의해 발표된 한·미동맹을 위한 공동 비전이다. 여기서 이명박 대통령과 오바마 대통령은 "우리의 동맹관계를 통해 우리는 한반도에 항구적 평화를 구축하고 자유민주주의와 시장경제 원칙에 입각한 평화적 통일에 이르도록 하면서 한반도의 모든 사람들을 위해 보다 나은 미래를 건설해 나가고자 한다"라고 명시하고 있다. 자유민주주의와 시장경제 원칙에 입각한 평화적 통일은 사실상 한국 주도의 통일이라고 해석된다는 점에서 미국이 한국 주도의 통일을 지지한 것이다.

한국 주도 통일을 지지하는 것이 미국의 국제정치적 이익에 부합하는지 가늠하는 것은 쉬운 문제가 아니다. 우선 한반도의 반쪽인 한국을 지키는 것이 미국에 어떤 국제정치적 이익이 되는지 자체가 중요한 문제이다. 1950년 1월 애치슨라인이 발표될 때만 해도 한국은 미국의 동아시아 방어지역에서 벗어나 있었다. 미국은 일본을 축으로 한 공산권 봉쇄에 집중했던 것이다. 한국전쟁이 발발하자 트루먼 대통령은 즉각적인 개입을 명령했는데, 이때 미국의 결정은 한국의 수호라는 관심보다 동아시아에서 공산권의 침략을 막는다는 지역적 관심이 훨씬 컸다고 볼 수 있다. 1949년 9월 소련이 핵무기 실험에 성공하면서 미국의 안보 우려는 증대했고, 중국이 1949년 10월 공산화되자 트루먼 행정부는 이에 대한 국내 정치적 비판에 직면했다. 1950년 2월 14일에는 중·소 간에 중소우호동맹상호원조조약이 체결되었다. 또한 김일성의 남침 배후에 소련이 있다고 판단되자, 그간 공산권의 무력 팽창으로 냉전이 확전되었다는 인식이 강화되었고, 한국전쟁

● "The United States supports the peaceful reunification of Korea on terms acceptable to the Korean people and recognizes that the future of the Korean Peninsula is primarily a matter for them to decide." https://www.state.gov/u-s-relations-with-north-korea/(검색일: 2019.8.4).

을 기화로 대만·인도차이나 등 아시아에 공산권의 무력 팽창이 확산될 것이라는 우려가 심화되었다. 결국 트루먼 대통령의 한국전쟁 개입은 자유독립국가의 수호라는 명분이 있었지만, 실상 동아시아에서 냉전 수행이라는 미국의 국제정치 구도 속에서 이루어진 것이다.

21세기 들어 미국은 북핵 문제 해결과 동시에 중국과의 전략경쟁, 동아시아에 대한 영향력 투사를 위해 한·미동맹을 공고히 하고 주한미군을 유지하는 것을 주된 목적으로 삼아왔다. 미국은 자신의 동아시아 전략을 유지하기 위해 한국과 긴밀히 협력해 한·미동맹을 강화해야 하는 것이다. 만약 북핵 문제가 해결되고 평화체제가 수립된 이후 남북교류·협력이 활발해지고 점진적·평화적 통일로 나아간다면, 미국은 한국이 추진하는 통일이라는 주권게임이 자국의 동아시아 국제정치게임에 어떤 영향을 줄지 근본적인 검토에 들어갈 것이다.

북핵 문제가 지속되는 한 한국은 미국의 핵확산 억제에 의존하는 선택을 지속할 확률이 높다. 스스로 핵무기를 개발하는 대안도 있지만 이는 지구적 핵 비확산 규범을 위반하고 한반도비핵화선언을 파기하는 것이며, 일본의 핵무기 개발을 부추김으로써 동북아에서 핵 경쟁을 가속화하는 부작용을 낳을 것이다. 만약 미국이 핵확산 억제를 제공할 의사가 있는데도 미국과 협의에 실패해 핵무기 개발을 시도할 경우 미국의 제재 역시 예상할 수 있다. 북핵 문제가 지속되면서 한·미동맹이 유지·강화된다면 한국이 추구하는 주권게임과 미국의 국제정치게임 간의 이익 공유분을 유지·조정하려는 노력이 지속될 것이다.

한국이 통일 주권게임에 성공해 한반도 통일을 이루었을 때 한·미동맹을 통한 미국의 전략적 이익이 증대될 것인지는 향후의 상황 변화에 따라 결정될 것이다. 사실 국제정치구조가 변화하면서 한국이 미국에 어떤 전략적 가치를 가지는지에 관한 견해는 계속 바뀌어왔다. 한국의 지리적 중요성이 강조되기도 했지만, 일본 중심의 동아시아 전략에서 한국의 중요성이 평가절하 되는 일도 종종 있었다. 한국 내 반미 경향이 두드러지면 동맹 유지의 효용과 비용의 방정식이 바뀌기도 했다. 동맹국의 부담 분담금 역시 미국의 한·미 동맹관을 좌우하는 하나의 요소이다. 또한 동맹국 한국이 경제성장과 민주주의 발전을 통해 미국의 위신과 정당성을 확인시켜 준 것도 패권국 미국에는 중요한 평판적 요소이다.

미국은 북한의 군사위협이 사라진 상황에서 많은 비용을 들이면서 주한미군을 계속 주둔시키고 한·미동맹을 유지해야 할 이유를 찾기 어려울 것이다. 더구나 한국 내에서 주한미군의 계속 주둔 반대나 한·미동맹 축소 목소리가 커질 경우 한·미동맹은 재조정의 시기를 맞을 것이다. 통일한국 혹은 북한 비핵화 이후 평화가 정착된 한반도가 한·미동맹이나 주한미군의 주둔 근거를 약화한다면 미국에서는 통일한국보다 현상 유지를 선호하는 목소리가 나올 수도 있다. 미·중 간의 전략경쟁이 가속화된다면, 미국과 긴밀한 전략적 관계를 맺은 한국의 존재와 주한미군이 활동할 수 있는 기지 확보가 자국 국제정치게임의 이익에 부합되기 때문이다.

그러나 통일 한반도가 출현하더라도 미국은 중국과의 전략경쟁 그리고 다양한 비전통적 안보 이슈를 포함한 지역 안보의 필요성 때문에 한·미동맹의 지속을 원할 가능성이 높다. 한국은 미국의 아시아 지역 동맹 중 가장 많은 군대를 보유하고 있고, 호주·일본과 함께 동아시아에서 강력하고 믿을 만한 동맹 파트너이며, 일본 다음으로 발달된 무기체계를 보유하고 있다. 베트남·중동 등에서 미국이 전쟁을 벌일 때 파병해 실제 전투 능력을 갖춘 군사력을 보여주었고, 미국이 지구적 차원에서 어려움을 겪을 때 영국·프랑스·캐나다·호주 등 주요 동맹국에 맞먹는 지원군을 파병한 바 있다. 나토 동맹국들의 군사비 지출 목표가 GDP 대비 2%에 머무는 데 비해, 한국은 2.5% 이상을 지출하는 국방력을 유지하고 있다. 중동에서 이란과 경쟁 구도를 만든 트럼프 정부는 호르무즈해협 호위를 위해 한국의 도움을 요청하기도 했다.

한국은 지리적으로도 중국과 가까운 전략적 요충지에 위치하고 있어 향후 미·중 간의 군사 경쟁에서 핵심적인 위치에 있다(O'Hanlon, 2018; Haselden, 2002; Haselden, 2003). 2019년 8월 미국이 중거리핵전력조약(Intermediate-Range Nuclear Forces Treaty)에서 탈퇴함으로써 아시아에 중거리 핵미사일을 배치하고자 하고 있으며, 한국은 미국이 어디에 미사일을 배치하는가에 따라 향후 주권게임과 국제정치게임에 영향을 받을 것이다.

4 | 한·미동맹의 유지 관리

한국의 주권게임과 미국의 국제정치게임 속에서 한·미동맹은 역동성을 띠어왔다. 한국이 열망하는 주권게임 그리고 그 도상에 있는 북핵 문제를 두고 한·미 간에 의견이 항상 같은 것은 아니었다. 한국이 주권게임에서 북핵정책과 대북정책을 어떻게 설정하는가, 미국은 국제정치게임에서 이를 어떻게 인식하는가에 따라 동맹게임과 대북게임의 양태가 변화해 왔다(Ford, Hosford and Zubrow, 2009).

대북 관여 전략에서 한국과 미국의 입장이 일치한 경우는 상대적으로 드물었는데, 김대중 정부 초기이자 클린턴 정부 말기였던 1998~2000년까지의 기간이 그러했다고 할 수 있다. 이때 한국의 주권게임은 큰 성과를 보였고, 동맹게임은 대북정책에서 공통된 전략을 바탕으로 한·미 간에 상호 이익을 제고하는 방향으로 나아갔다(전재성, 2017a). 한국이 대북 관여 전략을 추구하고, 미국이 대북 압박 전략을 추구한 대표적 시기는 김대중·노무현 대통령과 부시 대통령 시기이다. 남북교류가 부분적으로 진행되어 한국 주

표 5-2 **한·미 대북전략 선택지에 따른 한국의 동맹게임과 대북게임**

전략적 선택	예상 가능한 결과들	
	동맹게임	대북게임
한국: 대북 관여 미국: 대북 관여	장점	장점
	합의된 대북정책 추진 가능 한국의 통일게임에 대한 미국의 지원 확보 점진적 군비축소 가능 한·미·중 협력 증대	협력적 통일게임 추구 대북 교류·협력 강화 북·미 관계 발전 평화체제 수립 가능성 증가
	단점	단점
	북한의 경계심 증가 북한의 대중 접근 한·미동맹의 군사태세 약화 동맹 분담을 둘러싼 한·미 갈등 강화	북한의 자기주장 강화 가능성 한국의 대북 단호함에 대한 평가 약화
한국: 대북 관여 미국: 대북 압박	장점	장점
	한국의 통일게임 진전 한국의 정책 자율성 강화 기회 증대 한·중, 남·북·중 협력 증가	협력적 통일게임 추구 대북 교류·협력 강화 한국의 독자성에 대한 북한의 평가
	단점	단점
	미국으로부터 방기 위험 증가 동맹 수호에 대한 평판 약화 북한의 민족 공조 공세 강화 한·미동맹에 대한 한국 내 비판 증가	한국의 대북 단호함에 대한 평가 약화 북·미 관계 악화에 따른 한국의 선택지 감소
한국: 대북 압박 미국: 대북 압박	장점	장점
	대북 군사 억제력 강화 한국에 대한 미국의 안보 공약 강화 미국으로부터 방기 위험 감소 동맹 수호에 대한 평판 강화	북한을 확실하게 억지·방어 북한에 대한 단호한 평판 증가
	단점	단점
	협력적 통일게임 감소 미국의 안보정책에 대한 연루 위험 증가 미국에 대한 협상력 약화 대북정책 관련 외교 대안 감소 북·중동맹 강화	북한에 대한 자극 증가 남·북 관계의 긴장 심화 남·북 간 안보딜레마의 심화
한국: 대북 압박 미국: 대북 관여	장점	장점
	대북 군사 억제 태세 유지	북한을 확실하게 억지·방어 북한에 대한 단호한 평판 증가
	단점	단점
	미국으로부터 방기 위험 증가 북·미 관계 강화와 한국 소외 한·미동맹 약화	북한에 대한 자극 증가 남·북 관계의 긴장 심화 남·북 간 안보딜레마의 심화

권게임의 성과는 있었지만, 한·미동맹은 다양한 갈등을 연출하고 북한은 핵·미사일 능력을 강화하는 모습을 보였다.

한국과 미국 모두 대북 압박 기조를 유지한 경우는 이명박·박근혜 대통령과 오바마 대통령 시기였다. 한국은 북한에 대해 엄격한 원칙과 신뢰를 요구했고, 북한의 선비핵화 조치를 전제로 남북교류를 추진한다는 기조를 유지했다. 또한 한국은 통일이라는 목표를 강조했으며, 주권게임은 남·북 협력보다 북한의 변화를 촉구하는 방향으로 진행되었다. 한·미 간에 대북 전략을 둘러싼 원칙적 합의가 유지되어 동맹게임이 순조롭게 유지된 반면, 북한과의 관계는 긴장 일로에 있었다. 한국이 대북 압박 기조를 유지할 때 미국이 대북 관여 정책을 취한 경우는 없다고 봐야 한다. 미국은 한국의 대북 관여로 주권게임이 진행되면 항상 자국 국제정치게임의 이익을 우려하는 모습을 보였고, 한국에 비해 미온적인 대북 관여의 모습을 보여왔다. 한·미 간에 가능한 대북 전략 조합과 이에 따른 동맹게임 및 대북게임의 자세한 내용은 〈표 5-2〉와 같다.●

5 | 미국 패권조정기 및 미·중 전략적 갈등기의 한국 주권게임과 미국 국제정치게임

1) 한·미동맹의 새로운 변화

동맹은 국제정치구조의 영향을 압도적으로 받는다. 세력배분구조와 강

● 북한을 두고 벌이는 한·미 간의 동맹게임은 스나이더의 복합동맹딜레마 모델을 변형해 적용해 볼 수 있다. Snyder(1997), 전재성(2016) 참조.

대국들의 전략 의도가 국제정치구조와 연결되어 있기 때문이다. 트럼프 정부가 등장하면서 미국은 본격적인 패권조정기에 들어갔다. 미국은 여전히 패권 능력을 갖추고 있지만, 그 능력을 행사하는 전략을 변화시켰다. 미국이 패권 의지를 여전히 가지고 있는지에 대해 근본적 회의도 생기고 있다.

미국의 패권조정은 안보전략의 변화로 이어진다. 미국은 그간 패권국으로서 시혜적으로 제공해 왔던 안보·경제 공공재에 대해 이제 대가를 요구하고 있다. 국제적 공공재의 유료화라고 할 수 있다. 여기에서 더 나아가 미국이 공공재 제공자의 역할 자체를 포기하고, 다른 강대국과 마찬가지로 자국 이익 중심의 대외정책을 펼 가능성도 있다. 이 경우 동북아에서도 미국의 패권 역할이 현저히 줄어들고, 동북아 국가들 간에 벌어지는 주권게임과 국제정치게임의 결합 양상을 목도하게 될 것이다.

트럼프 정부의 안보 대전략을 둘러싸고 많은 논의가 진행되었는데, 신고립주의, 비자유패권(illiberal hegemony), 역외균형(off-shore balancing) 등의 논의가 전개되었다(Posen, 2018; Mearsheimer and Walt, 2016). 트럼프 정부는 미국의 국가이익에 도움이 되지 않는 사안에 대한 개입을 최대한 자제하고 기존의 규범을 자국 이익에 맞춰 새롭게 규정·수정하며, 평시의 대규모 군사 해외 주둔을 재고하는 전략을 폈다. 해외 주둔 미군의 급격한 감축이 있지는 않았지만 동맹국들로 하여금 각 지역의 안보위협에 대처하도록 하고, 미국의 사활적 이익이 걸려 있지 않은 사안에 대해서는 직접 개입을 최소화하는 전략을 추구했다.

미국의 자국중심주의 대전략은 한·미동맹에도 큰 영향을 주고 있다. 1945년 이후 현재까지 한국은 미국이 패권국의 능력과 의도를 가지고 있다는 전제를 당연시하면서 한·미 관계를 유지해 왔다. 냉전기 자유 진영이 공산권과 대립할 때 미국은 강력한 안보·경제 공공재 제공자 역할을 자임했고, 자국의 시장개방, 의도적 무역적자 정책, 동맹국 안보·경제 지원 등 시혜적 패권의 역할을 했다. 냉전 종식 이후 미국의 단극체제하에서 미국은 기존의 동맹을 유지하면서 미국 주도의 경제적 세계화를 추진했고, 다자주의 제도를 활성화하는 등 이전의 공산권과 비서구 지역에 대한 미국의 영향력을 증가시켰다. 이 과정에서 한국은 미국의 패권적 전략 이익에 반하지 않는 한 주권게임의 목적을 추구할 수 있었고, 미국 역시 한국의 주권게임을 지원했다.

트럼프 정부 등장 이후 미국은 국제정치게임의 목적을 극대화하는 외교 전략을 추진하는 한편, 한국이 추구하고자 하는 주권게임이 미국에 큰 이익을 주지 않는 한 한국으로부터 대가를 요구하는 계산적 패권의 모습을 보여주고 있다. 미국은 동맹 유지 비용을 한국이 최대한 분담하기를 원하고, 한반도 이외의 지역에서 미국의 안보 이익을 한국이 지원하기를 요구하며, 북핵·북한 문제에서도 양국의 이익이 미묘한 편차를 보일 때 자국의 이익을 중시하는 모습을 보인 바 있다. 기존에는 한국의 주권게임이 순조롭게 진행되면 미국의 장기적 이익도 함께 증진된다는 전제가 확고했지만, 패권조정기에 접어들면서 한국의 주권게임은 각 사안별로 미국 국제정치게임과 세부적으로 조율되어야 하는 국면에 진입했다.

한국의 국력이 신장되고 미국의 패권 기반이 약화되면서 생겨난 이러한 한·미 관계는 역사적으로 유례없는 것으로, 향후 한국은 자국의 주권게임에서 한·미 관계를 새롭게 조율해야 하는 과제를 안게 되었다. 이제 한국은 미국의 선의에 기대지 않고 치밀한 계산을 통해 유료화되어 가는 미국의 안보 재화를 구입해야 하는 상황이 된 것이다. 더 나아가 미국이 패권국의 역할을 하지 않을 경우 한국은 미국 없는 동북아에서 미국의 지원 없이 외교를 해나가는 초유의 사태를 맞이할 수도 있다. 패권적 안정자가 없는 동북아는 힘의 논리가 지배하는 본격적인 국제정치게임이 장이 될 것이다. 그런데 아직까지 동북아 국가들은 주권국가 수립 이래 서구 제국주의 세력이나 미·소 냉전 종주국, 단극체제 패권국인 미국과 같은 역외 세력 없이 역내 세력끼리 안정된 국제정치를 수행해 본 경험이 없다. 이 지역에서 상대적 약소국인 한국이 앞으로 어떤 외교를 해나가야 하는가라는 역사적인 과제 앞에 놓여 있는 것이다.

구체적인 사안을 보자면, 트럼프 정부는 우선 미국의 경제력 회복을 위한 한 방편으로 동맹국들의 부담분 증가를 요구해 왔다. 특히 한국은 이른바 '부자동맹'으로서 한·미동맹에 소요되는 비용을 증액해야 한다는 요구가 점차 강해졌다. 한국의 방위비분담금은 한국에서 고용한 근로자 인건비, 군사 건설 및 연합방위증강사업, 군수지원비 등으로 사용된다. 한국 국회는 2019년 4월 제10차 한·미 방위비분담금 특별조치협정(SMA: Special Measures Agreement) 비준동의안을 통과시켜 이전보다 8.2%가 인상된 1조 389억 원의 방위비분담금 총액을 결정했다. 또한 11차 협상부터 기존의 5년 단위 협상을 1년 단위 협상으로 수정했다. 미국은 2019년 다양한 경로를 통해 분담금의 추가 증액을 요구하는 한편, 분담금의 내용도 수정할 것을 요구하고 있다. 분담금을 50억 달러 수준으로 증액하고, 분담금의 내용 역시 전략자산 전개 비용까지 포함시킬 것을 요구하는 트럼프 대통령의 간헐적 언급도 보도되었다. 이는 비단 한국에만 한정된 것이 아니고 나토 동맹국이나 일본에 대해서도 방위비 분담 압박을 지속해 왔다.

분담금 문제가 동맹 유지의 부차적 이슈라면, 미국의 안보전략 변화에 따라 한·미 간 위협 인식 수준이 동일하게 유지될 수 있는지가 더욱 중요한 문제이다. 북핵 문제 해결 과정에서 한·미동맹의 최대 기능인 북한의 안보위협 대응 사안을 두고, 한국과 미국이 각각 안보위협을 다르게 정의하는 모습을 표출한 것은 주목할 만한 일이다. 미국은 북한의 안보위협 사안으로 미국 본토에 대한 대륙간핵탄도미사일 및 잠수함발사핵탄도미사일 개발을 우선 상정하고, 여타 핵·미사일 기술의 확산도 경계하고 있다. 기존의 미 행정부들은 동맹국의 안보위협도 중요한 안보전략의 한 부분으로 인정해 왔지만, 트럼프 정부 들어 과거와는 다른 기조를 보이고 있다. 예를 들어 2019년 2월 북·미 간 하노이 정상회담 결렬 이후, 5월부터 북한은 단거리탄도미사일과 신형 장사정포를 수차례에 걸쳐 시험 발사한 바 있다. 이는 한국의 F-35A와 같은 신무기 도입, 한미공동군사훈련 전개 등 군사력 증강에 대한 반발의 의미도 있고, 북핵 실무협상을 둘러싼 협상력 제고의 의미도 있다고 보인다. 그러나 무엇보다 한국의 대북 킬체인(Kill Chain) 능력을 약화시켜 대남 군사우위를 차지하려는 군사력 증강의 의미가 크다고 할 수 있다. 한국의 미사일방어체제에 무력화되지 않으면서 이동식발사차량(TEL)에서 발사가 가능한 고체연료 미사일을 개발하는 것은, 북한의 공격을 선제적으로 무력화한다는 한국의 대응 전략을 크게 약화하는 것이다. 단거리탄도미사일은 또한 한국에 대한 핵 공격을 효율화하는 방안이기도 하다.

그러나 트럼프 정부는 탄도미사일 시험발사가 UN의 대북 제재결의안 위반임에도, 단거리탄도미사일이 미국의 안보를 위협하지 않으며 북미정상회담에서 논의된 약속 사항을 위반한 것이 아니라는 반응을 내놓은 바 있다. 이는 안보위협을 야기하는 북한의 군사력 증강과 전략을 놓고 한·미 간 분리(decoupling) 현상의 조짐이 일어나고 있다는 것을 보여준다. 북한 역시 이러한 국면을 최대한 활용하려 시도한 바 있다. 예를 들어 2019년 8월 11일 북한 외무성 권정근 미국담당국장은 담화를 통해 북한의 단거리탄도미사일 실험에 대해 언급하면서 "미국 대통령까지 우리의 상용무기개발시험을 어느 나라나 다 하는 아주 작은 미싸일시험이라고 하면서 사실상 주권국가로서의 우리의 자위권을 인정했는데 도대체 남조선당국이 뭐길래 우리의 자위적 무력건설사업에 대해 군사적 긴장격화니, 중단촉구니 뭐니 하며 횡설수설하고 있는가"라고 논했다.

한·미 간의 전반적인 전략적 이익 차이도 있고, 트럼프 대통령이 북핵 문제를 개인의 정치적 이익을 극대화하는 전략의 도구로 사용해 생기는 문제가 존재한다. 즉 패권조정기의 미국 리스크와 트럼프 리스크의 구별이다. 미국 리스크가 한국에 새롭게 다가오는 과정에서, 트럼프 리스크는 미국 리스크를 더욱 감당하기 어렵게 왜곡한다. 미국이 동맹국에 대한 안보공약을 약화하는 동시에 미 본토 안보와 같이 좁게 정의된 자국만의 안보이익을 추구함으로써 한·미 간 안보전략의 분리 가능성이 존재한다는 점을 주목해야 한다.

2) 북핵 문제를 둘러싼 한·미 관계

미국은 한국이 추진하는 주권게임에서 여전히 핵심적 영향력을 발휘하고 있다. 한국전쟁의 종전, 한·미동맹과 대북 방어, 억지력의 제공, 북·미 수교 등 주권게임의 각 고비마다 오랜 역사에서 비롯된 형성적 역할을 그대로 맡고 있기 때문이다. 따라서 대북 전략 전반에서 한·미 간의 전략적 이익 조율이 매우 중요하다.

문재인 대통령과 트럼프 대통령을 주축으로 하는 한·미 관계는 기본적으로 대북 관여 전략이 중첩되는 시기이다. 한국은 적극적인 대북 관여를 통해 북핵 문제 해결과 한반도 평화 정착 그리고 점진적이고 평화적인 통일이라는 주권게임의 목적을 달성하고자 한다. 미국은 북한의 완전한 비핵화를 통해 미 본토 안보위협을 해소하고 핵확산을 막으며 북·미 관계 수립을 통해 북한에 대한 영향력을 확보하고자 한다. 이 과정에서 한·미 관계를 우호적으로 유지하면서 한국의 대북 관여 전략이 미국이 추구하는 완전한 북한 비핵화의 기조에서 벗어나지 않도록 하는 목적을 추구한다. 흥미로운 점은 대북 관여 전략의 구사라는 점에서는 일치하면서도, 한·미동맹에 대한 미국의 견해가 이전과는 매우 다르다는 점이다. 미국은 북한 비핵화를 추구하는 과정에서 전통적으로 한·미동맹을 강화하고 장기적으로 한·미 간의 전략적 견해를 일치시키려는 노력을 기울여왔지만, 패권조정기에 들어선 현 트럼프 정부는 북한 비핵화는 추구하되 한·미동맹과 관련해서는 우선 자국의 국제정치게임 이익을 극대화하려는 새로운 모습을 보이고 있다.

문재인 정부는 2017년 말까지 계속되었던 남·북 간 군사 긴장 관계를 해소하려 노력을 기울였고, 2018년 초 북한의 평창올림픽 참가 이후 적극적인 대북 관여정책을 추진했다. 4·27판문점선언을 비롯해, 9·19평양공동선언, 남·북 간 포괄적 군사합의서도 채택했다. 2019년 3·1절 기념사에서 문재인 대통령은 이른바 신한반도체제 구상을 발표해 향후의 대북정책과 외교정책의 틀을 제시하기도 했다.

문재인 정부의 대북정책은 기존의 냉전체제를 종식시켜 지속 가능한 평화를 만들고, 남·북 간의 적극적인 교류·협력을 통해 공동 번영과 발전을 이룩한다는 구상을 바탕으로 하고 있다. 이를 위해 북한 비핵화에 대한 포괄적 합의와 단계적 실행을 추진하고 북한 비핵화에 따른 경제제재 철회, 평화 프로세스의 각 단계별 조치 시행 등을 제시한 바 있다. 북한의 비핵화가 실행되는 것을 전제로 종전선언, 북·미 간 연락사무소 개설, 대북 경제제재 해제, 북·미 수교, 한반도 평화체제 수립 등 로드맵이 제시된 바 있다. 문재인 정부는 통일을 당면 과제로 설정하고 있지는 않지만, 남북교류·협력이 심화되면 단계적·평화적 통일이 이루어질 것으로 상정하고 있다. 남·북교류·협력과 평화를 이룩하는 과정에서도 한·미동맹의 대북 군사 억제가 중요하게 여겨지며, 북한의 핵은 물론이고 통상적으로 전력에 대한 억제를 지속하고 필요한 수준의 연합군사훈련을 실시하는 것이 중시된다.

한편, 트럼프 정부는 이른바 최대 압박과 관여 전략을 추진해 북한의 핵무기 능력 증강과 미 본토 위협에 대해 강경하게 대처했다. 2017년 말 이른바 코피작전이라고 불리는 대북 무력행사도 고려했다고 알려진 가운데 북·

미 간 군사 대치 상태가 첨예화된 것이다. 그러나 2018년 들어 미국의 대북 정책도 크게 변화했다. 한국의 중간자 역할에 힘입어 트럼프 대통령은 북한의 비핵화가 이루어진다면 경제제재 해제, 대북 관계 개선, 평화체제 수립 등의 의사가 있음을 밝히고 북미정상회담을 추진해 같은 해 6월 12일 싱가포르에서 최초로 북미정상회담이 개최되었다. 북한의 완전한 비핵화를 전제로 한 것이기는 하지만 대체로 대북 관여 전략의 큰 기조를 설정했고, 이 지점에서 문재인 정부와 대북 전략상의 일치점이 생겼다. 미국이 추구하는 전략적 목적은 변하지 않았지만, 한국의 주권게임과 미국의 국제정치게임이 큰 틀에서 대북 관여로 수렴되면서 한·미 간 동맹게임도 다양한 변화를 겪고 있다. 북핵 문제와 북한의 정상화 과제를 넘어 장기적으로 한국이 추진하는 통일이라는 주권게임에 미국이 어떻게 임할지, 앞으로 놓인 과제가 여전히 많다.

6 | 미국을 둘러싼 한·일 간 경쟁적 주권게임

한국과 일본의 역사적 궤적이 다르고 주권게임의 성격도 다르지만, 양국의 주권게임에 미치는 미국의 영향력이 절대적이라는 점은 유사하다. 더욱 흥미로운 것은 한·일의 주권게임에 상충되는 부분이 있으므로 한·일 양국의 대미 관계는 한·미·일 삼각안보 협력처럼 협력적인 부분도 있지만, 경쟁적인 부분도 있다는 것이다. 미국이 한·미동맹과 미·일동맹 중 무엇을 더 중시하는가 하는 문제를 놓고 한·일 양국이 경쟁을 벌이는 양상이 종종 연출되는데, 이는 국제정치게임보다는 주권게임의 양상으로 보는 것이 더 적절하다. 한·일 간 주권게임이 제로섬게임의 성격을 상당 부분 가지므로 미국의 동맹 정책이 경쟁적인 재화가 되는 것이다.

일본의 현 국가 체계 수립에 미친 미국의 형성적·구성적 영향은 한국과 상통하는 바가 있다. 태평양전쟁 패전 후 일본이 자유민주주의를 축으로 한 주권국가로 재탄생하는 과정에서 미국의 역할은 막대했다. 미국은 일본의 비군사화·민주화를 추진했고, 7년 동안 외부적 압박을 가했다. 이 기간 중 일본은 어떤 중대 사안도 스스로 결정할 수 없었는데, 이는 전후 독일이 같은 서구 국가 4개국에 의해 분할 점령되었던 것과도 매우 다른 사실이다. 일본은 스스로의 계획에 따라 근대화를 이루고 제국으로 발돋움했지만, 제국들 간의 전쟁에서 패배함으로써 승자의 전략 아래 7년간의 '미국 간섭기(American interlude)'를 경험했다(Dower, 1999: 23).

일본의 헌법 제정, 천황제의 존속, 정부 형태, 전후 처리, 경제발전의 정책 방향, 사회와 이념의 기초, 대외 관계 등 일본의 주권적 요소들을 재설정하는 데 미국은 깊이 관여했다. 외국주권(foreign sovereignty)이라고 불릴 만한 형성적 영향력이었다(Williams, 2006: 47). 일본에 대한 미국의 역할은 단순한 패권국가의 역할을 넘어 주권의 기본요소를 형성하는 것이었다. 그리고 미국이 일본의 제헌 과정에 깊이 개입하면서 초래된 일본의 헌법적 제약은 미국에 엄청난 정책 수단을 제공했다.

미국은 일본이 이른바 샌프란시스코체제 아래 패전국의 지위를 벗어나고, 미일안보조약을 체결한 이후 독립성을 강화하는 주권게임을 벌이는 동안에도 압도적인 영향력을 발휘했다. 일본은 미국의 군사력에 기대어 소극적 안전보장 정책, 즉 요시다 노선을 추구하며 경제발전에 주력할 수 있었다. 이 과정에서 일본은 평화헌법을 수호하고 미·일동맹을 공고히 하는 전략을 택했다. 일본의 보통국가화 문제에서는 일본이 일으킨 태평양전쟁의 정당성 또는 제국주의의 불법성 문제 처리가 매우 중요한 요소인데, 미국이 이를 어떻게 해석하는지가 비단 미·일 관계뿐 아니라 국제사회에서도 중요한 영향력을 발휘했다. 냉전기 주권게임의 공간은 넓지 않았지만, 미·

일동맹을 계속 강화함으로써 보통국가화를 비롯한 자국의 외교·안보 정책에 대해 미국의 깊은 신뢰를 확보할 수 있었다.

미국은 이른바 이중 봉쇄 정책 혹은 병마개 정책으로 일본의 재군사화를 관리하는 동시에 동북아에서 냉전을 수행했는데, 탈냉전 이후 미국의 세계전략이 변화하고 주권게임 공간이 확대되면서 일본 보통국가화의 여지가 조정되었다. 탈냉전 시대가 전개되면서 일본은 보통국가화를 위한 조심스러운 움직임을 시작했고, 이 과정에서 점진적이고 착실한 정책을 폈다. 미국은 점차 미국의 세계 운영을 위해 일본의 힘이 필요해졌고 이것이 보통국가화의 공간을 넓혀주는 역할을 했다. 일본은 1995년 11월, 1976년에 구방위계획대강이 만들어진 지 약 20년 만에 이를 개정해 신방위계획대강을 발표했고, 탈냉전기에 걸맞은 일본 자위대의 방위력 제고와 구조 개편을 추구했다. 또한 1995년 9월부터 1997년 9월까지 2년 동안 미·일동맹의 신가이드라인을 만들어, 1978년 이후 역시 20년 만에 동맹의 기능을 개편했다. 그리고 주변사태법을 제정해 미군에 대한 물품·용역 제공 등 후방지원 역할을 강화하고, 일본의 군사적 비중을 늘려가는 기회로 삼았다.

미국이 일본 주권게임의 궁극적 목적인 보통국가화의 열쇠를 쥐고 있는 상황에서, 일본은 9·11테러 이후 미국의 새로운 세계전략을 적극 지지해 미국과 신뢰 관계를 강화해 갔다. 미국이 수행하는 지구적 반테러전쟁을 경제적으로 적극 지지해 국제협조주의의 기반을 다졌으며, 일본 외교·안보정책의 도덕적 정당성을 확보하고자 했다. 2016년 5월 27일 히로시마에서 오바마 대통령이 원자폭탄 희생자에 대해 애도를 표한 것은 패전국 일본의 처지에 공감한다는 메시지를 전파한 것이다.

트럼프 정부 등장 이후에도 긴밀한 미·일 관계를 유지하기 위해 많은 노력을 기울여왔다. 아베 정부는 트럼프 대통령의 미국 경제 살리기에 많은 힘을 보탰고, 미·일 경제 관계도 강화하고 있다. 그럼에도 미국은 환태

표 5-3 미국과의 관계에서 일본 주권게임의 목적

	냉전기	탈냉전 미국 단극기	미국 패권조정 및 미·중 전략경쟁기
일본의 대미 주권게임의 목적 내용	미·일동맹을 통한 경제력 발전, 평화국가 이미지 고수, 대미 관계에서 한국 식민지지배 합법성 고수	보통국가화를 위한 미·일동맹 강화, 미국 협조 아래 군사력 강화	보통국가화를 위한 미·일 공감대 확산, 미국의 인도·태평양 전략에 적극 협조 및 군사력 강화, 세계 차원에서 일본의 과거사 정당성 확보, 중국의 패권국가화 견제, 한국의 통일 및 강대국화 경계

평양경제동반자협정(TPP: Trans-Pacific Strategic Economic Partnership)에서 탈퇴해 일본을 실망시켰는가 하면, 자동차 관세 부과 등 일본에 대한 경제 압박도 지속하고 있다.

이와 별개로 중국의 부상 역시 일본의 보통국가화에 매우 소중한 기회를 제공하고 있다. 미국은 중국을 견제하기 위해 일본이 더욱 필요해졌고, 미·일동맹은 강화 일로로 나아가고 있다. 미국은 일본의 군사적 재무장을 적극 찬성하고 이를 독려하는 입장에 서 있다. 일본 또한 미국의 인도·태평양 구상에 적극 참여해 스스로의 입지를 넓혀나가고 있다. 인도, 호주와 4개국 전략협력체(Quad)를 강화하는 한편, 아시아 개도국에 대한 인프라 지원도 강화하는 등 미국과의 협력 아래 주변국 외교도 강화해 일본의 입지를 다지고 있다.

이와 같은 일본의 주권게임 전개 과정은 한국에도 중요한 고려 요인일 수밖에 없다. 한국과 일본은 냉전기 공산권의 위협에 공동 대처했고, 탈냉전기에도 1999년 4월 한·미·일 3자 조정감독그룹(TCOG: Trilateral Coordination and Oversight Group)을 결성해 북한의 군사 위협에 공동 대처하는 노력을 기울였으며, 중국의 부상이 가져올지 모르는 불확실성에 대처하는 과정에서 공통의 이익을 형성하고 있었다. 이것이 한·미·일 삼각안보 협력이 이루어질 수 있는 배경이다. 북한이 벌이는 주권게임이 한·일 양국에 안보위협을 초래하며, 중국의 부상이 한·일의 주권게임이나 국제정치게임 모두에서 위협이 될 수 있다.

문제는 한·일이 벌이는 주권게임의 목적이 상충되는 부분이 있고, 미국이 어떻게 행동하는지에 따라 주권게임의 균형이 크게 변화할 수 있다는 점이다. 한국의 목적은 통일을 추구하고, 그 방법은 북한을 압도하거나 아니면 교류협력을 통해 점진적으로 통일을 이루는 것이다. 일본은 한국 주도의 통일과, 교류협력이 북한을 강화하는 것을 경계한다. 특히 미국이 탈패권 하는 모습을 보이는 가운데 동북아의 주권게임과 국제정치게임이 군사력에 의존하는 세력균형 요소를 강화할 때, 여전히 군사적 비보통국가로 남아 있는 일본의 불안감은 커질 수밖에 없다. 일본은 남·북 간 비핵화 협상이 진전되고 평화체제를 향한 움직임이 빨라질 경우, 결국 인구 8000만의 강력한 군사력을 가진 통일한국의 출현을 초조하게 바라볼 수밖에 없고, 이 과정에서 개헌과 군사 강대국화로의 발걸음을 재촉하게 될 것이다.

북핵 문제 해결 과정에서 대북 경제제재 해제 시기와 방법을 둘러싸고 한·일이 의견을 달리하는 것도 양국의 주권게임 속도를 둘러싼 갈등 때문이다. 강제징용 사태 이후 불거진 일본의 수출규제 조치 문제 역시 단기적으로는 역사와 경제 문제로 볼 수 있지만 장기적으로는 한국의 정책에 얽매이지 않고 독자적인 외교·안보 노선을 구상해 나가겠다는 일본 우익의 전략적 의도가 깔려 있는 것이다. 이 경우, 미국의 정책은 매우 중요하다. 미국이 어떤 북핵정책과 대북정책을 추구하는가, 그리고 한·미·일 협력을 어떻게 유지하는가에 따라 한·일의 주권게임 균형이 변할 수 있다. 미국이 점차 후퇴하면서 한·중·일 3국이 서로에 대한 우위를 확보하기 위해 제로섬의 주권게임을 격화시킬 것인가, 아니면 미국이 안정자 역할을 지속하는 가운데 한국의 남·북의 평화·협력과 한반도 통일, 일본의 보통국가화, 중국의 책임 있는 강대국 역할 강화 등이 이루어져 동북아가 평화의 미래로 나아갈 것인가가 걸린 중요한 갈림길에 서 있는 것이다.

한·일이 역사문제나 영토문제로 직접 부딪칠 경우 미국의 역할은 더욱 중요하다. 영토문제에 대해 미국은 중립적 태도를 지키는 것이 원칙이다. 제로섬게임의 성격을 띠는 영토문제에 개입해 어느 한쪽과의 관계를 해치지 않기를 바라기 때문이다. 역사문제는 좀 더 어려운 문제로, 미국은 한·일 양국 어느 한쪽의 편을 들기보다 중립을 지키는 경향을 보인다. 그러나 역사문제가 보편 규범의 가치문제로 인식될 때 보편 규범을 따르는 정책을 취하기도 했다. 일제하 위안부 문제에 대해 미국은 여성의 인권, 전시 보편 인권이라는 관점에서 일본의 과거를 정면으로 비판하기도 했다.

한·일 양국은 다른 일반적 동맹들처럼 국제정치게임의 이익만을 따라 대미 동맹을 유지·강화해 온 것이 아니다. 더 근본적인 주권게임의 향배를 놓고, 미국에 대한 공약을 지키고 유지한다는 점에서 완전 주권국가들 간의 동맹과는 차이가 있다. 이러한 상황에서 한·일 양국이 미국의 외교적·정치적 지원을 놓고 경쟁한다는 자체가 미국에는 큰 정책 수단이 된다. 그리고 미국은 한·일 양국의 주권게임이 양측 모두에게 결정적으로 중요하다는 사실을 알고 신중하게 대처하면서, 자국의 이익을 극대화하는 국제정치게임을 이끌어갈 것이다.

CHAPTER

6

중국의 주권게임과 미·중 전략경쟁

1 | 중국 주권게임의 목적

중국이 수행하는 주권게임의 가장 기본적인 목적은 통일이다. 중국은 그간 대만을 자국의 일부로 주장해 왔고, 국제사회도 대부분 하나의 중국 원칙을 승인하고 있다. 중국 헌법 서문에 "대만은 중화인민공화국의 신성한 영토의 일부분"이며, "조국통일이라는 대업을 완성하는 것은 대만 동포를 포함한 전체 중국 인민의 신성한 책무"라고 규정하고 있다. 최근인 2019년 7월에 발간된 중국『국방백서』에서도 이를 명확히 하고 있다. 즉, "대만 문제를 해결하고 국가의 완전한 통일을 달성하는 것은 중국 국가의 근본적인 이익이며 국가의 부흥을 실현하는 데 필수적"이라고 정의하고, "중국은 평화통일 원칙과 일국양제 원칙에 기초해 평화적으로 양안 관계를 발전시키며 평화통일을 성취"한다는 것이다. 또한 "중국을 분열시키려는 외국의 모든 간섭에 단호하게 반대"한다고 주장하고 있다. "중국은 확고한 결의와 국가주권과 영토보전을 보호할 수 있는 능력이 있으며, 언제든지 어떤 방법으로든 어떤 조직이나 정당과도 영토 분할을 허용하지 않을 것"이라고 규정하고 있다.

그러나 대만은 엄연한 국제정치적 실체로서 미국과 긴밀한 협력관계를 통해 중국에 대한 견제 세력으로 존재하고 있다. 대만의 민진당은 독립선언을 전략적 대안으로 고려해 왔고, 이는 중국의 위신과 평판에 해를 가하는 중대한 존재론적 안보위협이다. 미국이 대만을 군사적·외교적으로 지원해 중국을 물리적으로 위협하고 있는 것도 중요한 안보위협이다. 중국이 대만의 국제법적 주권을 부정하는 데는 거의 성공했지만, 경험적 주권을 부정하는 데까지는 아직 이르지 못했으므로, 중국은 국제사회가 추구할지도 모르는 두 개의 중국 정책, 혹은 현재 하나의 중국 정책하에서도 엄존하는 실질적인 위협을 극복하기 위해 주권게임을 수행해야 한다.

주권게임에서 일국이 주관적으로 보존하고자 하는 자국의 정체성을 회복하는 존재론적 안보 노력을 포함한다고 할 때, 중국 주권게임의 목적은 매우 복잡해진다. 중국이 단순히 통일만을 추구하더라도 중국의 국력이 워낙 강하기 때문에 현상이 크게 변화될 것은 확실하다. 통일로 국제사회의 세력배분 구조가 명백히 변화하더라도 중국이 현상 유지를 추구해 기존 정책을 이어갈 수도 있다. 세력배분 구조는 바뀌어도 기존 국제질서의 규범을 준수한다는 측면에서 현상 유지 정책이 계속될 수도 있다는 것이다.

그러나 중국이 추구하는 주권게임의 목적이 단순히 통일이 아니라 과거로부터 중국이 보존해 온 역사적 정체성 내지 문명을 회복함으로써 전기적 연속성을 유지하려는 것으로 본다면 문제는 더욱 복잡해진다. 중국의 정체성 중 어떤 것을 회복하느냐는 문제가 대두하기 때문이다. 중국이 강대국의 위상을 지향하고 있다는 것은 의심의 여지가 없다. 더 나아가 중국은 전근대 시대까지 천하를 다스리는 유일 제국이라는 관념을 가지고 있었고, 실제로 중국이 강대국이 되면 과거 천하국가의 위상을 새로운 형태로 실현하며 주변국로부터 조공을 받는 제국이 되려 한다는 막연한 의심도 받고 있다(김애경, 2018). 중국의 부상을 단순히 강대한 근대주권국가의 실현이 아니라, 중국문명사를 기준으로 이른바 '네 번째 부상'으로 보는 견해와 상통한다(Wang, 2004).

중국의 경제적 부상이 계속되는 가운데 21세기 들어, 특히 2008년 경제위기 이후 중국은 미국과 필적하며 더 나아가 미국을 대체할 수 있는 근대국제체제의 패권국가라는 정체성도 가지게 된 것으로 보인다. 중국은 미국의 패권주의를 비판하지만 스스로 세계질서의 수호자 및 주도자의 역할을

표 6-1 중국 주권게임의 목적

목적	통일	근대주권국가	근대패권국가	탈베스트팔렌 초강대국
내용과 표현	대만의 국제법적 주권 부정, 대만의 경험적 주권 무력화, 미국의 지원을 받는 대만을 압도할 수 있는 군사력·경제력 보유	통일된 주권국가로서 강대국의 위상 확보, 2020년 전면적인 소강사회(小康社會) 실현, 2035년 기본적인 현대화 목표 달성	자유주의 국제질서 아래 지구적 패권국의 위상 확보, 2050년 현대화된 사회주의 강국 건설	미국을 능가하는 지구적 패권국으로 부상, 중국의 문명을 실현하고 유럽발 베스트팔렌체제를 넘어서는 국제질서 건설, 중국의 꿈이 실현된 인류문명 공동체 건설

자임하고 있으며, 미국의 지도력을 부분적 혹은 전체적으로 대체하는 새로운 지도국 내지 패권국가가 되려는 열망을 감추지 않고 있다.

중국의 국력이 미국을 능가해 세계 유일의 주도국이 된다면, 중국은 과연 미국이 주도해 온 국제질서를 어느 정도까지 유지할 것인가, 19세기 이래 존속해 온 자유주의 국제질서의 틀이 계속 유지될 것인가, 아니면 더 나아가 근대 유럽에서 기원한 베스트팔렌 조직원리 자체를 대체하는 새로운 질서를 창출할 것인가 하는 질문이 따라 나온다. 기존 질서에 대한 선택적 현상변경을 지향하는 강대국 위상 추구, 전근대적 제국의 정체성 부활, 근대 주권국가체제에서 패권국의 지위 확보 혹은 중국 주도의 탈베스트팔렌 질서의 창출 등, 중국이 행하는 주권게임이 과연 어떤 결과를 초래할 것인가라는 문제를 제기한 것이다. 이와 관련해 중국 내의 다양한 전략적 담론과 대안들이 어떻게 귀결되는지가 중요하다.

2 | 중국 주권게임의 특성

중국이 추구하는 주권게임은 앞서 살펴본 남·북한과 일본의 주권게임과 비교해 다음과 같이 큰 차이가 있다. 첫째, 중국의 주권게임은 이미 상당 부분 목적을 달성했다는 것이다. 통일이라는 목적에서 대만의 주권성을 부정하는 데 거의 성공했다. 대만은 국제사회에서 17개국을 제외하면 주권국가로 승인받지 못하고 있다. UN에서도 1971년 대만을 대체해 중화인민공화국을 중국을 대표하는 하나의 국가로 인정한 바 있다. 더욱이 대만과의 국력 격차는 모든 면에서 엄청나서 남·북한이 추구하는 주권게임에 비하면 이미 상당한 성과를 거둔 것으로 평가해야 한다. 일본의 보통국가화에 대해 주변국들이 우려하는 상황에 비해서도 중국은 하나의 중국 원칙을 인정받고 있어 주권게임에서 우위를 보이고 있다.

둘째, 한국과 일본이 수행하는 주권게임에 중국은 상당한 힘을 발휘할 수 있지만, 중국의 주권게임에 대한 한·일 양국의 영향력은 제한적이다. 한·일 양국 모두 하나의 중국 정책을 인정하고 있다. 중국의 강대국 부상에 대한 견제와 균형 추구에도 한계가 있다. 중국의 부상이 중국의 제국화로 이어진다면 한국은 한·미동맹을 통해, 또는 한·미·일 협력을 통해 견제할 수밖에 없다. 일본과 중국은 서로 상대방의 주권완성 게임이 제국화로 이어질 수 있다고 인식하고 있다. 이것이 앞서 논의한 바 있는 제국화의 안보딜레마로 이어질 수 있다. 상대국이 먼저 온전하고 팽창적인 주권국가가 되기 전에 선제적인 조치를 취해야 한다는 조급함이 더욱 심해지는 것이다. 이는 비단 자국의 안보에 관한 문제만이 아니라 체제 전체의 안정성에 관한 문제로서, 매우 근본적인 딜레마와 경쟁을 의미한다.

한편 한국의 대북정책과 남북통일에 대해 중국이 가지는 영향력은 매우 크다. 북한 대외무역의 90%를 차지하는 중국은 북한에 대해 많은 영향력을 행사하며, 북한은 중국의 유일한 동맹국이기도 하다. 북한 비핵화의 중요한 요소인 경제제재에서 중국이 차지하는 역할은 절대적이어서 미국도 미·중 간의 협력을 중시하고 있다. 한국의 통일이 구체화된다면 통일한국의 외교적 지향에 대한 중국의 의견도 큰 영향을 미칠 것이다.

일본의 보통국가화에 대한 중국의 인식도 중요하게 작용한다. 미·중 전략경쟁이 가속화되는 가운데 일본의 인도·태평양 전략 참여는 중국의 우려를 불러일으키고 있다. 일본은 동남아시아·중앙아시아 국가들에 대한 경제 지원, 인프라 지원 등을 통해 중국의 일대일로 전략에 대해 대항 전략을 구사해 온 바 있다. 일본이 군사력 증강에 대한 헌법적 제약을 완전히 제거하고, 미·일동맹을 통해 중국을 견제할 때 중국이 느낄 위협감은 매우 클 것이다(Heginbotham and Samuels, 2018). 이에 따라 중국은 군사력을 강화하고 동아시아에서 영향력을 키우는 한편, 일본의 역사문제를 활발히 제기하면서 일본을 압박하고 있다.

셋째, 중국의 주권게임에 미국과 구소련 등 역외국가가 미친 영향력이 대단히 컸지만, 한·일 양국에 미쳤던 것에 비해 상대적으로 그 힘은 작았다. 냉전기 두 초강대국의 영향력이 중국 주권게임의 공간을 규정한 것은 사실이다. 중국의 근대국가 건설기에 미국이 지원한 국민당 세력과의 전투는 분단으로 귀결되었다. 마오쩌둥은 스탈린의 영향을 받아 국가 건설의 방향을 설정했고, 한국전쟁에도 스탈린의 전략에 따라 참가하게 되었다. 그러나 중국은 한·일 양국에 비해 역외국가의 영향력에 대한 자율성이 상대적으로 훨씬 컸다고 할 수 있다. 한·일 양국의 전후 근대국가 건설 단계에서 미국은 모두 군정을 실시했고, 한국에 대해서는 해방의 주체, 일본에 대해서는 승전국으로서 강력한 구성적 영향력을 발휘했다.

중국은 미·중·소 3각 관계의 한 축을 담당해 데탕트 국면에서 큰 역할을 했다. 이 과정에서 대만 대신 UN에서 중국 대표권을 획득할 수 있었고, 이후 미·소 간 세력경쟁에서 중요한 균형추 역할을 했다. 개혁개방정책 시행 이후 경제력이 증강되면서 불완전 주권국가로서 수행하는 국제정치게임의 중요성은 더욱 커졌다. 한·일 양국의 경우 불완전한 주권성이 수세적이고 방어적인 정책으로 귀결된 반면, 중국의 경우 과거의 지위를 회복하고자 하는 민족주의 열망을 불러일으켜 오히려 공격적이고 확장적인 정책의 기반이 되었다.

넷째, 중국의 주권게임은 자연스럽게 미국과의 국제정치게임으로 연결되고, 경우에 따라 패권게임의 양상을 띨 수도 있다. 중국 외교정책의 많은 사안 중 대만 관련 문제는 이른바 핵심 이익 사안이지만, 중국의 국력이 커지면서 훨씬 다양한 사안이 등장했다. 이 중에서 주권게임의 사안으로는 남중국해·동중국해 등 해양영토 분쟁, 홍콩의 제도적 편입 문제, 신장·위구르 분리·독립운동 등의 의제화가 두드러진다. 이러한 문제들은 쉽게 안보화(securitization)되어 중국으로서는 물러설 수 없는 이슈가 된다.

주목할 점은 중국이 강대국으로 부상한다는 사실이 주권게임의 측면과 국제정치게임의 측면을 동시에 가진다는 것이다. 한·일의 경우에는 주권의 완성이 반드시 자국 중심의 국제질서를 창출하는 강대국 부상을 의미하지 않는다. 그러나 중국 주권게임의 성공은 곧 지역질서, 더 나아가 세계질서를 변화시키는 파급력을 가지는 것이므로 국제정치게임과 연결된다. 주권게임의 향방에 따라 중국은 국제 세력배분 구조의 변화, 즉 중국 중심의 세계질서 창출이라는 질서의 성격 면에서 현상변경 세력으로 등장할 수 있다. 이 경우 미국 국제정치게임의 이익에 미치는 영향의 심대함은 한·일 양국의 그것과 비교할 바가 아니다. 단순히 국제정치게임이 변화되는 것이 아니라 패권게임의 양상이 변화하기 때문이다.

중국이 전통적 문명을 부활시키려는 민족주의적 정열과 세계관을 주권완성의 목적에 포함시키고 단순히 통일을 넘어 제국적·패권적 정체성을 회복하는 주권게임을 벌인다면, 이는 미국뿐 아니라 한국·일본 등 동북아 역내국가들, 동아시아 국가들 전체, 더 나아가 광범위한 국제사회의 대응을 불러올 것이다. 단순히 중국의 부상이 아니라 중국이 꿈꾸는 조직원리의 부상이며, 전통 제국의 이미지를 물려받은 중국이라는 상상된 공동체의 부활이 아니라 상상된 조직원리의 부활인 셈이다.

근대 주권국가체제의 핵심은 제국의 출현을 막을 수 있게 세력균형을 유지하는 것이었다. 따라서 중국의 주권게임이 확장적이고 전반적인 현상 변경을 추구하는 국제정치게임과 연결될 때 그 주권게임은 더 많은 견제에 부딪칠 것이다. 한국과 일본의 대중 주권게임의 목적은, 통일중국이 기존 국제질서의 장점을 감소시키고, 한·일 양국 주권게임의 공간을 줄이는 패권국가가 되는 것을 방지하는 것이다. 중국이 근대 국제질서 자체를 넘어서는 새로운 제국 모델을 추구한다면 한·일 주권게임은 더욱 어려움에 처할 것이기 때문에 이를 막는 것이 주권게임의 중요한 목적이 된다.

중국의 빠른 경제발전과 동북아에서 차지하는 국력의 크기 때문에 역내국가 중에서 중국의 주권게임을 방해할 수 있는 세력은 사실상 없다. 한국과 일본이 힘을 합쳐도 미국의 도움이 없다면 중국이 수행하는 주권게임을 방해하기는 어렵다. 중국의 주권게임에 영향력을 행사할 수 있는 유일한 세력은 역외국가인 미국뿐이다. 결국 미국의 대중전략이 중국의 주권게임, 그리고 이와 연관된 국제정치게임의 가장 중요한 변수가 된다. 미국이 한국, 일본과 힘을 합치면 중국의 주권게임은 더 큰 견제를 받게 되고, 중국은 한·미·일의 안보협력을 우려할 수밖에 없게 된다. 그렇게 되면 한·중·일 간의 주권게임과 미·중 간 패권게임이 결합되는 양상을 보일 것이다.

3 | 미국의 패권 역할 조정기 중국의 주권게임 환경

중국의 주권게임에 가장 큰 영향을 미치는 국가는 미국이므로, 미국이 꾀하는 세계전략 및 동아시아전략의 변화는 매우 중요한 게임 환경이 된다. 미국의 세계전략과 대중전략이 어떻게 변화하는지에 따라 중국이 추구하게 될 주권게임의 방향이 상당 부분 규정되는 효과가 있다.

트럼프 정부 등장 이후 미국 외교 전략은 큰 변화를 겪고 있다. 트럼프 정부의 미국은 국익 우선주의를 앞세우고 힘을 통한 평화를 외치고 있다. 압도적 국력을 보유했음에도 과연 미국이 패권적 리더십을 스스로 부정하고 있는 것인지는 매우 중요한 문제이다. 만약 패권 의도 약화가 구조적 요인에 기인한 것이고 그 위에 트럼프주의가 자리 잡아가는 것이라면 향후 패권의 부재는 능력을 가진 국가의 부재가 아니라 능력을 가진 국가의 의도 부재 문제로 환원되는 것이다. 미국의 전략이 자국의 패권 역할 축소 혹은 부정이라면 향후 세계는 패권국가가 아닌 단순한 강대국으로서의 미국, 혹은 제한된 패권 역할만을 수행하는 미국이 존재하는 세계가 될 것이다. 이는 국제 공공재를 생산·공급하는 국가가 사라진, 그리고 이를 조정해 분담해야 하는 세계질서를 의미한다.

패권적 리더십을 행사하는 것과 관련한 미국의 의도 약화는 여러 가지 요인에서 비롯된다. 첫째, 경제문제이다. 미국은 그간 패권의 역할을 수행하면서 많은 재정지출과 예산 불균형에 시달렸다. 9·11테러 이후 막대한 전비를 지출했고, 단극체제하에서 세계의 경찰 역할을 수행하며 많은 자원을 소비했다. 폴 케네디(Paul Kennedy)의 논의처럼 패권국가의 필연적 쇠퇴 메커니즘을 생각해 볼 때 이에 대한 반발로 패권 의도가 약화되는 경향은 어쩌면 자연스러운 일일 수도 있다.

둘째, 신자유주의 세계화의 부작용이다. 미국은 패권을 기초로 다른 국가들의 자발적 혹은 강제적인 경제적 양보를 받을 수 있었다. 닉슨쇼크와 1985년 플라자합의처럼 부담을 나누는 구조적 조치를 취하고, 이를 안보 공공재 제공이라는 명목으로 유지할 수 있었다. 그러나 냉전 종식 이후 적이 사라진 시대에 안보를 내세워 경제적 희생을 이끌어내기 어려운 상황이 되었다 . 그러자 미국은 자국 자본의 해외 진출을 원활히 하기 위한 신자유

표 6-2 **미국의 국제정치게임과 대중전략**

	미국 세계전략의 목적	미국 대중전략의 목적
패권의 역할 축소, 자국 이익 우선주의	국제 공공재 제공 부담 축소, 동맹국에 책임 전가, 역외균형 전략 정도의 추구	중국의 지역 패권 등장 방지, 미국의 이익에 대한 도전 봉쇄, 중국의 세계 패권 성장 봉쇄, 미·중 간 공동 이익 추구 및 관여도 조정 추구
패권의 힘을 회복하기 위한 강압적 패권화	국제 공공재 제공 부담을 국제사회에 전가, 동맹국 책임 강화, 보호무역주의 등 패권 재부상을 위한 국력 축적	세계질서 유지에 필요한 중국의 공헌 요구, 미국의 대중 무역적자 감소 및 중국의 양보 요구, 여러 분야에 걸친 중국의 불공정 관행 근절 요구
중국의 패권 부상에 대한 선제적 견제	미·중 패권게임에서 자국에 유리한 국제적 상황 조성, 미국의 패권적 지위 유지	중국의 패권 기반에 대한 선제적 공격, 경제성장 및 기술 발전 기초 공격, 중국의 영향력 확대 전략 봉쇄, 미국 동맹국의 대중 전선 강화
중국과 문명충돌 인식 및 문명적 대결	중국의 부상에 대해 문명충돌 인식 확산, 중국의 부상에 대한 원천 봉쇄 또는 부상 좌절을 유도하기 위한 전선 형성	중국에 대한 군사·경제적 봉쇄를 넘어선 사회문화적 공세, 미·중 간 관계 최소화 또는 관계 분리, 지구적·전면적 대중 봉쇄 전선 추구

주의 세계화로 자국 패권의 경제적 기초를 재구축했고, 이는 1990년의 이른바 워싱턴컨센서스로 잘 알려져 있다. 문제는 이러한 신자유주의 세계화의 여파가 미국 국내에도 미쳤다는 점이다. 2008년 경제위기는 규제완화와 자본의 강화로 인한 중산층 몰락과 빈부격차 악화라는 현상이 불러온 것이다. 이후 미국은 경제적·정치적 양극화의 경향을 강하게 띠게 되었고, 트럼프 대통령의 당선은 이러한 구조적 변화에 힘입은 것이다(전재성, 2019b).

셋째, 미국이 단극체제에서 행했던 제국 건설, 혹은 우세전략 추구의 후유증이다. 미국은 세계 역사상 가장 강대한 국가로서 세계 군사비의 50%에 달하는 국력을 보유한다. 부시 행정부는 9·11테러 이후, 미국의 세기로서 21세기를 만들기 위한 신보수주의의 기획을 실현하고자 했고 이 과정에서 과도하고 불법적인 해외 개입을 추진했다. 그 후과는 막대한 재정적자뿐 아니라 미국 리더십의 정당성 약화와 국내 정치에 미친 여파였다(Swenson,

2017; Downes and O'Rourke, 2016). 미어샤이머가 지적하듯이 자유주의 대외 전략은 외교정책의 실패뿐 아니라 미국 내 자유주의의 약화를 불러오기도 했던 것이다(Mearsheimer, 2018).

향후 미국을 주도할 이른바 밀레니얼 세대는 2008년 이후 사회에 진출한 세대로, 미국이 세계 최강대국을 지향했다가 경제위기로 국내의 자유주의가 약화되고 국가가 양극화되는 경험을 생생하게 한 세대이다. 즉, 미국의 과도한 패권 추구가 자국 내에 미친 부정적 여파를 몸소 체험하면서 구직에 어려움을 겪고 트럼프주의에 경도되기도 한 세대이다. 향후 미국의 외교 전략을 좌우할 밀레니얼 세대의 인생 형성적 경험이 세계적 패권 추구·유지에 소극적인 태도로 나타날 것이라는 것은 예측 가능하며, 이는 구조적 요인으로 자리 잡을 수 있다. 현재 미·중 경쟁을 주도하는 세대는 미국식 586세대이거나 그 이전 세대이며 중국에 대해 여전히 패권적 권위를 강조하는 세대일 수 있지만, 향후의 변화는 더욱 급격해질 가능성이 있다(Zakaria, 2019).

결국 패권적 질서의 문제는 패권의 유지를 향한 최강대국의 의도의 문제이기도 하다. 이러한 이유로 미국이 패권의 역할을 스스로 부인하고 능력만 강한 강대국의 외교정책을 추구한다면, 향후 세계질서는 비패권적 단극체제(unhegemonic unipolarity)가 되거나, 혹은 비패권적 강대국 간 경쟁 체제가 될 수도 있다. 이럴 경우 미국은 중국의 부상이 자국의 직접적 이익에 위배되면 강력한 대중 견제를 펴겠지만, 항시적이고 직접적인 개입과 관여 전략을 추진하지는 않을 것이다. 중국이 지역패권으로 부상하는 것을 막는 역외균형 전략하에서 한국·일본 등 아시아의 동맹국에 부담을 전가하는 전략을 펼 것이다. 이 경우 중국이 추진하는 주권게임은 훨씬 우호적인 환경을 맞게 된다. 미국의 국제정치게임이 상대적으로 소극적이 되면서 중국은 강대국으로의 부상이 용이해지고, 더 나아가 패권의 길을 걸을 수도 있기 때문이다. 주권게임을 수행하면서 좀 더 공세적인 목적을 추구할 여지가 늘어나고, 이에 따라 중국 내 민족주의 열망도 커질 것이다.

4 | 미국의 간헐적 일방주의와 대중 국제정치게임의 목적*

트럼프 정부는 기존의 자유주의 질서를 지탱하던 많은 제도에서 탈피하면서 지구 사회에 놀라움을 가져다준 것이 사실이다(Posen, 2018). 그러나 이러한 일방주의가 기존 자유주의 질서 아래 미국에서 등장한 최초의 사례는 아니다. 앞서 논의한 바와 같이 닉슨쇼크와 플라자합의는 미국 주도력이 약화되었을 때 논리적으로 불가피하게 발생하는 패권 재조정 과정이었다. 따라서 현재의 미·중 관계도 미국 주도 질서의 재조정 과정에서 발생하는 대중 압박으로, 중국의 부상과 논리적으로 무관하게 발생하는 미·중 관계라는 시각이 존재할 수 있다.

미국 주도 질서는 패권 안정을 기반으로 하며, 미국이 공공재를 제공함으로써 국제관계가 안정되어 온 것이 사실이다. 패권은 다른 국가에 비해 강력한 생산력, 무역고의 우위, 금융지배력, 군사적 우위, 이념적 정당성 등을 기초로 한다. 국제정치는 무정부상태이므로 패권국가가 정부의 역할을 일정 부분 담당한다고 볼 수 있는데, 다른 국가로부터 정해진 세금을 납부받는 것이 아니고 주권을 위임받는 것도 아니므로 스스로의 국력으로 공공재 제공 능력을 유지하고 다른 국가들의 합의도 도출해 내야 한다. 패권국가는 이러한 공공재 제공 과정이 단기적으로는 비용이 들지만, 장기적으로

* 간헐적 일방주의와 메타주권 개념, 자유주의 국제질서에 대한 카를 슈미트 비판과의 관계에 대해서는 전재성(2019c)의 8장 참조.

는 고효용의 정책이라는 점을 믿고 이를 지탱할 힘이 있을 때 패권 전략을 사용하게 된다. 이는 충분한 국내 합의와 더불어 다른 국가들에 대한 힘의 우위를 전제로 한다.

패권국가는 경제 공공재뿐 아니라 안보 공공재를 제공하는데, 이 일은 상당한 국력 소모를 요한다. 결국 국력 약화로 인해 패권국가가 장기적 이익을 도모하는 데 실패하면 패권이 쇠락하게 되고, 이를 막기 위해서는 다른 국가들의 희생과 공헌을 요구할 수밖에 없다. 시혜적(benevolent) 패권으로 행세하던 패권이 강압적(coercive)·약탈적(predatory) 패권으로 변화하는 과정이다. 그간 시혜적으로 제공되었던 국제적 공공재의 공급은 다양한 방법으로 유료화되어 가격이 책정된다. 이 과정에서 다른 국가들이 패권의 강압적 조절 과정에 자발적으로 참여하면 패권의 재강화가 비교적 순탄하게 이루어진다. 자발적 공헌은 다른 국가들이 패권국가가 제공하는 국제경제의 안정성, 안보의 효용성을 믿을 때 이루어진다. 만약 그렇지 않을 경우 패권국가는 기존에 제공해 왔던 공공재를 축소하거나 회수하는 위협적 방법으로 패권의 재강화를 추진할 수밖에 없다(Mastanduno, 2009). 그간 미국과 유지해 왔던 경제적 상호 의존은 미국의 이익에 맞게 지경학적 수단으로 변화하는데, 이른바 상호 의존의 무기화 현상이다(Copeland, 2015; Farrel and Newman, 2019).

패권국가를 제외한 다른 국가들의 안정성과 패권국가의 불안정성의 조합 때문에 발생하는 이른바 N-1의 문제로 불리는 국제질서의 문제는 패권국가의 간헐적 혹은 주기적인, 일방주의적이고 강압적인 재조정 과정을 필연적으로 불러온다. 냉전기 미국은 공산권과의 대립 속에 미국이 제공하는 안보 공공재를 대가로 다른 국가들의 경제적 양보를 간헐적으로 그러나 일방주의적으로 요구해 왔다. 제2차 세계대전 이후 미국이 제공하던 경제 공공재는 이른바 닉슨쇼크(1971년 8월 15일)로 조정되었다. 1970년대 말부터 1980년대 초에는 미국 내 인플레이션을 해결하기 위해 긴축·고금리 정책이 시행되면서 달러화 가치가 상승해 미국의 수출이 감소하기 시작했다. 이에 미국은 1985년 일본·프랑스·서독·영국과 합의하여 환율 조정을 통한 경상수지 적자 해소와 경기침체 해결을 도모해 달러화에 대한 엔화와 마르크화의 가치를 높였는데, 이것이 이른바 근린 궁핍화 정책을 통한 패권 능력의 재강화 전략이었다. 2008년 경제위기 이후에도 미국은 경제력 약화로 패권 유지에 어려움을 겪게 되었다. 9·11테러 이후 과도한 군비 지출과 중동 개입에 따른 재정적자로 문제를 겪고 있던 터에 이 경제위기로 더욱 어려움에 처하게 되었다. 이에 미국은 무역 차원에서 이른바 불공정 무역국인 중국 등에 공정무역을 요구하고 동맹국들에는 방위비 분담금 증액을 요구하면서 패권력의 재강화 전략을 추진하고 있다. 트럼프 정부가 행한 정책들이 일방주의적이고 강압적으로 보이지만, 사실 이것은 미국 주도 질서에서 불가결한 한 부분이다.

최근 중국과의 무역분쟁 역시 다른 국가들에 대한 미국의 압박과 궤를 달리하는 대중 압박이 아니라 미국 주도 질서유지 전략의 한 부분으로 볼 수 있다. 설사 중국의 부상과 미·중 간 패권경쟁이 없더라도 미국은 패권력 강화를 위해 강압적 대중전략을 취했을 것으로 볼 수 있다. 미국의 대중 무역적자가 워낙 큰 폭이기 때문에 미국은 보호주의 무역과 관세부과에 이어 환율 조정을 통해서라도 경제력 회복을 추구해야 했고, 이는 사실 오바마 정부 때부터 이어져 온 정책이라고 볼 수 있다. 미·중 분쟁과 경쟁이 발생하더라도 이는 논리상 패권경쟁이 아니라 미국이 자신의 기존 패권을 유지하기 위한 기초 강화 전략이며, 중국의 공헌 요구, 불공정 관행들에 대한 시정 요구를 통해 이 전략 목적을 달성하고자 하는 것이다.

이 경우 중국의 주권게임이 공세적으로 변할 가능성은 줄어든다. 상황에 따라 정도의 차이는 있지만 미국이 국제정치게임에서 패권 유지라는 목표를 버리지 않았기 때문이다. 중국의 주권게임은 강대국 부상 정도에 머

무르고, 패권 도전은 용납되지 않는다. 중국은 이러한 미국의 단기적 약화 국면에서 주권게임을 강화하는 노력을 기울일 것이지만, 미국의 패권 기반이 회복될 경우 공세적으로 전환해 미·중 간의 충돌과 대립이 격화될 가능성도 있다. 궁극적으로 미·중 간 힘의 대결이라는 국제정치게임이 펼쳐질 것이고, 그 가운데 동아시아 국가들은 많은 어려움을 겪게 될 것이다.

5 | 미·중 전략경쟁과 미국의 중국 견제 전략

이처럼 미국 자체의 문제가 산적한 상황에서 미국 국제정치게임의 일환으로서 대중전략을 일관되게 정의하기는 어렵다. 미국 내에서도 다양한 대중전략 목소리가 나오고 있기 때문이다. 그러나 중국이 미국의 패권에 도전할 것을 우려해 선제적 견제 전략을 추구할 가능성은 상존한다. 이 경우 중국이 추구하는 주권게임과 미국의 국제정치게임 간의 충돌은 불가피하다.

미·중 간 무역분쟁과 이른바 기술 신냉전 등 눈에 띄는 현상을 패권경쟁으로 보는 시각이 확산되어 왔다. 국제정치에서 패권국은 군사력과 경제력 등 이른바 하드파워의 행사만으로 입지를 확보할 수 있는 것이 아니라 리더십의 정당성을 인정받을 때 가능하다고 본다. 그러기 위해서는 다른 국가들에도 이익이 되는 호혜적 질서를 확립해야 하고 안보와 경제, 이념적 공공재를 제공하는 시혜적 정책을 추진해야 한다. 강압적·약탈적 패권의 모습을 띨 수도 있지만 이 경우 패권에 대항하는 반패권 동맹이 결성될 가능성이 높고, 이렇게 되면 패권 체제라기보다는 강대국들 간 세력 경쟁 체제에 가깝게 변화한다. 결국 패권국가는 다른 국가들에 비해 막대한 국력, 특히 자원, 생산력, 무역고, 금융지배력, 군사력 및 이념적 우위를 가지고 질서 부여자의 역할을 하며, 이를 위한 국내적 합의 구조를 유지해 나갈 때 존재할 수 있다고 본다.

미·중 간의 대립을 패권경쟁으로 볼 경우에는 국력 측정의 문제가 중요하게 대두된다. 미·중 간 국력 격차 축소 및 궁극적인 순위 바꿈을 논할 때 GDP를 사용하는 경향이 있다. 그러나 경제력 측정 역시 GDP, GNI, PPP를 고려한 GDP, 1인당 GDP 등 다양한 분석 방법에 따라 다른 결과가 나올 수밖에 없다. 더구나 경제력을 넘어선 종합 국력을 산출할 때 문제는 더 복잡해진다. 종합 국력은 산출 자체가 어렵고 주관적일 수 있기 때문이다. 군사력·경제력과 같은 경성권력에 더해 인구·영토와 같은 조건들 그리고 제도·정치체제·혁신능력 등의 연성권력을 함께 봐야 하는데, 국력 구성 요소의 선별 및 그 과정에서 조작화의 문제가 심각해진다. 개별 국가의 능력 비교에 더해 동맹국의 국력을 합산하는 과정도 필요하다.

미·중 간 명목 GDP가 2030년대쯤 역전될 것으로 보는 견해가 팽배해 있다. 2018년 기준 미국의 명목 GDP는 20조 달러를 넘어섰고, 중국은 13조 달러를 넘어섰다. 미국은 트럼프 정부 등장 이후 연평균 경제성장률이 3%에 달해 빠른 성장 실적을 보이고 있다. 반면 중국은 미·중 무역분쟁과 여러 가지 국내 문제, 이른바 뉴노멀시대의 경제 상황 속에서 6%대의 경제성장을 하는 것으로 보고 있다. 그러나 시각에 따라 6%가 과대평가되었다고 보는 견해도 있고 미·중 경쟁의 여파로 1% 안팎의 부정적 영향이 있을 것으로도 보아, 실제 경제성장률을 4%대 정도로 보는 보수적 견해도 존재한다. 향후 미·중 양국의 성장률 변화를 예의 주시해야겠지만, 미·중 간 GDP 역전 시기는 예상보다 늦춰질 소지가 없는 것도 아니다.

더 나아가 미·중 간의 종합 국력 비교에서는 미국이 중국을 상당 기간 압도할 것이라는 데 의심의 여지가 없다. 여전히 경제력에서 중국을 앞서고 있고 군사력 부문의 격차는 상당하며, 인구 구성과 고령화 문제에서도 미국은 건전한 배합을 보이고 있다. 중국은 빠른 인구 축소와 고령화로 사회복지비가 증가하고 있고 이에 따라 군사력 증강에 어려움을 겪고 있다. 1인당 GDP 역시 증가되면서 다양한 변화가 예상되며, 특히 정치적 상황 변화가 경제성장에 어떤 영향을 줄지 예측이 어렵다.

흥미로운 점은 미·중 전략경쟁의 시기가 4차 산업혁명의 시기와 중첩된다는 것이다. 지금의 미·중 국력 격차는 현재 광범위하게 진행되고 있는 4차 산업혁명의 영향을 받을 것이고, 기술은 미·중 패권 게임의 진행 과정에서 게임체인저가 될 수 있다. 정보화 기술, 바이오 기술, 나노 기술, 인공지능, 사물인터넷 등 다양한 분야에서 혁명적 변화가 일어나고 있고, 개별적·융합적 영역에서 국력 변화를 이끌 단초가 마련될 수 있다. 이를 위해서는 국가적인 기술개발과 연구 투자가 중요한데, 중국은 미국을 넘어서는 과학기술 분야 투자 성적을 보이고 있다. 현재까지 중국은 혁신과 발견을 이끌기보다는 미국의 원천기술을 적용해 제품을 생산하고 장비를 만드는 데 주력해 왔지만, 미래의 추세는 알 수 없다. 5G 기술을 예로 보더라도 중국은 미국을 능가하는 특허를 가지고 있고 전 세계에 통신장비를 제공하는 데도 미국을 앞서고 있다. 미국이 여전히 기초과학기술과 원천기술 분야의 특허에서 중국에 현저히 앞서 있고 중국이 이를 바탕으로 한 엔지니어링에서 우위를 획득하는 형태이지만, 향후 변화 가능성이 없는 것은 아니다.

동맹과 전략적 연대에 의한 국력 측정도 중요하다. 미국이 주도해 냉전기에 만들어진 동맹은 비교적 강고하게 유지되고 있고, 연성권력도 상당하다. 미·중 간 국력 격차를 논할 때 일대일 경쟁이 아니라 동맹까지 포함한 세력 격차를 논한다면 미·중 간의 격차는 현재보다 더 벌어진다고 봐야 할 것이다.

힘의 측면에서 패권경쟁은 상대적 게임이므로 미·중 간 국력 격차가 좁혀지면 발생할 수 있다. 설사 미국 경제가 지속적으로 발전하고 공공재 제공 전략을 순탄하게 지속하는 상황에서라도 중국의 부상이 미국의 발전 속도를 능가해 미국의 지위를 위협한다면 패권경쟁이 발생할 수 있다. 패권경쟁은 부상국의 도전에 의해 가속화되기도 하고 부상국에 추월당할 것이 명백한 상황에서 기존 패권의 선제적 대응으로 가속화되기도 한다. 전자의 경우 부상국의 국력이 기존 패권의 국력을 상당 부분 쫓아갔을 때 발생하며, 기존 질서에 대한 부상국의 불만족도가 매우 상승했을 때 충돌의 가능성이 더 높아진다. 부상국은 기존 패권과 대결 속에 승리를 확신할 수 있을 때, 그리고 이를 지지하는 국민들의 여론이 높아졌을 때 더욱 패권에 도전할 의지를 강화할 수 있다(Chan, 2007).

반면 국력의 일부 혹은 종합 국력에서 부상국의 추월이 명백할 때, 그리고 추월의 속도가 빨라지고 패권국이 이로 인한 정책상의 어려움을 겪게 될 때, 기존 패권은 관여보다는 선제적 견제 전략을 사용할 확률이 높아진다. 더 나아가 부상국이 기존 패권에 대한 도전 의지를 명확히 할 때 선제적 견제는 불가피해진다. 기존 패권은 부상국과 국력 격차가 최대일 때 가장 유리한 견제 정책을 펼 수 있는데, 결국 조치가 빠를수록 더 효과적인 견제 상황에 도달할 수 있다(Copeland, 2000).

현재 상황을 미·중 간의 패권경쟁으로 본다면, 이는 중국의 불만족도가 상승하고 미국 패권에 대한 도전 의지가 강화되는 현상과 미국의 대중 선제 견제의 불가피성 및 필요성이 강화되는 두 요인 모두에 의해 촉발되고 있다고 봐야 한다. 중국은 미국 주도의 자유주의 국제경제질서는 수용하지만 미국의 동맹 구조와 지구 거버넌스에 대해서는 상당히 불만을 품고 있다. 타국에 대한 미국식 자유민주주의, 인권 문제 제기 등을 비판하고 주권 침해적 패권 정책에 대해서도 목소리를 높이며 달러 기축통화 정책에 대해서도 문제 제기를 해왔고, IMF 등 국제기구에서 미국의 부당한 중국 경시 경향도 비판해 왔다. 2008년 경제위기 직후 위안화의 기축통화화 야심을 드러내는 등 미국을 대신하는 중국의 패권 가능성을 점진적으로 타진해 왔다는 점에서 중국의 도전은 만만치 않았다.

중국이 아시아 지역 혹은 이보다 광범위한 지역에서 패권의 역할을 하고자 한다면 미국의 견제를 불러올 것이다. 중국은 미국이 1823년에 먼로독트린을 발표해 자신의 영향권을 서반구에 구축했던 것처럼 자신의 지역에서 패권국으로 자리 잡으려 할 수도 있다. 자신의 지역에서 중국이 부과하는 규범과 규칙에 따라 미국의 영역으로부터 분리된 영향권을 설정하는 것이다. 미국은 이러한 지역패권을 용납하지 않는 것을 원칙으로 한다. 지역패권에서 더욱 발전하면 지구적 차원에서도 미국의 패권에 도전할 것이기 때문이다. 과거 제2차 세계대전 당시의 독일, 냉전기 소련, 1980년대에 최고조에 달했던 일본 등의 도전을 묵과하지 않고 패퇴시켰던 것도 같은 맥락이다. 만약 중국이 지구적 차원에서 미국의 패권에 도전한다면 미국의 대응은 재론의 여지없이 중국을 선제적으로 봉쇄하는 것이다. 문제는 미국이 무슨 근거로 중국이 패권에 도전한다고 간주할 것인가 하는 점이다.

미국은 미·중 간 경제력 격차가 좁혀지는 현실에 직면해, 국력 우위가 최대한 강고한 상황에서 선제적으로 중국을 견제하고자 한다. GDP 기준으로 중국에 뒤처질 것이 확실시되고 중국의 강군몽, 기술 굴기 등 군사·기술 영역에서 국력 증강이 예상되는 가운데 미국은 향후 미·중 간 국력 격차가 좁혀지는 것을 우려할 수밖에 없고, 강한 견제 전략을 구사하기 시작한 것이다.

패권경쟁이 본격화되면 미·중 간의 패권게임 혹은 패권적 국제정치게임은 상당 기간 지속될 것이다. 미국이 승리하면 중국의 주권게임은 소극적으로 선회할 가능성이 높다. 중국은 패권국가나 미국을 대체하는 세계질서 조성 국가가 되기에는 부족해 지역 강대국 정도에 머물 수 있다. 패권경쟁에서 중국이 패할 경우 국내 정치에 미치는 여파는 매우 클 것이고, 이에 따라 주권완성에 대한 내용 규정도 새롭게 할 가능성이 높다.

6 | 중국의 패권 능력

중국의 주권게임 목적을 공세적·확장적으로 설정할 때 중요한 물음은 중국이 과연 패권 능력과 의도를 갖추었는가 하는 점이다. 우선 의도 부분에서는 시진핑 정부가 세계 패권의 의도를 명확히 표현한 것으로 볼 수 있다. 앞서 논의한 것처럼 19차 당대회의 연설이나 일대일로 전략의 추진, 미국에 대한 선택적 수정주의 전략 등은 21세기 후반 미국을 능가하는 패권국이 되려는 의도가 있음을 파악하는 실마리다.

역사적으로 더욱 흥미로운 것은 중국이 19세기 초까지만 해도 세계에서 경제력이 가장 큰 국가였다는 점이다. 중국식 세계질서가 아시아에 한정되었다 하더라도 국가의 크기나 경제 규모가 산업혁명 이전의 세계를 압도한 것은 잘 알려진 사실이다. 중국은 왕조 수립 시초부터 제국이었고, 피터 카첸슈타인(Peter Joachim Katzenstein)의 표현을 빌리면 스스로가 하나의 문명인 문명국가(civilizational state)였던 것이다(Katzenstein, 2009). 아편전쟁 이후 중국은 이른바 100년간의 수치의 세월을 지나 사회주의 국가를 건설했다.

그러나 냉전기 중국은 여전히 분단국가였고 미·소 두 초강대국에 비해 국력이 약소했다. 미국이 지원하는 장제스 정권과 치열한 전쟁을 벌여야 했고, 결국 통일에 실패한 채 여전히 어려운 양안 관계를 유지하고 있다. 스탈린의 전쟁계획을 거부하지 못해 한국전쟁에 참여했고, 미국과 일전을 겨루는 어려움도 감내했다.

문제는 패권 의도를 가진 중국이 패권의 능력을 갖추었는가 하는 점이다. 여기서 말하는 패권이란 단순히 기존의 패권을 넘어서는 국력을 보유하느냐는 문제가 아니다. 특히 GDP 측면에서 기존 패권을 넘어선다는 기준으로 평가할 일이 아니다. 과거 미국이 당시의 패권이던 영국 GDP의 80%에 처음으로 도달한 것은 1858년으로 추정된다. 1869년과 1872년에는 미국이 영국의 GDP를 넘어서기도 하며, 1879년까지 양국의 GDP는 대략 동등한 균형상태를 이룬다. 이후 미국은 영국 GDP의 125%를 기록하며 영국을 완전히 능가한다. 국제정치학에서 사용하는 종합국력지표(CINC)로 볼 때, 미국은 1888년 이후 영국을 능가하기 시작했다. 20세기로 넘어오는 시점부터 미국의 영국 능가는 역전될 수 없는 추세로 자리 잡게 된다(Rauch, 2017).

미국이 본격적인 패권국가로 등장한 시점을 1945년이라고 볼 때, 세계 최강의 국력을 갖춘 이래 40여 년이 지나서 패권국가가 되었고, 기존의 패권을 GDP 기준으로 능가한 후 70년이 지난 시점에 패권국가가 되었다고 볼 수 있다. 패권국가가 되려면 앞서 논의한 것처럼 스스로 의도를 갖추는 것도 중요하지만, 단순히 기존 패권국가의 국력을 능가하는 수준을 넘어 새로운 시대의 흐름에 걸맞은 패권을 준비하고, 국제사회에서 기존 패권을 넘어서는 정당성을 확보하는 것이 중요하다. 미국은 제1차 세계대전에 참전해 승패를 갈랐을 뿐 아니라 제2차 세계대전에 참전하여 파시즘의 도전을 막고 전후 외교를 통해 전후 질서의 초석을 놓았으며, 세계질서 유지에 필요한 공공재를 마련하고 제공했다는 점에서 실로 오랜 준비 기간이 필요했다. 또한 1929년 경제공황 이후 경제적 어려움을 겪으면서 미국의 지속 가능한 경제발전을 위해서는 전 세계를 대상으로 한 자본주의 대영역이 필요하다는 점을 스스로 확인하고 이를 바탕으로 국내적 합의를 도출해 나갔다는 점에서도, 긴 역사의 흐름이 패권 준비의 중요한 기반이었다는 것을 알 수 있다(이혜정, 2001).

중국의 국력이 점차 증강되고 있으므로, 결국 종합 국력에서 미국을 능가할 수 있을지도 모른다. 중국의 부상은 이른바 4차 산업혁명의 시대와도 겹친다. 중국이 초기 산업혁명을 거치면서 제국의 위상에서 반식민지 처지로 급격히 추락했듯이, 다가오는 기술혁명의 시기에 승기를 잡는다면 미국을 누르고 패권의 국력을 갖출 수도 있다. 중국 정부가 추구하는 제조업 2025, 중국 내의 세계적 기술혁신 기업들에 주목할 필요가 있다.

그러나 패권이 힘만으로 되는 것은 아니고 국제정치를 주도할 광범위한 능력이 필요하므로, 기존의 패권을 추월하는 시점으로부터 진정한 패권국가가 되는 시점까지는 또 다른 공백이 있을 수 있다. 단순히 미국을 넘어서는 경쟁을 넘어 국제사회의 지지를 얻는 정당화의 과정이 필요할 뿐 아니라 국제적 공공재 제공 비용을 기꺼이 감당하겠다는 국내적 합의를 얻어내는 과정도 필요하다. 기존의 세력전이이론은 새로운 패권의 등장 과정을 기존 패권과의 양자 경쟁 관계 속에서 상정하는 경향이 강한데, 이는 역사적으로 반드시 그런 것은 아니다, 국제사회의 수평적 의견수렴이 점차 중시되고 세력 확산(power diffusion)이 가속화되며 초국가적 네트워크와 국제기구가 강화되어 가는 국제정치의 흐름 속에서, 재고할 여지가 있다.

중국은 현재 중진국의 함정과 이른바 타키투스의 함정을 동시에 겪고 있다고 평가된다(Huang, 2017). 전자는 잘 알려진 바와 같이 중진국 수준의 경제발전을 이루면서 겪는 과정으로 높은 복지 비용, 점증하는 국민들의 생활수준향상 욕구 충족, 새로운 성장 동력 확보, 환경문제와 정치적 민주화 욕구 해결 등을 안고 있는 상황을 가리킨다. 타키투스의 함정은 특히 권위주의 정부가 하향식 경제발전을 이루느라 상향식 의사전달이 가로막힌 상황에서 나오는 정치적 딜레마를 말한다. 어떤 식으로 비유하든 현 시진핑 체제가 앞으로 당면할 수 있는 정치적 딜레마를 지적하는 것으로 생각할 수 있다.

그러나 패권국가 차원에서 정작 중요한 것은 중국이 과연 미국이 주도해 온 자유주의 세계질서를 한 단계 더 나은 방향으로 발전시킬 수 있는 실력을 갖추고 있는가 하는 점이며, 국제사회로부터 그 정당성을 인정받을 수 있는가 하는 점이다. 이를 위해서는 경제적 공공재는 물론 해양 수송로, 지구적 공급망, 테러 등 인간안보 이슈, 생태환경 등 많은 문제에서 발생하는 막대한 공공재를 제공할 경제력과 군사력를 갖추고 있어야 한다. 또한 이념적 정당성을 확보하기 위해 발전된 정치철학과 성숙한 시민사회를 갖추고 있어야 하며, 이를 근간으로 패권국의 모델이 될 수 있다. 내부적으로는 권위주의 국가이면서 대외적으로는 자유주의 국제질서를 유지하지 못할 바는 아니나, 오늘날의 무역분쟁에서 표출되듯이 중국이 WTO의 경제다자 규범을 준수하지 않는다는 비판에 지속적으로 직면할 경우 지도력이 저하될 것은 자명한 일이다.

지금 벌어지고 있는 미·중 간 경쟁이 패권경쟁이라면, 중국은 단순히 미국을 능가하는 힘을 키우는 데만 집중할 것이 아니라, 지금의 경쟁을 규범 기반 경쟁으로 만들어 중국이 주도하는 질서가 미국이 주도하는 질서보다 더 낫다는 점을 확인시킬 필요가 있다. 2019년 6월 1일 샹그릴라 회의에서 패트릭 섀너핸(Patrick Shanahan) 미국 국방장관대행은 중국이 국제질서를 침해하는 세력이며 다른 국가들을 강압하는 다양한 정책(toolkit of coercion)을 개발해 왔다고 비판했다. 동시에 중국과의 경쟁을 주저하지 않을 것이며 규칙 기반 경쟁을 추구해 나가겠다고 천명했다. 중국의 국방장관은 이에 대해 중국이 기존 질서를 침해하는 세력이 아니며, 오히려 미국이 현상변경 세력으로 중국의 핵심 이익을 침해하고 있다고 반발한 바 있다.

제2차 세계대전 이후 이른바 자유주의 세계질서는 미국이 주도해 온 것이 사실이다. 다자주의적 합의 구조를 강조하고 집합적 안보를 통해 규칙에 근거한 갈등해결을 추구하면서, 인권과 민주주의 그리고 시장에 기초한 열린 상호 관계를 중시하는 현 질서는 미국의 지도력에 힘입은 바 크다. 그러나 다른 자유주의 국가들 역시 이에 적극 참여해 미국의 공공재 제공 사업을 도왔으며, 각 지역별로 스스로 규범을 만들어 새로운 제도들을 번창시킨 것 또한 사실이다. 즉, 자유주의 국제질서는 미국 주도 여부와 무관하게 이미 19세기부터 유지되어 온 자체 생명력을 가진 하나의 레짐이라고 볼 수 있다 (Latham, 1997). 미국은 이러한 레짐의 흐름에 맞추어 자국의 지도력을 강화해 온 것이므로 향후에는 다른 국가가 주도하는 자유주의 국제질서의 유지도 가능한 일이다. 과연 중국이 미국을 대신해 많은 국가가 함께 만들어온 자유주의 국제질서를 더 발전시킬 수 있는가는 중국의 능력에 달려 있다. 현재까지 중국이 보여준 발전은 여러 면에서 놀라운 점이 있지만, 아직까지 진정으로 미국과 패권경쟁을 할 수 있는 보편적 능력을 갖추었다고 보기는 어렵다. 한발 더 나아가 향후 미국을 능가한다 하더라도 국제사회를 이끌 지도력을 확인받기 위해서는 스스로 패권의 위상을 정립해야 하는바, 진정한 패권경쟁은 중국이 중국 자신과 하는 경쟁이라고 하겠다.

7 | 불완전 주권국가의 완전 제국 주권에 대한 도전: 문명의 충돌?

미국이 중국의 부상을 어떻게 바라보는지는 매우 중요한 문제이며, 이에 따라 미국의 대중 국제정치게임의 형태가 정해진다. 그리고 중국이 기존의 미국 주도 자유주의 국제질서를 인정한다면 대중 관여가 가능하다. 현재 질서의 축은 미국식 자유민주주의라는 규범과 가치, 미국이 공공재를 제공하는 자유주의 국제경제질서, 미국이 설계한 지구적 동맹체제, 그리고 중층적인 다자주의 국제 제도이다.

중국은 자유주의 국제경제질서에는 찬성하지만 나머지 미국 주도의 소질서(suborders) 요소들에 대해서는 반대 입장을 표명해 왔다. 미국 주도의 동맹질서가 패권적일 뿐 아니라 중국 부상 이후에는 중국을 포위하는 군사적 수단이 되었다고 비판한다. 미국식 자유민주주의 가치와 인권에 대한 강조 역시 중국식 민주주의와는 기본적으로 배치된다고 본다. 미국이 설립한 다자주의 제도들에 대해 일부는 찬성하지만, 선별적으로는 반대 입장을 보이고 있다. WTO나 IMF 등 주요 경제 제도들, 핵 비확산 체제와 같은 안보 제도들에도 적극 참여하고 규칙과 규범을 준수하지만, TPP 등 미국이 주도해 왔던 제도는 비판한다. 반면 SCO, CICA, BRICs 등 중국이 주도하거나 적극 참여하는 제도들의 유용성을 강조한다. 트럼프 행정부 등장 이후 미국이 개방되고 공정한 무역질서를 주창하며 중국을 비판하자 중국은 스스로 자유주의 국제경제질서의 수호자를 자처하기 시작했다. 시진핑 주석은 중국이 자유주의 무역질서를 준수하며 지속적인 세계화를 위해 노력하고 있다고 주장한다.

결국 중국은 자유주의 국제질서 자체에 반대한다기보다는 미국이 주도하는 세계질서, 그중에서도 중국의 이익과 가치에 어긋나는 소질서 요소들에 대해 선별적 반대를 표명하고 있다. 중국이 기존 질서의 현상변경 세력인가라는 질문에 대한 답은 중국이 선택적 현상변경(selective revisionism)을 추구하고 있다는 것이다. 중국은 안보리 상임이사국으로서 목소리를 내고 있는 UN 등 자신의 가치에 이반되지 않는 국제질서를 지지하지만, 미국이 주도하는 자유주의적 질서 형태에 대해서는 비판의 목소리를 높이고 있다.

자유주의 질서는 다자주의에 기초하고 있지만, 패권국가의 주기적 일방주의에 의해 재조정되는 일방주의적 다자주의라고 할 수 있다. 미국은 다자주의 질서가 자국 국익에 심각하게 위배되어 지구적 공공재를 제공하는 기초를 흔들 때 다른 국가들의 희생을 강요하고 이익을 침해하면서 자유주의 질서를 재조정해 왔다. 미국을 제외한 다른 국가들은 자유주의 국제질서의 혜택을 향유하면서 무임승차의 이익을 누리고 있다는 사실을 알고 있기 때문에 주기적 재조정 과정에 참여하고 이로써 장기적 이익 추구를 지속하는 과정에 동참해 왔다. 미국이 제공하는 공공재와 자유주의 국제질서에 대한 수요국들의 요청이 있기 때문에 다자주의 질서가 가능한 것이다.

중국 역시 이러한 사실을 점차 학습해 가고 있다. 중국이 제공하는 지구적 혹은 지역적 공공재가 점점 늘어나면서 이를 관리하는 중국의 권한, 그리고 이를 재조정하는 일방주의적 권한에 대해 요구사항이 증가하고 있다. 다른 국가들은 중국이 투명성을 결여한 채 제도를 운영을 한다고 비판하지만, 중국으로서는 패권국가를 지향하는 과정에서 일방주의적 재조정 권한을 점점 더 많이 요구하게 될 것이다. 미국은 공공재 제공자로서 주기적으로 일방주의적 재조정의 행태를 보이면서 중국에는 그러한 권한을 허용하지 않는 상황을 점차 비판적으로 인식하고, 자국의 일방주의는 물론이고 중국 중심의 질서 운용 방식도 합리화하고자 할 것이다. 문제는 그러한 일방주의적 다자주의 과정 역시 다른 국가들로부터 근본적으로 동의를 얻어야 하는데, 그 과정이 매우 길고 험난하다는 것이다.

더 나아가 중국의 도전이 기존 질서 규범에 대한 근본적 도전이라고 미국이 인식한다면, 미국의 대응은 근대 국제체제의 세력전이와 다른 양상을 띨 수 있다. 중국의 부상을 중국이라는 개별국가의 부상이 아니라 과거 중국이 주도했던 문명 혹은 질서가 내장한 조직원리의 부상이라고 여길 수 있다. 미·중 전략경쟁이 근대 국제정치체제의 여타 세력전이와 다른 점은 강대국 간의 전략경쟁 혹은 세력전이의 모습이 중국의 주권게임과 중첩된다는 점이다. 중국은 자신의 불완전한 주권성을 완전하게 하는 데 가장 큰 장애가 되었던 미국과의 경쟁을 통해 불완전 주권국가의 지위를 벗어나야 한다. 중국은 현재도 미국이 대만을 지원하고 있고 홍콩의 완전한 통합을 방해한다고 의심하고 있으며, 향후에도 자국의 주권통합성에 미국이 개입

할 수 있다고 우려하고 있다. 미국에 대한 중국의 수정주의 태도와 패권을 향한 전략경쟁은 과거로부터 축적된 중국 주권게임의 목적과 결합되어 나타나는 것이다. 따라서 유럽 국가들 간의 전략경쟁과는 달리 대결은 전면적이고, 국내적으로도 중국의 민족주의 열정이 더 크게 작동하게 된다.

미국 역시 이러한 차이를 어렴풋이 인식하고 있는 것으로 보인다. 최근 트럼프 정부 들어 중국의 부상을 문명충돌로 여기고, 이에 대한 대응을 준비하는 신호를 내보내고 있다. 간헐적으로 중국의 강압적인 주변 외교를 과거 조공 질서의 부활 시도라고 언급하는 횟수도 늘고 있다. 흥미로운 사례로 ≪워싱턴 이그재미너(Washington Examiner)≫에 따르면 2019년 4월 미 국무부의 정책기획국장 키론 스키너(Kiron Skinner)가 중국의 부상이 문명충돌의 성격을 띠고 있다는 보고서를 준비하고 있었다는 것이다. 중국은 서구문명에 뿌리박고 있지 않기 때문에 다른 국가들의 도전과는 사뭇 다르다는 판단이다. 물론 미국과 이념적으로 다른 나치 독일과 소련의 도전이 있었고, 문명적으로는 일본의 도전도 겪은 바 있다. 그러나 중국은 이미 2000년 이상 아시아에서 독자적으로 제국의 지위를 유지해 오면서 지역질서의 조직원리를 좌우했다는 점을 상기할 수 있다. 독일, 소련, 일본의 경우 조직원리의 제정 권력을 가지고 있던 국가는 아니었다.

더구나 중국이 행하는 주권게임의 공세적 변화 과정을 볼 때 미국의 이러한 인식은 더욱 강해질 수 있다. 미·중은 경제적·사회적 상호의존도가 매우 높아 과거 대소 냉전의 안보적·이념적 대립과 비교할 수 없다는 시각도 있다. 그러나 미·중 간의 무역분쟁, 기술경쟁 이후로는 양국 간에 일정 정도의 경제 분리(decoupling) 현상이 불가피하다는 점을 생각할 필요가 있다. 소련과의 대립이 미·소 두 사회가 격리된 가운데 벌어진 주로 군사적 대립이었던 반면, 미·중은 상호 의존의 심화 속에서 양국의 전 사회적 분야에 걸쳐 일어나고 있다는 점도 주목할 필요가 있다. 광범위한 상호 의존을 무기화(weaponization)하면서 오히려 더 깊은 의심과 잦은 경쟁, 오해의 전선을 만들어낼 수 있다는 것이다(Farrel and Newman, 2019).

8 | 향후의 미·중 관계

향후의 미·중 관계는 앞서 논의한 논리적 맥락들이 섞여 나타나면서 다양하게 결정될 것이며, 이에 따라 중국 주권게임의 목적도 영향을 받을 것이다. 우선 미국이 선제적으로 중국에 대해 패권경쟁을 벌이는 상황이 펼쳐지고 있다. 미국은 오바마 행정부 때까지만 해도 신형대국관계(新型大國關係)를 통해 그간의 관여정책을 유지하고자 했다. 1979년 수교 이후 지속적으로 대중 관여정책을 펴왔으며, 중국의 경제성장에 따라 중국이 기존의 미국 주도 국제질서에 편입되고 궁극적으로 민주화도 이루어 민주 평화와 시장 평화를 이룰 수 있을 것이라는 기대가 존재해 왔다.

그러나 점차 중국의 기존 질서에 대한 수정주의 정책이 강화되고 시진핑 정부 들어 패권 도전 의사가 더욱 명백해지고 있다는 대중 관여 비관주의가 강화되고 있다. 시진핑 주석은 2017년 10월 제19차 당대회 연설에서 중국은 미래 인류운명공동체 건설을 추구하며, 2049년까지 중국적 특색의 사회주의 강대국 건설이라는 중국몽을 명시적으로 내보였다. 유위분발(有爲奮發)의 기치를 내걸고 시진핑 주석의 1인체제를 강화하고 임기를 철폐했으며 사회주의사상을 강조함으로써 패권을 향한 일관된 의지를 제시한 것으로 보인다. 이 선언은 이미 2013년에 시작된 중국의 일대일로 전략과 더불어 미국을 자극하기에 충분했다. 미국은 2017년 11월 트럼프 대통령의 아시아 순방 시 인도·태평양 전략을 표방하며 중국의 세력 확장에 대한 포괄적인 견제 틀을 제시했다.

미국은 지구적 차원에서 미국에 도전하는 추격자를 용납할 수 없을 뿐 아니라 세계 각 지역에 지역패권이 등장하는 것도 막아야 한다는 데 국내적 합의가 있다고 본다. 미국의 대전략으로서의 우세(primacy) 전략은 물론이고, 전면적 개입과 선택적 개입 전략하에서도 지역패권의 등장은 막아야 하는 과제이다. 심지어 역외균형 전략의 입장에서도 지역패권의 등장은 이후 미국을 위협하는 세력으로 성장할 가능성이 크기 때문에, 평시 전면 개입은 아니더라도 동맹국들에 대한 부담 전가, 불가피한 경우 직접 개입 등을 통해 막아야 하는 상황인 것이다(Beckley, 2017). 결국 중국이 아시아의 지역패권으로 등장하고 더 나아가 중동과 아프리카 등 여타 지역으로 세력을 확장하는 것은 미국의 패권 전략하에서 반드시 막아야 하는 상황 변화이다. 미국은 동맹 강화와 직접 개입을 통해 중국의 지역패권화를 막고, 지역 강대국 지위에서 중국의 성장을 제한해야 한다는 전략적 목적을 가지고 있는 것이다. 이러한 분위기 속에 당분간 미·중 간의 대결은 지속될 것이다.

둘째, 미국이 패권으로서 겪는 어려움을 해결하고 나면 지금의 간헐적 일방주의를 버리고 다시 다자주의적 자유주의 질서의 수호자로 복귀할 가능성도 부정할 수는 없다. 장기적으로 미국이 회복된 자국의 힘을 바탕으로 새로운 정책을 추진할 가능성을 생각해 볼 수도 있다. 미국이 경제력을 회복하고 다른 동맹국들의 도움을 받아 다자주의 제도를 강화하는 방안이다. 이 경우 중국에 대한 보다 폭넓은 관여 정책을 펼 여유가 생길 것이고 중국과의 상호 의존 속에서 관여 전략을 강화하는 가능성을 생각해 볼 수 있다.

셋째, 미국의 전략 의도가 기존의 미국 주도 자유주의 국제질서 수호를 위해 중국에 관여한다는 기조를 버리지 않을 가능성도 존재한다. 자유주의자들은 개방적 국제경제질서를 위해 공공재를 제공하고 인권과 민주주의의 확산을 지향하며, 원칙과 규범에 근거한 집합 안보를 제공하는 자유주의 질서가 미국에 의해 추구되고, 주도되어 왔다고 본다. 중국 역시 이 질서 아래 성장해 왔고 앞으로 이 질서하의 규범에 더욱 충실해야 한다고 본다(Deudney and Ikenberry, 2016; Deudney and Ikenberry, 2018). 그러나 현재 중국은 정부보조금에 의한 불공정무역관행, 지적재산권 불이행, 불법적 기술 절취 등 국제규범에 어긋나는 행동을 하므로 미국의 압박 속에 좀 더 규칙 준수 대외정책을 추구하도록 관여해야 한다는 것이다. 트럼프 정부의 대중 압박 역시 미·중 간의 경쟁과 대결이 아니라 대중 관여를 통한 중국의 행동과 국내 규범 변화를 유도하기 위한 것이라는 주장이다. 이는 단기 국면에서 트럼프 정부의 대중 압박이 이 같은 모습으로 나타나지는 않겠지만 장기적으로 볼 때 무역분쟁은 종식될 것이며, 결국 미국이 양자·다자 관계 속에서 중국의 변화를 유도할 것으로 보는 시각으로, 대체로 오바마 정부 이래 미·중 간 신형대국관계, 핵심 이익 상호 준수 관계의 맥락 속에 있다.

미국의 전략에 대한 중국의 대응 역시 가변적이다. 미국이 어떤 전략적 동기에서 대중 견제 전략을 사용하는지를 중국이 어떻게 인식하느냐가 매우 중요한 문제이다. 중국은 탈냉전기 들어 미국의 대중 관여 전략을 바기는 것을 기조로 하여 WTO에 가입했고, 미국의 대테러 전쟁을 지원했으며, 북핵 대응 및 사이버 안보 등 공통 관심사에서 미국과 협력하는 모습을 보여주었다. 미국 주도 자유주의 경제질서하에서 중국이 성장할 수 있다는 점을 인식하고 기존 질서의 규범 대부분을 수용했다. IMF에서 중국의 투표권 확대 요구에서 보이듯 그간의 국제기구에 대한 공헌에 걸맞은 권리를 요구하기도 했지만, 명시적으로 미국과 동등한 지위를 요구하거나 미국을 대체하려는 목표를 내세우지는 않았다. 오바마 대통령과 시진핑 주석 간의 신형대국관계는 상호 관여 전략의 표현으로 중국은 미국이 아시아·태평양권 세력이라는 것을 인정하고 미국은 중국의 핵심 이익을 존중하기로 약속했다. 중국이 근대 주권국가의 위상과 더불어 지역 강대국의 지위를 인정받으려는 주권게임을 추구할 경우, 그러한 국제정치게임은 수용이 가능할 것이다.

그러나 트럼프 행정부 들어 무역분쟁이 심화되면서 중국 내에서는 새로운 대응의 필요성이 부각되었다. 일단은 미국의 대중 견제가 전반적인 대중 관여 전략의 기조하에서 출현한 것이고 중국의 대외무역 관행을 일정 부분 수정하려는 목적에서 나온 것이라면, 중국은 이를 수용할 의지가 있다고 보인다. 중국은 WTO에서 지속적으로 시장 지위 인정을 요구해 왔고, 트럼프 대통령이 기존의 다자주의 기구들에서 탈퇴하는 과정에서 자유주의 질서의 수호자를 자처하기도 했다.

미국이 무역적자를 해소하고 자국 주도 국제질서를 보완하려는 노력으로서 일방주의적 대중 공세를 취하더라도 중국은 어느 정도 이를 수용할 의도가 있는 것으로 보인다. 중국은 미국과의 무역협상에서 미국의 요구를 수용하고 경제적 손해를 감수할 의사를 내비치기도 했다. 또한 미국 주도의 개방적 국제경제질서를 유지하는 것이 중국에도 유리하다는 판단을 하고 있어, 미국의 간헐적 일방주의 역시 반드시 거부하는 것은 아니다. 우선 강대국의 위상을 인정받고 향후 패권 지위를 향한 국력을 축적한다는 점에서, 중국은 미국의 패권 유지 과정에서 발생하는 요구를 수용할 것이다. 미래 주권게임의 성공을 위해 수용 가능한 국제정치게임의 양상이기 때문이다.

그러나 미국이 중국의 성장을 패권적 도전으로 보고 중국이 지역 패권으로 성장하는 것을 막기 위해 경제·기술·에너지·이념·사회문화·군사안보 등 전방위로 압박을 가하는 것이라면, 중국은 강하게 반발할 것이다. 미국은 과거 소련과 일본의 패권 도전을 좌절시켰고, 이 과정에서 다양한 정책 수단을 사용했다. 따라서 중국은 현재 미국이 가하고 있는 대중 압박 역시 패권 유지를 위한 치밀한 계획하에서 진행되고 있으며, 현 상황에 맞도록 패권 도전 세력의 좌절 전략을 진화시키는 중이라고 인식할 수 있다. 과거 소련의 붕괴를 교훈 삼아 신중한 부상에 만전을 기해온 중국으로서는 미국의 선제적 공세에 물러서지 않고 전면적인 대응 태세를 갖추고자 할 것이다. 패권경쟁에서 패배할 때 그 결과는 파괴적이어서, 중국이 추구하는 주권게임의 목적은 대폭 축소되고 국내 정치나 사회적 좌절도 매우 클 것이기 때문이다.

9 | 미래의 세계질서와 중국의 역할

미래의 세계질서는 미국과 중국의 능력 및 의도라는 변수에 따라 다르게 나타날 것이다. 우선은 미국이 향후 경제발전, 4차 산업혁명기의 혁신 성공 등을 통해 패권국의 능력을 유지할 수 있을 것인가, 그와 더불어 패권을 지속할 수 있는 국내적 합의를 이끌어낼 수 있을 것인가가 중요하다. 다음으로는 중국의 능력과 의도의 변화 양상이다. 비단 미국 추월 능력뿐 아니라 국제사회가 인정할 만큼 전반적인 능력을 갖추는 데는 상당한 시간이 걸릴 것으로 전망된다. 따라서 그 도중에 중국이 추구하는 주권게임의 목적 설정이 중요하다. 미국에 도전하는 적극적 외교정책을 시도할 경우 미·중 간의 경쟁과 가능성이 높아진다.

현 상황에서 가장 두드러진 국제정치게임의 모습으로, 미·중 간 패권경쟁을 정리해 보면 〈표 6-3〉과 같다. 각각의 경우에 따라 세계질서는 패권이 있는 질서, 패권경쟁이 불가피한 질서, 패권이 없는 강대국 간 세력 경쟁의 질서로 귀결될 것이다. 이 과정에서 비단 미·중 간의 경쟁뿐 아니라 다른 국가들의 미·중 지원 구도와 그 패권에 대한 지지, 즉 팔로워십도 중요한 변수가 될 것이다.

표 6-3 **미·중 양국의 미래 전략과 향후 세계질서**

미국의 미래	중국의 미래	향후 세계질서
미국의 능력 충분·의도 강력	중국의 도전 의도 강력	미국의 우위로 미국의 압도
	중국의 도전 의도 부재	미국 주도 세계질서 유지
미국의 능력 충분·의도 부재	중국의 도전 의도 강력	미국의 후퇴 속 중국의 영향력 강화, 세계질서의 혼란
	중국의 도전 의도 부재	패권 부재의 국제질서, 세계질서의 약화
미국의 능력 부족·의도 강력	중국의 능력 충분·의도 강력	중국 중심 세계로 전환
	중국의 능력 충분·의도 부재	패권 부재의 국제질서, 중국 영향력 강화
	중국의 능력 부족·의도 강력	미·중 간 지연된 장기 패권경쟁
	중국의 능력 부족·의도 부재	미국 중심 세계질서, 공공재 부족 현상
미국의 능력 부족·의도 부재	중국의 능력 충분·의도 강력	중국 중심 세계질서 안착
	중국의 능력 충분·의도 부재	중국에 대한 기대감 상승
	중국의 능력 부족·의도 강력	중국의 패권에 대한 국제사회의 견제
	중국의 능력 부족·의도 부재	무패권의 다극체제

맺음말

북핵 문제의 해결을 놓고 북한 비핵화와 한반도 평화체제라는 목적을 달성하려는 남·북한, 해결책을 발견하기는커녕 점점 복잡해지고 급기야는 전략적 충돌로 이어진 한·일 관계, 냉전과 탈냉전의 시기를 거치면서 유지되어 왔지만 미래를 알 수 없는 한·미동맹, 동북아는 물론이고 지구적 국제정치를 뒤흔들고 있는 미·중 관계 등등 한국과 동북아가 당면한 사안들은 넘쳐난다. 이러한 현상들이 발생한 원인과 전개 과정, 향후 전망 등은 국제정치이론적으로 매우 흥미로운 현상들인데, 기존의 국제정치이론들로 설명하기에는 한계가 있었다. 과연 남·북한은 두 개의 국가인가, 중국과 대만도 마찬가지인가, 한·일 관계는 역사문제라는 관념적·문화적 요인으로만 설명 가능한가, 한·미동맹 관계는 기존의 일반적인 동맹이론으로 파악 가능한가, 미·중 관계는 기존의 세력전이이론, 패권이론 등으로 파악되고 예측될 수 있는가 등등 기존 이론의 효용에 관한 의문도 제기된다.

이 책은 동북아 역내국가들이 불완전 주권국가라는 사실에 집중해 역사적 배경과 역내국가들 간, 그리고 역내국가들과 역외국가들 간의 관계를 이론적으로 설명하고자 했다. 이 책에서 제시된 주요 논제들을 정리하면 다음과 같다.

- 동북아 역내국가들은 불완전 주권국가들로서 영토, 국민, 효율적인 정부와 대외적 자주성, 국제사회 승인 등의 요소에서 완전성을 목표로 한다.
- 불완전 주권국가들은 역사적으로 지켜온 정치단위로서의 이상적 형태를 주권국가의 범주에서 실현하고자 하는 존재론적 안보의 목적으로 한다. 즉 주관적으로 만족할 수 있는 주권국가 형태의 실현을 주권게임의 목적으로 설정한다.
- 동북아 역내국가들의 주권의 불완전성은 그 기원과 원인, 형태 등에서 차이가 나며, 추구하는 목표도 차이가 있다.
- 역내국가들은 주권게임에서 보다 빨리 완전한 주권을 이루기 위해 경쟁하며 상대방 주권의 불완전성을 활용하고 공격한다.
- 주권게임은 각 국가 내부에서도 이질적인 분파들에 의해 서로 다르게 인식되며, 국가가 내세우는 민족주의와 결합하는 경향이 강하다.
- 역외국가들은 자신의 국제정치게임의 목적을 달성하기 위해 역내국가의 주권게임에 개입해 자국의 이익을 극대화하고자 한다.
- 불완전 주권국가인 동북아 역내국가들도 정상적인 주권국가인 듯 행동하며, 그들 간에 전형적인 국제정치게임을 벌인다.
- 대부분의 사안에서 주권게임과 국제정치게임이 복합적으로 작용하며, 국제정치게임에서 다양한 권력 자원을 획득한 국가가 주권게임에서도 우위에 설 수 있다.
- 변화하는 국제정치 정세, 특히 역외 강대국들의 동북아 전략에 따라 주권게임이 벌어지는 독자적 공간이 결정된다.
- 불완전 주권국가가 강대국의 권력과 위상을 확보한 후, 자신의 주권을 완성하는 과정에서 기존의 주권국가체제 자체를 넘어설 가능성을 추구할 수 있고, 다른 국가들도 이러한 가능성에 주목하고 이를 우려한다.

1945년 이후 동북아 국가들은 분단을 해소하고 정상적인 주권국가의 위상을 되찾으며 각자가 유지해 온 주관적으로 바람직한 완전 주권국가의 이상을 달성하기 위해 노력해 왔다. 그러나 역외국가인 미국과 러시아가 동북아 국제정치의 사실상의 일원으로 막강한 힘을 발휘해 왔고, 국제정치 게임의 주체로 역내국가들 간 주권게임의 공간 자체를 규정하고 그 전개 과정에 개입했다. 동북아 역내국가들이 설정한 주권게임의 목적은, 그중 하나만 성공하더라도 동북아 국제정치 세력균형을 근본적으로 바꿀 만큼 중대한 것들이다. 역외국가들이 역내국가들 주권게임의 향방에 대해 자국 국제정치게임 이익의 관점에서 낙관하지 못할 때, 이 주권게임의 공간 자체가 제약되는 경향이 있다. 역내국가들은 한편으로 정상적인 국제정치를 수행하면서도 주권게임의 공간이 열릴 때마다 좀 더 근본적으로 이 게임의 목적을 달성하기 위해 노력을 기울였다. 이 두 게임이 결합되면서 개별 사안은 복잡한 양태를 띠었고 기존의 국제정치이론들로는 설명할 수 없는 현상들이 발생하게 되었다.

냉전기에는 미·소 간 대립이 제로섬의 국제정치게임으로 진행되었기 때문에 한국과 중국의 통일, 일본의 보통국가화가 미·소 양국의 세력균형에 큰 영향을 미칠 수밖에 없었다. 한국과 중국이 남한이나 북한, 중국이나 대만 중 어느 한 편을 중심으로 통일된다면 미·소 양국에는 큰 손실이거나 이익을 주는 사안이었고, 냉전의 제약상 평화적이고 중립적인 통일은 불가능했다. 미국은 일본의 군사 강대국화를 유도했지만 이 역시 미·소 군사 균형을 변화시키는 사안이었으므로, 소련과 중국의 반대가 거셌을 뿐 아니라 한·일 간의 대립도 미국으로서는 감당하기 어려운 것이었다.

탈냉전 이후 미국 단극체제하에서 동북아 역내국가들의 주권게임은 미국 국제정치게임의 이익을 상대적으로 덜 침해하거나 오히려 증진시키는 경우도 있었다. 한국의 대북 관여, 통일 노력은 미국으로서는 제약할 동기가 크지 않았다. 공산권 국가들이 몰락하거나 탈공산화로 이행하는 과정에서 오히려 한국 주도 통일은 자연스러운 것으로 받아들여졌고 미국은 한국의 북방정책을 측면 지원하거나, 북한과의 직접 핵협상을 통해 북한의 변화를 유도하기도 했다. 미·중 관계는 1989년 천안문사건 이후 경색되기도 했지만 점차 미국은 대중 관여정책을 채택하게 되었고, 이 과정에서 양안 협력관계 역시 미국으로서는 반드시 경계할 사안은 아니었다. 일본의 보통국가화 과정에서 비롯되는 일본의 국방력 강화는 미국의 지구적 국제정치 게임 수행에 유익했기 때문에 미·일동맹을 통한 규제 논리가 작동하는 한 일본의 보통국가화 역시 받아들일 수 있는 부분이었다. 이 과정에서 동북아 역내국가들의 주권게임 공간은 확대되었다. 그러나 이 시기는 동북아 국가들 간 주권게임의 갈등이 새롭게 발원한 시기이기도 했다. 북핵 문제의 발발, 대만 독립운동의 시작, 위안부 문제를 둘러싼 한·일 역사 갈등의 심화 등 동북아 국가들의 주권게임이 제로섬게임의 양상을 보이면서 탈냉전기 갈등의 씨앗이 뿌려진 것이다. 미국의 압도적인 국력과 단극체제의 구조적 효과가 동북아 역내국가들 간 주권게임의 충돌을 조정할 수 있었지만, 해결할 수는 없었다.

9·11테러와 뒤이은 지구적 반테러 전쟁을 겪으면서 미국이 당면한 패권의 이념적 정당성 위기, 재정적자, 2008년 경제위기에 따른 경제력 약화와 국내 정치 위기의 심화 등으로 인해 단극체제가 약화되는 변화가 일어났다. 미국은 패권조정기에 접어들었고 동시에 중국의 경제적 부상과 미국 패권에 대한 도전도 시작되었다. 중국은 한·일 양국에 비해 주권게임을 성공적으로 수행해 왔다. 대만의 주권적 지위를 부정하고 한 개의 중국 정책을 국제사회에서 널리 승인받았으며, 대만에 비해 압도적인 국력을 보유해 통일에 유리한 고지를 차지하고 있다. 중국이 통일을 지향하는 한편 내부적으로는 다민족 국가의 통합성을 유지하고, 여러 전선에 걸친 영토분쟁에서 확장적이고 공격적인 정책을 실행한 노력들, 이른바 핵심 이익을 지키려는 노력들은 모두 주권게임의 목적과 일치한다. 중국의 주권게임은 확장

적인 민족주의와 결합해 미·중 전략경쟁의 모습을 띠고 있기 때문에 한·일 양국의 주권게임보다 훨씬 큰 변화를 가져올 사안이다. 미국으로서도 중국의 주권게임을 제어하는 것이 자신의 국제정치게임 목적인 패권 유지를 성공시키는 노력과 직결된다.

미국 본토를 공격할 수 있는 핵무기를 개발함으로써 자신의 주권게임을 추구하고 있는 북한에 대해 한·미 양국은 협력적으로 대처해 왔다. 그러나 미국이 패권조정기에 들어가면서 많은 정책 자원을 들여 북한의 완전한 비핵화를 진정으로 추구할 것인지에 대한 회의론도 등장했다. 세계적 핵비확산 체제라는 공공재를 지키는 패권적 책임감도 약화되었을 뿐 아니라 이러한 노력에 다른 국가들, 특히 한국의 구체적 비용 분담을 요구하기 때문이다. 트럼프 정부 들어 국제적 공공재 제공으로 편익을 보는 국가들의 구체적 공헌을 요구하는 미국 정책 변화의 흐름 속에서 미국 북핵정책의 변화를 분석할 수 있다. 북핵 문제를 해결하고 남·북 관계를 발전시켜 평화적, 점진적 통일을 이루려는 한국의 주권게임의 목적은 미 패권조정기에 새로운 도전에 봉착해 있다.

중국의 패권국화 및 한국 주도 통일의 가능성이 높아지고 양국의 군사력이 강화될 것이 명백한 상황에서 여전히 헌법적 제약하에 평화국가로 남아 있는 일본의 두려움은 커질 수밖에 없다. 미국의 안보 공공재 제공의 불확실성이 높아지는 가운데 중·일의 해양영토 분쟁, 북한의 미사일 위협 등을 감당해야 하는 일본은 평화헌법으로 안보를 확보할 수 있는가 하는 근본적 회의가 심화된다. 따라서 개헌을 통해 달성해야 하는 군사적 보통국가화 과정에 일본제국주의의 최대 피해자인 한국이 제기하는 역사문제는 가장 큰 전략적 도전일 수밖에 없다. 일본이 한·일 관계를 어떻게 설계하고 미국 패권조정과 미·중 전략경쟁의 와중에 어떤 안보전략을 추구해 갈지가 일본 주권게임의 내용을 결정할 것이다.

이 책은 미시적인 기존 국제정치이론들에 대한 비판이라기보다는 국제정치이론의 기본 전제에 대한 비판을 통해 중범위와 미시 사이의 마침표를 쉼표로 바꾸는, 즉 국제정치이론들의 내용을 일정 부분 수정하는 효과를 기대한다. 국제정치이론은 완전한 주권국가를 상정하고 있으며, 대부분 서구 국가들의 이념형을 전제로 성립되었다. 완전 주권국가들 간에는 무정부상태가 수립되고 이는 마치 신고전경제이론의 시장 관계처럼 상상되기도 했다. 그러나 국제정치의 장 자체가 굴곡이 많고 개별 행위자는 역사적으로 이미 상당히 한계를 가진 단위들이다. 이 단위들 간의 관계는 완전 주권국가들 간의 상상된 관계를 굴곡·왜곡시키는 효과가 있다. 안보딜레마론, 정체성의 정치론, 동맹이론, 안보화이론, 패권이론, 세력전이론 등 국제정치의 주요 이론들을 불완전 주권국가라는 단위의 특성을 고려해 새롭게 조망할 필요가 있다. 조직원리도 무정부상태로 한정해 특징짓기 어려우며, 근대 이전, 근대 이행, 탈근대 이행의 조직원리가 불완전 주권국가들의 인식 속에 복합적으로 작동하고 있다고 봐야 한다.

주권게임은 근대 주권국가체제가 유지되는 한 계속될 것이다. 모든 불완전 주권국가들은 주관적으로 만족할 수 있는 주권국가의 위상을 달성하려고 노력할 것이기 때문이다. 비서구 주권국가체제 성립 과정에서 불완전 주권국가가 구조적으로 창출되었기 때문에 개별 국가들의 주권완성 동기 역시 구조적으로 창출된 것이다. 완전 주권국가들의 우선적인 대외 전략 목적이 생존과 안보라면, 불완전 주권국가의 주권완성 노력은 그 자체가 안보와 생존의 문제이다. 실천적으로 중요한 점은 서로의 목적을 해치면서 경쟁적인 게임을 벌여 동북아를 공격적 현실주의의 세계로 만들어갈 것인가, 아니면 서로의 주권완성을 보완하며 새로운 국제정치게임의 장을 열어서 방어적 현실주의, 자유주의적 요소가 작동하는 다자주의 협력의 세계로 만들어갈 것인가의 문제이다.

결국 하나의 한국, 하나의 중국, 보통국가로 전환된 일본이 서로를 진정으로 승인하고 상대방의 완전한 주권성에 위협을 느끼지 않으면서 협력을 유지하며, 역외국가들과 협력적 관계를 재설정하여 동북아 지역을 이끌어갈 수 있는지가 문제이다. 이를 위해 생각해야 할 점들을 제시하면서 이 책을 마치려 한다.

첫째, 불완전 주권국가들 간 주권게임이 동북아 역내국가들에 존재한다는 사실, 그리고 불완전 주권이 고착된 역사적 배경에 대해 공감대를 이루는 것이 중요하다. 동아시아가 서구의 주권국가체제로 편입될 때 많은 고난과 비극이 있었었고, 개별 국가가 극복할 수 없는 문제들이 존재했던 것이 사실이다. 불완전 주권게임의 복잡성을 이해하고, 불완전 주권성의 기원과 심각성을 같이 이해할 필요가 있다. 구조에 대한 이해 없이 상대방을 비난하고 책임을 전가하는 방식으로 주권게임이 정합게임이 되기를 기대하기 어렵다.

둘째, 변화하는 국제정치구조 속에서 역내국가들은 새로운 대외 전략을 채택해 국제정치게임을 해나갈 수밖에 없다. 현재는 탈냉전 단극체제가 빠르게 약화되고, 미국의 패권조정과 미·중 간 전략경쟁이 심화하는 시기이다. 역내국가들은 국제정치게임에서 최대한 협력 기반을 넓히는 동시에, 주권게임을 서로에게 유리한 상승적 정합게임으로 추구할 필요가 있다.

주권게임을 선제적으로 그리고 확장적으로 수행해 국제정치게임에서 이익을 극대화하려는 노력은 주권게임과 국제정치게임 모두를 악화시킬 수밖에 없다. 중국의 공세적 중국몽이나 일본의 역사 반성 없는 군사 강대국화는 다른 국가들의 경계심을 자극하며 주권게임의 대립적 측면을 강화시킬 뿐이다. 또한 주권게임을 공세적으로 운용함으로써 국제정치게임에서 현상변경 세력으로 등장해 우위를 확보하려는 유혹이 존재할 수 있다. 이는 전체 동북아 차원에서 보면 갈등을 악화시킬 뿐이다. 특히 공세적 주권게임이 국내 정치적으로 민족주의를 자극해 일시적인 정치적 효용을 확대시킬 수 있으므로, 유혹에 빠지지 않는 것이 중요하다.

셋째, 미국의 동아시아 전략이 불명확하고 자국 이익 중심주의로 가는 과정에서 미국의 전략 변화와 한·중·일 3국의 주권게임이 어떻게 맞물릴 것인지가 중요하다. 미국이 일방적으로 퇴조해 국제정치게임의 공백을 둘러싸고 한·중·일의 경쟁이 벌어지는 한편, 주권게임을 제로섬게임으로 운용함으로써 경쟁이 한층 격화될 수도 있다. 이 경우 미국 없는 동북아는 큰 갈등에 휘말릴 것이다. 반면 미국이 3국의 주권게임이 원활하게 유지되는 계기를 마련하고 미국 국제정치게임의 이익도 함께 확보하는 현명한 동아시아 전략을 취한다면 결과는 훨씬 나아질 수 있다. 남·북 관계 발전, 일본의 보통국가화, 중국의 자유주의 강대국화에 미국이 여전히 큰 힘을 발휘할 수 있기 때문이다.

미국의 영향력이 줄어드는 가운데 동아시아 국가들이 함께 이루어온 국제질서의 장점을 중국이 더욱 강화하는 방향으로 노력할 수 있는지가 관건이다. 현존하는 질서는 미국 주도로 조성되어 온 부분이 크지만 동시에 많은 동아시아 국가들이 시장경제, 다자주의 제도, 다차원적 협의와 타협을 통해 함께 만들어온 질서이므로, 중국이 이를 더욱 발전시킬 수 있게 지도력을 발휘하는 것이 중요하다. 이는 중국의 통일과 강대국화 과정에서 한·일을 비롯한 동아시아 국가들이 상호 협력할 수 있고 중국 역시 주권게임과 국제정치게임 모두를 성공적으로 이끌 수 있는 방향이다.

넷째, 동북아 역내국가들의 주권게임은 근대 주권국가체제가 존속하는 한 계속될 것이다. 현재의 조직원리하에서 온전한 주권국가는 포기할 수 없는 목표이기 때문이다. 사실 온전한 주권국가로 구성된 국제정치는 세계적으로도 보기 어렵다. 유럽 강대국들과 미국 정도를 제외하고는 주권국가 형성 과정에서 강대국 간 세력균형의 영향을 받아 원하는 주권국가를 이루지 못한 정치단위들이 무수하다. 오히려 비서구 지역 정치에 만연한 불완전 주권국가들의 주권게임이 국제정치의 기저에 흐르고 있는 양상이 보편적이라고 볼 수 있다. 그러한 점에서 근대 주권국가체제가 주권이라는 말에서 풍기는 독립성, 자율성, 자체완결성이라는 덕목을 체현하는 체제가 아니라는 점을 명심할 필요가 있다(전재성, 2019c).

국제정치 자체도 빠르게 변화하고 있다. 유럽연합의 경우에서 보듯이 많은 굴곡이 있지만 주권국가를 넘어서는 연합체가 만들어지고, 주권이 국가에 귀속되는 상황을 넘어 공유된 주권(pooled sovereignty) 혹은 지역주권으로 이행하기도 한다. 다가오는 4차 산업혁명과 같은 기술 변혁의 시대에 주권국가체제를 넘어설 힘을 가진 주체가 등장할 수도 있다. 탈베스트팔렌 제국 시대의 도래이다. 실제로 21세기 초 미국의 부시 행정부는 우세전략을 넘어 제국전략을 고안하기도 했다. 동북아의 국제정치가 이러한 변화를 겪는다면 주권게임은 무의미해질 것이다. 주권국가가 아닌 새로운 단위가 중심에 부상할 것이기 때문이다. 변화하는 국제정치의 흐름과 동북아 주권게임 간의 관계를 적절히 분석할 필요가 있다.

다섯째, 한국은 급변하는 동북아 주권게임과 국제정치게임의 흐름을 정확히 파악해 대처할 필요가 있다. 중·일 양국과는 달리 패권이나 제국의 지위를 탐하지 않는 중견국으로서 동북아 국제정치가 공격적이고 갈등적으로 되지 않도록 중심을 잡을 필요가 있다. 현재와 같은 미 패권조정과 미·중 전략경쟁이 지속된다면, 1951년에 만들어진 샌프란시스코체제는 근본적인 변화를 겪을 가능성이 있다. 미국의 안정자 역할이 급격히 축소되고 미·일동맹의 근본 전제가 흔들리며, 한·미·일 삼각협력이 약화되고 중국과 북한, 러시아가 포함되는 새로운 구조가 형성될 수 있다. 중국 주도의 일대일로 대 미국 주도의 인도·태평양전략의 구도는 샌프란시스코체제의 기본 틀을 변화시킬 것이고, 이후에 나타날 새로운 질서를 예측하기 어렵게 만든다. 앞으로 제로섬의 주권게임과 대립적인 국제정치게임이 자리 잡지 않도록, 한국은 정확한 국제정치 인식을 가지고 비전을 제시해야 한다.

탈패권·탈샌프란시스코체제를 넘어 근대 국제정치가 근본적 이행 과정에 있고, 동북아의 조직원리가 탈베스트팔렌체제로 옮아간다면 한국 주권게임의 목적도 재고되어야 한다. 남·북한의 통일도 중요한 목적이지만, 마치 유럽연합처럼 점차 통합되어 가는 지역질서가 현실화된다면 동북아 역내국가들은 새로운 틀에서 협력하고 경쟁해 나가게 될 것이다. 이 과정에서 근대국가적 통일보다 북한을 새로운 지역질서에 편입시키려는 노력이 더 중요해질 수도 있다. 남·북한이 변화하는 지역통합 또는 다자주의협력체에 공동으로 편입될 때, 남북통일보다 효과적인 지역연합체를 통한 협력도 가능하기 때문이다.

동북아 시민사회 간의 연대가 새로운 지역을 창출할 수 있다면 국가주권이라는 틀 자체가 재고의 대상이 될 것이다. 본원적 주권은 인간 개인에게 있고 국가는 개인 주권을 이양받은 존재라고 한다면, 동북아인들 모두의 개별 의지를 이양받는 국가 이상의 정치체도 상상할 수 있다. 개인의 정치적 공감의 범위가 국경을 초월하는 시대에 도달한 상황에, 과거 유럽에서 발원한 주권국가의 경계에 정치적 정체성을 가두어야 하는지 고민해 봐야 한다.

참고문헌

강성현. 2016. 「전후 미국의 '점령형 신탁통치'의 성립과 냉전적 변형: 조선, 미크로네시아, 류큐제도를 중심으로」. ≪사회와 역사≫, 112집, 49~99쪽.

김기창·최나진. 2017. 「한일 청구권협정과 강제 동원 피해자의 손해배상청구권」. ≪비교사법≫, 24집 2호, 813~858쪽.

김명섭. 2015. 『전쟁과 평화: 6.25전쟁과 정전체제의 탄생』. 서강대학교출판부.

김보영. 2015. 「1954년 제네바정치회담과 외국군 철수 의제」. ≪군사≫, 95집, 55~87쪽.

김숭배. 2017. 「존 포스터 덜레스(John Foster Dulles)의 신념과 한·일관계의 양가성」. ≪국제정치논총≫, 57집 2호, 207~242쪽.

김애경. 2018. 「중국의 국가이익 재구성과 동아시아 정책」. 전재성 엮음. 『동아시아 지역질서 이론: 불안전 주권과 지역갈등』. 사회평론아카데미.

김연철. 2011. 「1954년 제네바 회담과 동북아 냉전질서」. ≪아세아연구≫, 54집 1호, 192~219쪽.

남기정. 2008. 「샌프란시스코 평화조약과 한일관계: '관대한 평화'와 냉전의 상관성」. ≪동북아역사논총≫, 22집, 37~71쪽.

______. 2019. 「일본군 '위안부' 및 강제동원 문제 해법: 한일관계 재구축을 위하여」. 세종연구소, ≪정세와 정책≫, 2019-8호.

남시욱. 2015. 「딘 애치슨과 미국의 한반도 정책: 한국전쟁 시기를 중심으로」. 서울대학교 외교학 박사학위논문.

노경덕. 2016. 「얄타 회담 다시 보기」. ≪사총≫, 87집, 317~349쪽.

도시환. 2015. 「일제식민지책임 청산을 위한 한일조약체제의 과제」. ≪역사와 세계≫, 48집, 73~119쪽.

박명림. 1996. 『한국전쟁의 발발과 기원 1, 2』. 나남출판.

박영준. 2018. 「일본 아베 정부의 미일동맹 정책과 지구본 외교 '국제협조주의'와 '전략적 자율성'의 사이」. ≪국방연구≫, 61집 3호, 183~201쪽.

박정현. 2012. 「1950년대 초대만(臺灣)의 반공(反共)과 대륙 반공계획(反攻計劃)」. ≪사총≫, 76집, 225~251쪽.

선즈화(沈志華). 2014a. 『조선전쟁의 재탐구: 중국·소련·조선의 협력과 갈등』. 김동길 옮김. 선인.

_____. 2014b. 「극동에서 소련의 전략적 이익보장 한국전쟁의 기원과 스탈린의 정책결정 동기」. ≪한국과 국제정치≫, 30집 2호, 1~44쪽.

소토카 히데토시(外岡秀俊)·혼다 마사루(本田優)·미우라 도시아키(三浦俊章). 2006. 『미일동맹: 안보와 밀약의 역사』. 진창수·김철수 옮김. 한울엠플러스.

손경호. 2011. 「최근 한국전쟁 연구동향: 2005년 이후 연구를 중심으로」. ≪한국근현대사연구≫, 56집, 202~226쪽.

손열. 2015. 「미중 데탕트와 일본: 1972년 중일 국교정상화 교섭의 국제정치」. 하영선 엮음. 『1972 한반도와 주변 4강 2014』. 동아시아연구원.

_____. 2018. 「위안부 합의의 국제정치: 불완전 주권국가 간 경쟁과 협력의 동학」. 전재성 엮음. 『동아시아 지역질서 이론: 불안전 주권과 지역갈등』. 사회평론아카데미.

송민순. 2016. 『빙하는 움직인다: 비핵화와 통일외교의 현장』. 창비.

신욱희. 2004. 「이승만의 역할인식과 1950년대 후반의 한미 관계」. ≪한국정치외교사논총≫, 26집 1호, 37~61쪽.

_____. 2017. 『삼각관계의 국제정치 중국, 일본과 한반도』. 서울대학교출판문화원.

_____. 2018. 「중국의 부상과 샌프란시스코체제의 전환」. 전재성 엮음. 『동아시아 지역질서 이론: 불안전 주권과 지역갈등』. 사회평론아카데미.

안소영. 2010. 「태평양전쟁기 미국의 전후 대일·대한정책 및 점령통치 구상: 이중적 대립축과 그 전환」. ≪한국정치외교사논총≫, 31집 2호, 167~200쪽.

유의상. 2015. 「샌프란시스코 대일강화회의와 한국의 참가문제: 한국의 내재적(內在的) 요인과 그 영향」. ≪사림(성대사림)≫, 53집, 265~303쪽.

윤영휘. 2017. 「카이로 회담에서 연합군의 군사전략과 전후 국제질서 구상」. ≪군사≫, 105집, 257~286쪽.

윤정인. 2017. 「1953년 정전협정」. ≪통일법연구≫, 3집, 35~75쪽.

이근관. 2013. 「한일청구권협정상 강제징용배상청구권 처리에 대한 국제법적 검토」. ≪법학≫, 54집 3호, 327~391쪽.

이명박. 2015. 『대통령의 시간 2008~2013』. 알에이치코리아.

이상봉. 2006. 「전후 일본보수정치와 평화헌법: 평화헌법의 출현, 존재방식, 의의에 대한 비판적 연구」. ≪국제정치연구≫, 9집 1호, 287~320쪽.

이상호. 2008. 「이승만과 맥아더 그리고 대한민국 정부수립」. ≪정신문화연구≫, 31집 3호, 103~130쪽.

이완범. 2000. 『한국전쟁: 국제전적 조망』. 백산서당.

_____. 2007. 『한국해방 3년사: 1945~1948』. 태학사.

이혜정. 2001. 「미국세기의 논리: 이차대전과 미국의 '대영역'」. ≪한국정치학회보≫, 35집 1호, 365~380쪽.

_____. 2004. 「한미동맹 기원의 재조명: 한미 상호방위조약의 발효는 왜 연기되었는가?」. ≪한국정치외교사논총≫, 26집 1호, 5~35쪽.

_____. 2017. 『냉전 이후 미국 패권: 자본주의와 민주주의, 전쟁의 변주』. 한울엠플러스.

임동원. 2015. 『피스메이커: 남북관계와 북핵문제 25년』. 창비.

장박진. 2016. 「카이로선언의 기초와 한반도 독립 조항의 의미: 전후 단순 분리 독립의 기원」. ≪동북아역사논총≫, 54집, 247~289쪽.
전재성. 2011.『동아시아 국제정치: 역사에서 이론으로』. 동아시아연구원.
_____. 2012.「북방정책의 평가: 한국 외교대전략의 시원」. 강원택 엮음.『노태우 시대의 재인식 전환기의 한국사회』. 나남.
_____. 2014.「국제정치 조직원리 논쟁과 위계론」. ≪국제정치논총≫, 54집 2호, 7~45쪽.
_____. 2016.「한미동맹의 동맹 딜레마와 향후 한국의 한미동맹 전략」. ≪국가안보와 전략≫, 16집 2호, 1~32쪽.
_____. 2017a.「김대중 정부의 대북 햇볕정책과 외교 전략」. 한국정치학회 편.『1987년 민주헌정체제의 등장과 2017년 개헌 논의 2권』. 카오스북
_____. 2017b.「동북아의 불완전한 주권국가들과 복합적 무정부상태」. ≪세계정치≫, 26집, 83~126쪽.
_____. 2018.「냉전기 한국과 북한의 발전전략 및 대북, 대남 전략: '자주'의 개념」. 하영선·손열 엮음.『냉전기 한국 사회과학 개념사』. 대한민국역사박물관.
_____. 2019a.「동아시아 불완전주권 체제와 북핵, 북한 문제를 둘러싼 북미 관계」. ≪한국과 국제정치≫, 35권 1호, 95~126쪽.
_____. 2019b.「미국의 대외전략 변화와 자유주의 국제질서의 운명」. 서울대학교국제문제연구소 엮음.『미래국가론 정치외교학적 성찰』. 서울대학교국제문제연구소
_____. 2019c.『주권과 국제정치: 근대 주권국가체제의 제국적 성격』. 서울대학교출판문화원.
전재성 엮음. 2018.『동아시아 지역질서 이론: 불안전 주권과 지역갈등』. 사회평론아카데미.
정병준. 2006.『한국전쟁: 38선 충돌과 전쟁의 형성』. 돌베개.
_____. 2014.「카이로회담의 한국 문제 논의와 카이로선언 한국조항의 작성 과정」. ≪역사비평≫, 107호, 307~347쪽.
정태만. 2017.「샌프란시스코 평화조약의 문언적 해석」. ≪일본문화학보≫, 72집, 5~27쪽.
정형아. 2018.「6·25전쟁 전후 중화민국과 미국의 협력관계변화」. ≪중국근현대사연구≫, 79집, 165~196쪽.
조덕천. 2014.「카이로회담의 교섭과 진행에 관한 연구」. ≪한국근현대사연구≫, 70집, 134~169쪽.
차상철. 2009.「이승만과 미국 그리고 대한민국 정부수립」. ≪미국사연구≫, 29집, 97~121쪽.
커밍스, 브루스(Bruce Cumings). 1986.『한국전쟁의 기원』. 김자동 옮김. 일월서각.
_____. 2016.「냉전의 중심, 한국」. ≪아시아리뷰≫, 5권 2호, 185~210쪽.
코세키 쇼오이찌(古關彰一). 2010.『일본국 헌법의 탄생』. 김창록 옮김. 뿌리와이파리.
한일 신시대 공동연구 프로젝트. 2016.『신시대 한일 협력 7대 핵심과제』. 한울엠플러스.
현무암. 2014.「샌프란시스코체제의 전환과 한미일 의사 동맹 관계」. ≪황해문화≫, 83집, 34~64쪽.
홍인숙. 2002.『대국 미·소와 한민족 분단』. 경인문화사.

Balzacq, Thierry(ed). 2011. *Securitization Theory: How Security Problems Emerge and Dissolve*. New York: Routledge.
Beckley, Michael. 2017. "The Emerging Military Balance in East Asia: How China's Neighbors Can Check Chinese Naval Expansion." *International Security*, 42(2), pp.78~119.
Bennett, Bruce W. 2018. *Alternative Paths to Korean Unification*. Santa Monica: RAND.

Biddle, Stephen, and Ivan Oelrich. 2016. "Future Warfare in the Western Pacific: Chinese Antiaccess/Area Denial, U.S. AirSea Battle, and Command of the Commons in East Asia." *International Security*, 41(1), pp.7~48.

Bull, Hedley. 1977. *The Anarchical Society*. London: Macmillan.

Calder, Kent. 2004. "Securing Security through Prosperity: the San Francisco System in Comparative Perspective." T*he Pacific Review*, 17(1), pp.135~157.

Cha, Victor D. 1999. *Alignment Despite Antagonism: The United States-Korea-Japan Security Triangle*. Stanford: Stanford University.

_____. 2016. *Powerplay: The Origins of the American Alliance System in Asia*. Princeton: Princeton University Press.

Chan, Steve. 2007. *China, The US and Power~Transition Theory: a Critique*. New York: Routledge.

Chun, Chaesung. 2009. "Why Is There No Non-Western International Relations Theory?: Reflections on and from Korea," in Acharya, Amitav and Buzan, Barry(eds.). *Non-Western International Relations Theory: Perspectives on and beyond Asia*, New York: Routledge.

Copeland, Dale C. 2000. *The Origins of Major Wars*. Ithaca: Cornell University Press.

_____. 2015. *Economic Interdependence and War*. Princeton: Princeton University.

Deudney, Daniel, and G. John Ikenberry. 2016. "Unraveling America the Great." *American Interest*, 11(5), pp.1~17

_____. 2018. "Liberal World: The Resilient Order." *Foreign Affairs*, July/August 2018, pp.16~24.

Dower, John W. 1999. *Embracing Defeat: Japan in the Wake of World War II*. New York: W.W. Norton & Co./New Press.

_____. 2014. "The San Francisco System: Past, Present, Future in U.S.-Japan-China Relations." *The Asia-Pacific Journal*, 12(8-2), pp.1~41.

Downes, Alexander B. and Lindsey A. O'Rourke. 2016. "You Can't Always Get What You Want: Why Foreign-Imposed Regime Change Seldom Improves Interstate Relations." *International Security*, 41(2).

Farrel, Henry and Abraham Newman. 2019. "Weaponized Interdependence: How global economic Networks shape State Coercion." *International Security*, 44(1). pp.42~79.

Ford, Lindsey, Zachary Hosford and Michael Zubrow. 2009. *US-DPRK Nuclear Negotiations: A Survey of the Policy Literature*. Washington D.C.: CNAS.

Gaddis, John Lewis. 1997. *We Now Know: Rethinking Cold War History*. Oxford: Oxford University Press.

Gause, F. Gregory III. 1992. "Sovereignty, Statecraft and Stability in the Middle East." *Journal of International Affairs*, 45(2), pp.441~469.

Hagström, Linus. 2015. "The 'abnormal' state: Identity, norm/exception and Japan." *European Journal of International Relations*, 21(1), pp.122~145

Haselden, Jr. Carl E. 2002/2003. "The Effects of Korean Unification on the US Military Presence in Northeast Asia." *Parameters*, 2002~2003, Winter, pp.120~132.

He, Kai. 2008. "Institutional Balancing and International Relations Theory: Economic Interdependence and Balance of Power Strategies in Southeast Asia." *European Journal of International Relations*, 14(3), pp.489~518.

Heginbotham, Eric and Richard J. Samuels. 2018. "Active Denial: Redesigning Japan's Response to China's Military Challenge." *International Security*, 42(4), pp.128~169.

Jackson, Robert H. 1990. *Quasi-states: Sovereignty, International Relations, and the Third World.* Cambridge: Cambridge University Press.

Katzenstein, Peter J. 2009. *Civilizations in World Politics: Plural and Pluralist Perspectives.* New York: Routledge.

Krasner, Stephen D. 1999. *Sovereignty: Organized Hypocrisy.* Princeton: Princeton University Press.

Lake, David A. 2011. *Hierarchy in International Relations.* Ithaca: Cornell University Press.

Latham, Robert. 1997. *The Liberal Moment: Modernity, Security, and the Making of Postwar International Order.* New York: Columbia University Press.

Leffler, Melvyn P. and Odd Arne Westad(eds.). 2015. *The Cambridge History of the Cold War.* I. London: Cambridge University Press.

Mastanduno, Michael. 2009. "System Maker and Privilege Taker: U.S. Power and the International Political Economy." *World Politics*, 61(1), pp.121~54.

McDonald, Matt. 2008. "Securitization and the Construction of Security." *European Journal of International Relations*, 14(4), pp.563~587.

Mearsheimer, John J. 2011. *The Tragedy of Great Power Politics.* New York: Norton.

______. 2018. *The Great Delusion: Liberal Dreams and International Realities.* New Haven: Yale University Press.

Mearsheimer, John J., and Stephen M. Walt. 2016. "The Case for Offshore Balancing: A Superior U.S. Grand Strategy." *Foreign Affairs*, 95(4), pp.70~83.

Miller, Benjamin. 2007. *States, Nations, and the Great Powers: The Sources of Regional War and Peace.* Cambridge: Cambridge University Press.

Mitzen, Jennifer. 2006. "Ontological Security in World Politics and the Security Dilemma." *European Journal of International Relations*, 12(3), pp.341~370.

Morrow, James D. 1993. "Arms versus Allies: Tradeoffs in the Search for Security." *International Organization*, 47(2), pp.207~34.

O'Hanlon, Michael. 2018. "The Long-Term Basis for a U.S.-Korea Alliance." *The Washington Quarterly*, 41(4), pp.103~116.

Peterson. J. E. 2011. "Sovereignty and Boundaries in the Gulf States." in Mehran Kamrava(ed.). *In International Politics of the Persian Gulf.* New York: Syracuse University Press.

Posen, Barry R. 2018. "The Rise of Illiberal Hegemony: Trump's Surprising Grand Strategy." *Foreign Affairs*, 97(2), pp.20~27.

Pressman, Jeremy. 2008. *Warring Friends: Alliance Restraint in International Politics.* Ithaca: Cornell University Press.

Rauch, Carsten. 2017. "Challenging the Power Consensus: GDP, CINC, and Power Transition Theory." *Security Studies*, 26(4), pp.642~664.

Samuels, Richard J. 2007. *Securing Japan: Tokyo's Grand Strategy and the Future of East Asia*. Ithaca: Cornell University Press.

Snyder, Glenn H. 1984. "The Security Dilemma in Alliance Politics." *World Politics*, 36(4), pp.461~495.

_____. 1997. *Alliance Politics*. Ithaca: Cornell University Press.

Steele, Brent. 2008. *Ontological Security in International Relations: Self-Identity and the IR State*. London: Routledge.

Suzuki, Shogo. 2019. "Japanese Revisionists and the 'Korea Threat': Insights from Ontological Security." *Cambridge Review of International Affairs*, 32(3), pp.303~321.

Swenson, Geoffrey. 2017. "Why U.S. Efforts to Promote the Rule of Law in Afghanistan Failed." *International Security*, 42(1), pp.114~151.

Tang, Shiping. 2010. *A Theory of Security Strategy For Our Time: Defensive Realism*. New York: Palgrave.

Waltz, Kenneth. 1979. *Theory of International Politics*. Reading, Mass.: Addison-Wesley Pub. Co.

Wang, Gungwu. 2004. "The Fourth Rise of China: Cultural Implications." *China: An International Journal*, 2(2), pp.311~322.

Weitsman, Patricia A. 2004. *Dangerous Alliances: Proponents of Peace, Weapons of War*. Stanford, CA: Stanford University Press.

Westad, Odd Arne. 2007. *The Global Cold War: Third World Interventions and the Making of Our Times*. Cambridge: Cambridge University Press.

Williams, David. 2006. "The Japanese Evasion of Sovereignty: Article 9 and the European Canon-Hobbes, Carl Schmitt, Foucault." in Rikki Kirsten and David Williams(eds.). *The Left in the Shaping of Japanese Democracy: Essays in Honor of J.A.A. Stockwin*. New York: Routledge.

Zakaria, Farred. 2019. "The Self-Destruction of American Power: Washington Squandered the Unipolar Moment." *Foreign Affairs*, 98(4), pp.10~16.

Huang, Yanzhong. 2017. "The Four Traps China May Fall Into." October 30, 2017. Council on Foreign Relations, https://www.cfr.org/blog/four-traps-china-may-fall(검색일: 2019.8.9).

지은이

전재성

현재 서울대학교 정치외교학부 교수, 동아시아연구원 국가안보연구센터 소장을 맡고 있다. 일본 게이오대학 방문교수와 서울대학교 국제문제연구소장을 지냈다.

저서: 『동아시아 국제정치: 역사에서 이론으로』, 『정치는 도덕적인가: 라인홀드 니버의 초월적 국제정치사상』, 『주권과 국제정치: 근대 주권국가체제의 제국적 성격』

한울아카데미 2222

서울대학교 국제문제연구소 총서 32

동북아 국제정치이론

불완전 주권국가들의 국제정치

지은이 | **전재성**
펴낸이 | **김종수**
펴낸곳 | **한울엠플러스(주)**
편집책임 | **최진희**

초판 1쇄 인쇄 | **2020년 4월 12일**
초판 1쇄 발행 | **2020년 4월 23일**

주소 | 10881 경기도 파주시 광인사길 153 한울시소빌딩 3층
전화 | 031-955-0655
팩스 | 031-955-0656
홈페이지 | www.hanulmplus.kr
등록 | 제406-2015-000143호

Printed in Korea.
ISBN | 978-89-460-7222-0 93340(양장)
978-89-460-6893-3 93340(무선)

* 책값은 겉표지에 표시되어 있습니다.
* 이 책은 강의를 위한 학생용 교재를 따로 준비했습니다.
강의 교재로 사용하실 때는 본사로 연락해 주시기 바랍니다.